MA

Psychothérapeute d'origine mexicaine, Marina Castaneda est spécialisée dans la thérapie familiale et l'hypnose ericksonienne. Formée aux Etats-Unis (universités de Harvard et de Stanford) et en France (École normale supérieure), elle porte depuis long-temps un intérêt particulier à la question de l'homo-sexualité en général et à la manière dont celle-ci est abordée en psychothérapie en particulier.

Codirectrice de l'institut Milton H. Erickson de Cuernavaca, au Mexique, elle se consacre égale-ment à l'enseignement et à l'écriture.

CARLOS CASTANEDA

L'ART DE RÊVER

Les quatre portes
de la perception de l'univers

ÉDITIONS DU ROCHER

Titre original

THE ART OF DREAMING

Traduit de l'américain
par Marcel C. Kahn

© Harper Collins Publishers, New York, USA, 1993.
© Carlos Castaneda, 1993.
© Éditions du Rocher, 1994, pour la traduction française.
ISBN 2-266-06632-3

NOTE DE L'AUTEUR

Au cours des vingt dernières années, j'ai écrit une série de livres relatant mon apprentissage avec un sorcier indien yaqui du Mexique, don Juan Matus. Dans ces ouvrages, j'ai expliqué qu'il m'avait enseigné la sorcellerie, non pas la sorcellerie telle que nous la comprenons dans le contexte de notre monde de tous les jours, c'est-à-dire la mise en œuvre de pouvoirs surnaturels à l'encontre d'autrui, ou bien l'invocation des esprits avec des amulettes, des sorts, ou des rituels destinés à produire des effets surnaturels. Pour don Juan, la sorcellerie était l'acte qui rend substantielles quelques prémisses particulières d'ordres pratique et théorique concernant la nature et le rôle de la perception dans notre saisie et notre modélisation de l'univers qui nous entoure.

Pour définir sa connaissance j'ai évité, à la suggestion de don Juan, l'usage d'une classification anthropologique, le chamanisme. Je l'ai toujours désignée par le terme qu'il utilisait pour la nommer : sorcellerie. Toutefois, après mûre réflexion, je me suis aperçu que ce nom assombrissait encore plus le phénomène déjà obscur qu'il me présentait au cours de ses enseignements.

Dans les œuvres anthropologiques, le chamanisme est décrit comme un système de croyance propre à certains peuples originaires d'Asie du

Nord, mais aussi présent dans quelques tribus indiennes d'Amérique du Nord, qui soutient qu'un monde invisible de forces spirituelles ancestrales, bonnes ou mauvaises, prédomine autour de nous, et que ces forces spirituelles peuvent être invoquées ou contrôlées par les actes de praticiens qui sont des intermédiaires entre les royaumes du naturel et du surnaturel.

Sans aucun doute, don Juan était un intermédiaire entre le monde naturel de la vie de tous les jours et un monde invisible qu'il ne nommait pas le surnaturel, mais la « seconde attention ». Son rôle de maître consistait à me permettre l'accès à ce monde. Dans mes ouvrages antérieurs, j'ai décrit ses méthodes d'enseignement permettant d'atteindre ce but, ainsi que les arts de la sorcellerie qu'il me faisait pratiquer, dont le plus important se nommait « l'art de rêver ».

Don Juan soutenait que notre monde, que nous croyons être unique et absolu, n'est qu'un parmi un groupe de mondes conjoints, disposés telles les couches d'un oignon. Bien que nous ayons été énergétiquement conditionnés à percevoir exclusivement notre monde, il affirmait que nous avons encore la possibilité d'entrer dans ces autres royaumes qui sont aussi réels, uniques, complets et accaparants que l'est notre monde.

Don Juan m'expliqua que pour que nous puissions percevoir ces autres royaumes, non seulement il s'agit de les convoiter, mais il faut aussi avoir une énergie suffisante pour les saisir. Leur existence est constante et indépendante de notre conscience, disait-il, mais leur inaccessibilité résulte entièrement de notre conditionnement énergétique. En d'autres termes, simplement et uniquement suite à notre conditionnement, nous sommes contraints de présumer que le monde de notre vie de tous les jours est l'unique et seul monde possible.

Parce qu'ils croyaient notre conditionnement énergétique rectifiable, déclara don Juan, les sorciers des temps anciens développèrent un ensemble de pratiques conçues afin de reconditionner nos possibilités énergétiques de percevoir. C'est cet ensemble de pratiques qu'ils nommèrent l'art de rêver.

Avec la perspective acquise au cours du temps, je me rends compte maintenant que l'expression la plus adéquate de don Juan à propos de « rêver » consista à le nommer : le « passage à l'infinité ». La première fois qu'il utilisa cette métaphore, je lui fis remarquer que pour moi elle n'avait aucun sens.

« Alors, oublions les métaphores, concéda-t-il, disons que " rêver " est pour les sorciers leur manière pratique de se servir des rêves ordinaires.

– Mais comment peut-on se servir des rêves ordinaires ?

– Nous nous faisons toujours piéger par les mots, répondit-il. En ce qui me concerne, mon maître tenta de me décrire " rêver " en déclarant que c'est la façon dont les sorciers disent bonne nuit au monde. Ce faisant, il ajustait évidemment sa description pour l'accorder avec ma mentalité. Avec toi, je fais de même. »

À une autre occasion, don Juan me dit :

« Rêver ne peut être qu'une expérience. Rêver ne signifie pas simplement avoir des rêves ; pas plus que rêvasser ou souhaiter ou imaginer. Par l'acte de rêver, nous pouvons percevoir d'autres mondes, que nous pouvons assurément décrire. Mais nous ne pouvons pas décrire ce qui nous les rend perceptibles. Néanmoins, nous pouvons sentir comment rêver ouvre ces autres royaumes. Rêver semble être une sensation – un processus dans nos corps, une conscience dans nos pensées. »

Au cours de ses enseignements, don Juan m'expliqua minutieusement les principes, les raisons et les pratiques de l'art de rêver. Son instruction comprenait deux parties. L'une concernait les procédures pour rêver, l'autre comprenait des explications purement abstraites de ces procédures. Sa pédagogie consistait à jouer entre le fait de séduire ma curiosité intellectuelle par les principes abstraits de l'art de rêver et l'acte de me guider dans sa pratique afin que j'y découvre un exutoire.

J'ai déjà décrit tout cela de la manière la plus détaillée dont je fus alors capable. J'ai aussi dépeint le milieu des sorciers dans lequel don Juan me plaça afin de m'enseigner ses arts. Mon interaction avec ce milieu m'intéressa particulièrement, car elle se produisit exclusivement dans la seconde attention. J'entrais ici en relation avec les dix femmes et les cinq hommes qui étaient les compagnons de don Juan et avec les quatre jeunes gens et les quatre jeunes filles qui étaient ses apprentis.

Don Juan réunit ces derniers dès que j'accédai à son monde. Il m'expliqua clairement qu'ils formaient un groupe traditionnel de sorciers – une réplique de son propre groupe – et que mon rôle était de les guider. Toutefois, en travaillant avec moi, il se rendit compte que j'étais différent de ce qu'il avait prévu. Il expliqua cette différence en termes d'une constitution énergétique perceptible uniquement par des sorciers : au lieu d'avoir tout comme lui quatre compartiments d'énergie, je n'en avais que trois. Une telle constitution, qu'il avait par erreur jugée être un défaut rectifiable, me rendait tellement inapte à une interaction ou à une conduite de ces huit apprentis, qu'il devint impératif pour don Juan de réunir un autre groupe de personnes plus apparentées à ma structure énergétique.

J'ai longuement rapporté ces événements. Toutefois, je n'ai jamais fait état du second groupe d'apprentis ; don Juan me l'avait interdit. Il soutenait qu'ils appartenaient exclusivement à mon domaine, et que l'accord que nous avions passé était que je pouvais décrire uniquement ce qui concernait le sien, non le mien.

Ce second groupe d'apprentis s'avéra extrêmement compact. Il se composa de trois membres seulement ; une rêveuse : Florinda Donner, une traqueuse : Taisha Abelar, et une femme nagual : Carol Tiggs.

Nos interactions n'eurent lieu que dans la seconde attention. Dans le monde de la vie quotidienne, nous n'eûmes pas la moindre notion l'un de l'autre. Cependant, en ce qui concerne notre relation avec don Juan, tout était parfaitement clair ; il fit des efforts considérables pour nous entraîner d'égale manière. Malgré tout, vers la fin, alors que le temps de don Juan touchait à son terme, la pression psychologique exercée par son proche départ effrita les solides frontières de la seconde attention. Il en résulta un débordement de nos interactions dans le monde des affaires de tous les jours, et nous nous rencontrâmes, apparemment pour la première fois.

Pas un de nous ne connaissait, consciemment, notre profonde et laborieuse interaction dans la seconde attention. Et comme nous étions tous des chercheurs universitaires, rien ne nous choqua plus que de découvrir que nous nous étions déjà rencontrés. Bien entendu, cette situation fut pour nous intellectuellement inadmissible, et elle le demeure encore même si nous savons pertinemment qu'elle fut une partie intrinsèque de notre expérience. Par conséquent, il nous est resté l'inquiétante connaissance de savoir que le psychisme humain est infiniment plus complexe que notre raisonnement courant ou universitaire ne nous conduit à le croire.

Une fois, tous ensemble, nous demandâmes à don Juan d'éclaircir notre fâcheuse situation. Il répondit que pour l'expliquer, il disposait de deux choix. L'un consistait à satisfaire notre rationalité blessée et à la rapiécer, en disant que la seconde attention était un état de conscience aussi illusoire qu'une escadrille d'éléphants traversant le ciel et que tout ce que nous pensions avoir vécu dans cet état résultait simplement de suggestions hypnotiques. L'autre était de l'expliquer à la façon dont les sorciers rêveurs la comprennent; comme une configuration énergétique de la conscience.

Quoi qu'il en soit, au cours de l'accomplissement de mes tâches de rêveur, la frontière de la seconde attention demeura inchangée. Chaque fois que j'accédai à rêver, j'entrais aussi dans la seconde attention, et le fait de me réveiller de rêver ne signifiait pas nécessairement que j'avais quitté la seconde attention. Des années durant, je ne pus me souvenir que de quelques miettes de mes expériences de rêve. L'ensemble de mon vécu me demeurait énergétiquement inaccessible. Il me fallut quinze années de travail ininterrompu, de 1973 à 1988, pour accumuler assez d'énergie pour réorganiser le tout de manière linéaire dans ma pensée. Je me souvins alors d'événements rêvés, séquence après séquence, et je fus enfin à même de combler certains trous de mémoire apparents. De cette manière, j'ai saisi la continuité inhérente aux leçons de don Juan dans l'art de rêver, une continuité qui m'avait échappé parce qu'il me faisait zigzaguer entre la conscience de notre vie de tous les jours et la conscience de la seconde attention. De cette réorganisation résulte cet ouvrage.

Voilà qui me conduit à la dernière partie de ma note : la raison d'écrire ce livre. Détenteur de la plupart des pièces des leçons de don Juan sur l'art de rêver, je voudrais, dans un prochain ouvrage, expliquer la position et l'action actuelles de ses quatre derniers étudiants : Florinda Donner, Taisha Abelar, Carol Tiggs et moi-même. Mais avant de décrire et d'expliquer les résultats de sa conduite et de son influence sur nous, il me faut récapituler, à la lumière de ce que je sais maintenant, les parties des leçons de don Juan sur l'art de rêver qui me demeuraient auparavant inaccessibles.

Finalement, la raison d'être de cet ouvrage fut donnée par Carol Tiggs. Elle est persuadée que dans le fait d'expliquer le monde dont il nous a fait hériter, réside l'ultime expression de notre gratitude et de notre engagement dans la quête de don Juan.

1

LES SORCIERS DE L'ANTIQUITÉ : UNE INTRODUCTION

À de nombreuses reprises, don Juan insista sur le fait que tout ce qu'il m'enseignait avait été cerné et mis en œuvre par des hommes qu'il décrivait comme des sorciers de l'antiquité. Très clairement, il établit une distinction profonde entre ces sorciers et les sorciers d'aujourd'hui. Il définit les sorciers de l'antiquité comme des hommes qui vivaient au Mexique des milliers d'années avant sa conquête par les Espagnols, des hommes dont l'œuvre la plus grandiose avait été d'édifier les structures de la sorcellerie, en insistant sur sa réalité pratique et concrète. Il les décrivait comme des hommes brillants mais sans sagesse. À l'inverse, il peignait les sorciers modernes comme des hommes connus pour leur esprit sain et leur capacité à rectifier, s'ils l'estimaient nécessaire, le cours de la sorcellerie.

Don Juan m'expliqua que les prémisses de la sorcellerie se rapportant à l'art de rêver furent naturellement identifiées et développées par les sorciers de l'antiquité. Ces prémisses constituant la clé de l'explication et de la compréhension du fait de rêver, je suis dans la nécessité d'en parler de nouveau et de les expliquer. La majeure partie de cet ouvrage est, par conséquent, une réintroduction et un élargissement de ce qui était déjà abordé dans mes autres livres.

Au fil d'une de nos conversations, don Juan affirma que pour pouvoir apprécier la position des rêveurs et le fait de rêver, il fallait comprendre le combat des sorciers d'aujourd'hui pour sortir la sorcellerie de son aspect concret et la conduire vers l'abstrait.

« Que représente pour vous cet aspect concret, don Juan ?

– La partie pratique de la sorcellerie, répondit-il. La fixation obsessionnelle de la pensée sur les pratiques et les techniques, l'influence injustifiée sur les gens. Tout cela est du domaine des sorciers du passé.

– Et que désignez-vous par l'abstrait ?

– La recherche de la liberté, la liberté de percevoir, libre d'obsessions, tout ce qui est humainement possible. Je dis que les sorciers d'aujourd'hui recherchent l'abstrait parce qu'ils recherchent la liberté ; ils ne sont intéressés par aucun bénéfice concret. À l'inverse des sorciers du passé, ils n'ont aucune fonction sociale. Donc, tu ne les surprendras jamais aux postes de voyants officiels ou de sorciers institutionnels.

– Don Juan, voulez-vous dire que le passé n'a plus de valeur pour les sorciers de nos jours ?

– Il est certainement toujours valable. C'est l'ambiance de ce passé que nous n'aimons guère. Personnellement, je déteste l'obscurantisme et la morbidité de la pensée. J'aime l'immensité de l'esprit. Toutefois, en faisant fi de ce que j'aime ou déteste, je dois accorder un juste crédit aux sorciers de l'antiquité, car ils furent les premiers à découvrir et à pratiquer tout ce que nous connaissons aujourd'hui. »

Don Juan expliqua que leur ultime réalisation avait été de percevoir l'essence énergétique des choses. Cette perspicacité avait une telle importance qu'elle constitua la prémisse fondamentale de la sorcellerie. De nos jours, après une vie entière d'entraînement et de discipline, les sorciers acquièrent la faculté de percevoir l'essence des choses, une faculté qu'ils nomment *voir*.

« Percevoir l'essence des choses, qu'est-ce que cela signifierait-il pour moi ? demandai-je une fois à don Juan.

– Cela signifierait que tu perçoives directement l'énergie, répondit-il. En mettant de côté la part sociale de la perception, tu percevras l'essence de toute chose. Tout ce que nous percevons est énergie, mais puisque nous ne pouvons pas percevoir directement l'énergie, nous traitons notre perception pour se conformer à un moule. Ce moule est la part sociale de la perception, celle qu'il faut écarter.

– Pourquoi dois-je l'écarter ?

– Parce qu'elle réduit délibérément la portée de ce qui peut être perçu et qu'elle nous fait croire que le moule dans lequel nous coulons nos perceptions est la totalité de ce qui existe. Je suis persuadé que pour que l'homme d'aujourd'hui survive, sa perception doit changer au niveau de son fondement social.

– Quel est ce fondement social de la perception, don Juan ?

– La certitude physique que le monde est fait d'objets concrets. Je nomme cela fondement social parce que tous les hommes s'efforcent sérieusement et avec acharnement de nous conduire à percevoir le monde de la façon dont nous le faisons.

– Et comment faudrait-il que nous percevions le monde ?

– Tout est énergie. L'univers tout entier est énergie. Le fondement social de notre perception devrait être la certitude physique qu'il n'y a en tout et pour tout que de l'énergie. Un puissant effort devrait être accompli pour nous conduire à percevoir l'énergie en tant qu'énergie. Alors, nous aurions ces deux possibilités à portée de main.

– Est-il possible d'enseigner cela aux gens ? »
Don Juan répliqua que c'était non seulement

possible, mais c'était précisément ce qu'il faisait avec moi et ses autres apprentis. Il nous enseignait une nouvelle manière de percevoir, en premier lieu en nous faisant prendre conscience que nous traitons nos perceptions pour les couler dans un moule et, en second lieu, en nous guidant sans répit afin que nous percevions directement l'énergie. Il me certifia que cette méthode était très similaire à celle mise en œuvre pour nous apprendre à percevoir le monde de tous les jours.

Dans la conception de don Juan, le fait que nous soyons piégés en traitant notre perception pour nous conformer à un moule social perd tout pouvoir dès l'instant où nous réalisons que nous avons accepté ce moule, héritage de nos ancêtres, sans même nous soucier de l'examiner.

« Pour nos ancêtres, percevoir un monde d'objets solides pénétrés de valeur soit positive, soit négative, avait résulté d'une nécessité absolue de survie, dit don Juan. Après une éternité d'usage d'une perception ainsi conditionnée, nous sommes aujourd'hui dans l'obligation de croire que le monde est fait d'objets.

– Je ne peux pas concevoir le monde fait autrement, don Juan, plaidai-je. Sans ambiguïté, c'est un monde d'objets. Pour le prouver, il suffit de se cogner dessus.

– Bien sûr, c'est un monde d'objets. Nous ne nions pas cela.

– Que prétendez-vous alors ?

– Je prétends que c'est en premier lieu un monde d'énergie ; ensuite c'est un monde d'objets. Si nous ne partons pas avec la prémisse que c'est un monde d'énergie, jamais nous ne serons capables de percevoir directement l'énergie. Nous serons toujours bloqués par la certitude physique qui est celle que tu viens de toucher du doigt : la dureté des objets. »

Son argumentation me laissait extrêmement perplexe. À cette époque, mon esprit refusait tout

18

simplement d'examiner une possibilité de comprendre le monde autre que celle qui m'était familière. Les affirmations de don Juan et les points qu'il s'efforçait de soulever étaient des propositions bizarres que je ne pouvais ni accepter ni d'ailleurs refuser.

« Notre façon de percevoir est celle du prédateur, me déclara-t-il une autre fois. Une manière très efficace d'évaluer et de classer nourriture et danger. Mais là ne réside pas l'unique façon de percevoir dont nous sommes capables. Il en existe une autre, celle avec laquelle je te familiarise : l'acte de percevoir l'essence de toute chose, l'énergie elle-même, directement.

« Percevoir l'essence de toute chose nous fera comprendre, classer, et décrire le monde en termes neufs, plus passionnants, plus élaborés. »

Telle se présentait l'affirmation de don Juan. Et ces termes plus élaborés auxquels il faisait allusion étaient ceux qui lui avaient été enseignés par ses prédécesseurs ; des termes qui correspondent aux vérités de la sorcellerie, dénuées de fondement rationnel et sans la moindre relation avec les faits de notre monde quotidien, mais qui sont des vérités qui vont de soi pour les sorciers qui perçoivent directement l'énergie et *voient* l'essence de toute chose.

Pour ces sorciers, l'acte de sorcellerie le plus significatif est de *voir* l'essence de l'univers. Selon don Juan, les sorciers de l'antiquité, qui furent les premiers à voir l'essence de l'univers, la décrivirent au mieux. Ils déclarèrent que l'essence de l'univers ressemble à des fils incandescents parcourant l'infinité dans toutes les directions imaginables, des filaments lumineux qui ont conscience de leur existence de manière inconcevable pour la pensée humaine.

Après avoir *vu* l'essence de l'univers, les sorciers de l'antiquité s'attachèrent à *voir* l'essence énergétique des êtres humains. Don Juan déclara qu'ils avaient décrit les êtres humains comme des formes brillantes ressemblant à des œufs géants qu'ils nommèrent œufs lumineux.

« Quand les sorciers *voient* un être humain, dit don Juan, ils *voient* une forme géante et lumineuse qui flotte et fait, en se déplaçant, un profond sillon dans l'énergie de la terre, comme si la forme lumineuse possédait une racine principale qui le creuse en se traînant. »

Don Juan avait l'impression que notre forme énergétique ne cesse de se modifier au cours du temps. Il précisa que tous les voyants qu'il connaissait, lui inclus, *voient* que les êtres humains sont plutôt en forme de boules ou parfois même de pierres tombales, qu'en forme d'œufs. Mais, de temps à autre, et sans qu'ils puissent en connaître la raison, les sorciers voient une personne dont l'énergie a une forme d'œuf. Don Juan suggéra que, de nos jours, les gens en forme d'œufs sont plus apparentés aux gens des temps anciens.

Au cours de ses enseignements, don Juan traita et expliqua à plusieurs reprises ce qu'il considérait être la trouvaille décisive des sorciers de l'antiquité. Il la définissait comme la caractéristique cruciale de l'être humain vu comme une boule lumineuse : un endroit d'une intense brillance, rond, de la taille d'une balle de tennis, en permanence situé à l'intérieur de la boule lumineuse, au niveau de sa surface, à environ soixante centimètres en arrière du bord cervical de l'omoplate droite de la personne.

Comme j'avais de la peine à visualiser cela sur-le-champ, don Juan expliqua que la boule lumineuse est bien plus grande que le corps humain, que l'endroit d'intense brillance fait partie de cette boule d'énergie, et qu'il est situé à hauteur des omoplates, à une longueur de bras du dos de la personne. Il dit que les sorciers d'antan, après avoir *vu* ce qu'il faisait, le nommèrent « point d'assemblage ».

« Que fait le point d'assemblage ? demandai-je.

– Il nous fait percevoir, répondit-il. Les sorciers d'antan *virent* que, pour les êtres humains, la perception est assemblée là, en ce point. *Voyant* que tous les êtres vivants possèdent un tel point de brillance, les sorciers d'antan présumèrent que toute perception devait naître en cet endroit, de quelque pertinente manière que ce soit.

– Qu'ont donc *vu* les sorciers d'antan pour être conduits à conclure que la perception se fait au point d'assemblage ? »

Il répondit qu'en tout premier lieu, ils *virent* que, parmi les millions de filaments lumineux d'énergie universelle traversant la boule lumineuse, seul un petit nombre passait directement au point d'assemblage, ce qui était normal car il est petit comparé au tout.

Ensuite, ils *virent* qu'une petite sphère rayonnante, légèrement plus grande que le point d'assemblage, l'entoure toujours, et qu'elle intensifie grandement la luminosité des filaments qui passent dans ce rayonnement.

Enfin, ils *virent* deux choses. Premièrement, que le point d'assemblage des êtres humains peut, de lui-même, se déplacer de l'endroit où il est habituellement logé. Deuxièmement, que lorsque le point d'assemblage reste à sa position habituelle, la perception et la conscience semblent normales, pour autant qu'on puisse en juger vu la conduite normale des sujets observés. Mais lorsque leur point d'assemblage et la sphère rayonnante l'environnant sont dans une position différente de l'habituelle, leur conduite insolite semble prouver que leur conscience est différente, qu'ils perçoivent d'une manière peu familière.

Suite à ces observations, la conclusion tirée par les sorciers d'antan fut que plus grand est le déplacement du point d'assemblage de sa position habituelle, plus exceptionnelle est la conduite résultante et, évidemment, la conscience résultante et la perception.

« Remarque bien que lorsque je parle de *voir,* je dis toujours " avait l'apparence de " ou " ressemblait à ", me prévint don Juan. Tout ce qu'on *voit* est tellement unique qu'il n'existe pas une seule façon d'en parler, si ce n'est en comparant avec quelque chose de connu. »

Il mentionna que l'exemple le plus approprié d'une telle difficulté résidait dans la manière dont les sorciers parlent du point d'assemblage et du rayonnement qui l'entoure. Ils les décrivent comme une brillance, cependant cela ne peut pas être une brillance car les voyants les *voient* sans faire usage de leurs yeux. Néanmoins, il leur faut combler ce fossé, donc dire que le point d'assemblage est un endroit de lumière et qu'autour de lui il y a un halo, un rayonnement. Don Juan fit remarquer que nous sommes tellement dans le visuel, tellement sous la coupe de notre perception de prédateur, que tout ce que nous *voyons* doit s'exprimer à l'aune de ce qu'un œil de prédateur voit normalement.

Après avoir *vu* ce que le point d'assemblage et son rayonnement environnant semblent faire, précisa don Juan, les sorciers d'antan introduisirent une explication. Ils proposèrent que le point d'assemblage des êtres humains, lorsqu'il concentre sa sphère rayonnante sur les filaments d'énergie de l'univers qui le traversent, automatiquement et sans préméditation rassemble ces filaments en une perception stable du monde.

« Comment ces filaments dont vous parlez sont-ils assemblés en une stable perception du monde ?

– Il est impossible, à n'importe lequel d'entre nous, de le savoir, répondit-il en insistant. Les sorciers *voient* le mouvement de l'énergie, mais *voir* le mouvement de l'énergie ne peut en rien leur apprendre comment et pourquoi l'énergie bouge-t-elle. »

Don Juan déclara qu'après avoir *vu* que des millions de filaments d'énergie consciente passaient par le point d'assemblage, les sorciers d'antan postulèrent qu'en le traversant ils se réunissaient, comme agglomérés par le rayonnement qui l'entoure. Ayant *vu* que chez des gens inconscients ou prêts à mourir, le rayonnement est extrêmement faible, et qu'il est totalement absent dans un cadavre, ils en conclurent que ce rayonnement est conscience.

« Ce point d'assemblage, il n'existe donc pas dans un cadavre ? » demandai-je.

Il confirma que, puisque le point d'assemblage et son rayonnement environnant constituent la marque de vie et de conscience, dans un être mort il n'y avait pas trace du point d'assemblage. Pour les sorciers de l'antiquité, l'inéluctable conclusion fut que conscience et perception vont de pair et sont liées au point d'assemblage et au rayonnement qui l'entoure.

« Y a-t-il une seule chance pour que ces sorciers se soient trompés à propos de *voir* ?

– Je ne peux pas t'expliquer pourquoi, mais il n'existe pas une seule possibilité pour que les sorciers se soient trompés sur *voir*, dit don Juan d'un ton qui interdisait tout argument. Bien sûr, leurs conclusions tirées du fait de *voir* pourraient être erronées, mais cela résulterait de leur naïveté, ou de leur inculture. Pour pallier la possibilité d'un tel désastre, les sorciers doivent cultiver leur pensée, de toutes les manières possibles. »

Cela dit, il prit un ton plus doux pour faire remarquer que, sans aucun doute, il serait bien plus raisonnable pour les sorciers de s'en tenir au niveau de la description de ce qu'ils *voyaient,* mais la tentation de conclure et d'expliquer, même si ce n'est qu'à soi, s'avère bien trop forte pour y résister.

Une autre configuration d'énergie que les sorciers de l'antiquité furent capables de *voir* et d'étudier fut l'effet du déplacement du point d'assemblage. Don Juan précisa que lorsque le point d'assemblage est déplacé ailleurs, un nouvel agglomérat de millions de filaments d'énergie lumineuse s'organise en cet endroit. Les sorciers de l'antiquité *virent* cela et en déduisirent que, puisque le rayonnement de conscience est toujours présent où que soit le point d'assemblage, la perception est automatiquement assemblée là. Vu la position différente du point d'assemblage, le monde qui en résulte ne peut pas être, de quelque manière que ce soit, le monde de notre quotidien.

Don Juan m'indiqua que les sorciers d'antan furent capables de distinguer deux types de déplacement du point d'assemblage. L'un résidait dans le déplacement en n'importe quel lieu à la surface ou à l'intérieur de la boule lumineuse ; ils caractérisèrent ce déplacement en le nommant *changement* de point d'assemblage. L'autre consistait en un déplacement au-dehors de la boule lumineuse ; un tel déplacement fut nommé *mouvement* du point d'assemblage. Ils découvrirent que ce qui faisait la différence entre un changement et un mouvement était la nature de la perception que chacun permet.

Puisque les changements du point d'assemblage sont des déplacements à l'intérieur de la boule lumineuse, les mondes qu'ils engendrent, quels qu'en soient la bizarrerie ou l'étonnant ou l'incroyable qui les caractérisent, sont encore des mondes appartenant au domaine humain. Ce domaine humain est celui de la totalité des filaments d'énergie qui passent au travers de la boule lumineuse. Au contraire, les mouvements du point d'assemblage, puisqu'ils sont des déplacements en dehors de la boule lumineuse, mettent en œuvre des filaments d'énergie qui sont au-delà du royaume humain. Percevoir de tels filaments engendre des mondes qui dépassent toute compréhension, des mondes inconcevables n'ayant pas une seule trace d'antécédents humains.

À cette époque-là, la question de validation jouait un rôle essentiel dans ma pensée.

« Don Juan, pardonnez-moi, mais cette affaire de point d'assemblage est une idée tellement extravagante, tellement inadmissible que je ne sais pas comment l'aborder, ou bien qu'en penser.

– Il ne te reste qu'une seule chose à faire, rétorqua-t-il. *Voir* le point d'assemblage ! *Voir* n'est pas si difficile. La difficulté est de briser le rempart que tous nous avons dans nos pensées et qui nous immobilise.

« Pour le briser, tout ce qu'il nous faut est de l'énergie. Une fois que nous disposons d'énergie, *voir* survient de soi-même. L'astuce consiste à abandonner notre tour d'autosatisfaction et de fausse sécurité.

– Il m'apparaît évident que *voir* réclame une immense connaissance, don Juan. Ce n'est pas uniquement une question d'avoir de l'énergie.

– C'est uniquement une question d'avoir de l'énergie, crois-moi. Le plus difficile est de se convaincre que c'est possible. À cette fin, tu dois faire confiance au *nagual*. En sorcellerie, le merveilleux est que chaque sorcier doit obtenir la preuve de chaque chose par sa propre expérience. Je te révèle les principes de la sorcellerie non pas avec l'espoir que tu les mémoriseras, mais avec l'espoir que tu les mettras en pratique. »

En ce qui concerne la nécessité de lui faire confiance, sans aucun doute don Juan avait raison. Au cours des premières étapes de mon apprentissage qui dura treize années, la chose la plus difficile fut de m'affilier à son monde et à sa personne. Cet acte d'adhésion signifiait qu'il fallait que j'apprenne à lui faire implicitement confiance et, sans aucun préjugé, à l'accepter en tant que *nagual*.

Dans le monde des sorciers le rôle absolu de don Juan se manifestait par le titre que lui accordaient ses pairs ; ils le nommaient le *nagual*. On m'expliqua que ce concept s'attache à toute personne, mâle ou femelle, qui possède une constitution d'énergie spécifique qui apparaît à un voyant telle une double boule lumineuse. Les voyants croient que lorsqu'une de ces personnes entre dans le monde de la sorcellerie, cette charge supplémentaire d'énergie devient un capital de force et une faculté à diriger. D'où le fait que le nagual soit le guide naturel et le chef d'un groupe de sorciers.

Au premier abord, ressentir une telle confiance envers don Juan me perturba notoirement, au point de trouver cette attitude odieuse. Lorsque je lui en parlai, il m'affirma que lorsqu'il dut témoigner d'une confiance semblable envers son propre maître, il avait traversé les mêmes affres. Il ajouta :

« J'ai dit à mon maître exactement ce que tu viens de me dire. Il répliqua que, sans accorder sa totale confiance au nagual, il n'existe pas une seule possibilité de soulagement et, par conséquent, pas une seule possibilité de se défaire des détritus de notre vie pour, enfin, être libre. »

Don Juan fit à nouveau remarquer combien son maître avait eu raison. Je lui signalai, à nouveau, mon profond désaccord. Je lui confiai que le simple fait d'avoir été élevé dans un milieu religieux rigide avait eu des effets dévastateurs sur moi, et que les déclarations de son maître et son propre accord me rappelaient le dogme d'obédience qu'il m'avait fallu, tout en le détestant, apprendre dès mon plus jeune âge. Et j'ajoutai :

« Il me semble, dès que vous parlez du nagual, que vous exprimez une croyance religieuse.

— Crois tout ce qu'il te plaît, répliqua-t-il sans se décourager. Le fait demeure inchangé : sans le nagual, pas d'action. Je le sais et je le dis. Et ainsi firent tous les naguals qui me précédèrent. Mais, ils ne le dirent pas du point de vue buté de leur suffisance ; et moi non plus. Dire qu'il n'y a pas de chemin sans le nagual, c'est se référer entièrement au fait que l'homme, le nagual, est un nagual parce qu'il peut réfléchir l'abstrait, l'esprit, mieux que tout autre. Mais ce n'est rien de plus. Notre lien est avec l'esprit lui-même et, incidemment seulement, avec l'homme qui nous apporte son message. »

J'appris à faire implicitement confiance à don Juan, le nagual, et cela, ainsi qu'il l'avait déclaré, m'apporta une immense sensation de soulagement et une plus grande faculté à accepter ce qu'il s'efforçait de m'enseigner.

Au cours de ses enseignements, il développa avec insistance autant ses explications que nos discussions concernant le point d'assemblage. Une fois, je lui demandai si le point d'assemblage avait quelque chose à voir avec notre corps physique.

« Il n'a rien à voir avec ce que nous percevons normalement comme le corps physique, répondit-il. Il fait partie de l'œuf lumineux qui est notre réalité énergétique.

– Comment le déplace-t-on ?

– Grâce aux courants d'énergie, des secousses d'énergie, venant soit de l'intérieur soit de l'extérieur de notre forme énergétique. En général, ce sont des courants imprévisibles qui surgissent de manière fortuite, mais pour les sorciers ce sont des courants parfaitement prévisibles qui obéissent à l'intention du sorcier.

– Pouvez-vous ressentir ces courants ?

– Chaque sorcier les ressent. Chaque être humain aussi, mais les êtres humains ordinaires sont trop préoccupés par leurs propres affaires pour prêter la moindre attention à ce genre de sensations.

– Comment ressent-on ces courants ?

– Comme un malaise mineur, une vague sensation de tristesse immédiatement suivie d'euphorie. Puisque ni cette tristesse ni cette euphorie n'ont de causes explicables, jamais nous ne les considérons comme de véritables assauts de l'inconnu et nous les reléguons au rang d'une humeur changeante, injustifiée, inexplicable.

– Que se produit-il lorsque le point d'assemblage se déplace en dehors de la forme énergétique ? Pend-il à l'extérieur ? Ou bien demeure-t-il fixé à la boule lumineuse ?

— Il pousse vers l'extérieur les contours de la forme d'énergie, sans en briser les frontières énergétiques. »

Don Juan expliqua que le produit final d'un mouvement consiste en une modification totale de la forme d'énergie d'un être humain. Au lieu d'une boule ou d'un œuf, elle se transforme en quelque chose qui ressemble à une pipe de fumeur. L'extrémité du tuyau est le point d'assemblage, et le fourneau de la pipe est ce qui reste de la boule lumineuse. Si le point d'assemblage continue à se déplacer, il arrive un moment où la boule lumineuse devient une fine ligne d'énergie.

Don Juan poursuivit en précisant que les sorciers d'antan furent les seuls à pouvoir accomplir cet exploit de transformation de la forme d'énergie. Alors, je lui demandai si dans leur nouvelle forme énergétique ces sorciers étaient encore des hommes.

« Bien évidemment qu'ils étaient encore des hommes, dit-il. Mais je crois que ce que tu veux savoir c'est s'ils demeuraient encore des gens de raison, des personnes dignes de confiance. Eh bien, pas tout à fait.

— En quoi étaient-ils différents ?

— Dans leurs préoccupations. Pour eux, les efforts et les soucis des humains apparaissaient vides de sens. Ils avaient aussi définitivement une nouvelle apparence.

— Voulez-vous dire qu'ils ne ressemblaient plus aux hommes ?

— Il est très difficile de cerner ce qui définissait ces sorciers. Sans aucun doute, ils étaient comme des hommes. À quoi d'autre auraient-ils pu ressembler ? Mais ils n'étaient pas exactement tels que nous pourrions nous y attendre. Cependant, si tu me poussais dans mes retranchements pour que je dise en quoi ils différaient, je tournerais en rond, tel un chien qui chasse sa queue.

– Avez-vous jamais rencontré un de ces hommes, don Juan ?

– Oui, j'en ai rencontré un.

– À quoi ressemblait-il ?

– En ce qui concerne son apparence, il se présentait à mes yeux comme une personne normale. Toutefois, son comportement était inhabituel.

– Et de quelle façon était-il inhabituel ?

– Tout ce que je peux te dire, c'est que le comportement du sorcier que j'ai rencontré défie l'imagination. Mais réduire cela seulement à une façon de se comporter serait erroné. C'est quelque chose qu'il faut avoir réellement vu pour l'évaluer.

– Tous ces sorciers étaient-ils comme celui que vous avez rencontré ?

– Certainement pas. J'ignore comment étaient les autres, si ce n'est par les histoires de sorciers transmises de génération en génération. Et ces histoires les décrivent comme des êtres assez bizarres.

– Voulez-vous dire monstrueux ?

– Pas le moins du monde. Elles racontent qu'ils étaient des hommes très sympathiques, mais extrêmement effrayants. Ils étaient telles des créatures inconnues. Ce qui donne son homogénéité à l'humanité, c'est le fait que nous soyons tous des boules lumineuses. Et ces sorciers n'étaient plus des boules d'énergie, mais des lignes d'énergie qui tentaient de s'incurver afin de devenir des cercles, sans vraiment y parvenir.

– Et finalement, que leur arriva-t-il ? Moururent-ils ?

– Les histoires de sorciers rapportent que, parce qu'ils avaient réussi à étirer leurs formes, ils avaient aussi réussi à prolonger la durée de leurs consciences. Donc, aujourd'hui, ils sont en vie et pleinement conscients. Il y a certaines histoires contant leur apparition périodique sur la terre.

– Don Juan, qu'en pensez-vous, franchement ?

– C'est trop bizarre pour moi. Je veux ma liberté.

La liberté de conserver ma conscience, même si je disparais dans l'immensité. Mon opinion personnelle est que ces sorciers d'antan étaient des hommes extravagants, obsédés, capricieux, qui ont été épinglés par leurs propres machinations.

« Mais ne laisse pas mes sentiments personnels t'influencer. L'accomplissement des sorciers d'antan est sans égal. Ils nous ont, si ce n'est rien d'autre, prouvé qu'il ne faut en aucun cas cracher sur les potentialités de l'homme. »

Un autre sujet favori des explications de don Juan était la nécessité de l'uniformité et de la cohésion énergétiques pour qui a pour but de percevoir. Son argument était que l'humanité perçoit le monde que nous connaissons, dans les termes où nous le faisons, uniquement parce que tous les hommes partagent les mêmes uniformité et cohésion énergétiques. Il précisa qu'au cours de notre éducation, nous acquérons automatiquement ces deux conditions énergétiques, et elles sont prises comme étant tellement naturelles que nous ne nous rendons plus compte de leur importance vitale jusqu'au moment où nous devons faire face à la possibilité de percevoir des mondes autres que le monde connu. En une telle situation s'impose la nécessité de nouvelles uniformité et cohésion énergétiques, appropriées au besoin de percevoir d'une façon cohérente et totale.

Je voulus savoir ce qu'étaient l'uniformité et la cohésion, et il expliqua que la forme énergétique de l'homme possède une uniformité dans le sens où chaque être humain sur terre a la forme d'une boule ou d'un œuf. Et le fait que l'énergie de l'homme se maintienne elle-même comme une boule ou un œuf prouve qu'elle a une cohésion. Il ajouta qu'un exemple de nouvelles uniformité et cohésion se trouvait être la forme d'énergie des sorciers d'antan, une fois transformée en ligne : chacun d'entre eux, uniformément, devint une ligne et, de manière cohésive, demeura une ligne.

Uniformité et cohésion au niveau d'une ligne permirent à ces sorciers d'antan de percevoir un monde nouveau parfaitement homogène.

« Comment obtient-on l'uniformité et la cohésion ?

– Par la position du point d'assemblage, ou plutôt par la fixation du point d'assemblage », dit-il.

Cette fois-là, il refusa d'en dire plus ; donc je lui demandai si ces sorciers d'antan auraient pu retrouver leur forme d'œuf. Il répliqua que, jusqu'à un certain point, cela aurait été possible, mais qu'ils ne le firent pas. Ensuite, la cohésion linéaire se figea et rendit impossible leur retour en arrière. À son avis, ce qui cristallisa la cohésion de la ligne et interdit leur retour fut une question de choix et d'avidité. La portée de ce que ces sorciers furent capables de percevoir et de faire, en tant que lignes d'énergie, est d'une amplitude astronomique, bien plus importante que celle d'un homme ordinaire ou d'un sorcier moyen.

Il expliqua que, pour celui qui était une boule d'énergie, le domaine humain se composait de tous les filaments d'énergie, quels qu'ils soient, qui passent dans l'espace défini par les limites de la boule. D'ordinaire, nous ne percevons pas la totalité du domaine humain, peut-être à peine un millième. Selon lui, si nous prenons ça en considération, l'immensité de ce que les sorciers d'antan firent est évidente : ils s'étendirent en une ligne des milliers de fois de la taille de la boule d'énergie d'un homme et perçurent alors tous les filaments d'énergie qui passaient par cette ligne.

Il insista, et m'obligea à faire des efforts gigantesques pour comprendre le nouveau modèle de configuration d'énergie qu'il me décrivait. Enfin, après bien des explications répétées, j'arrivai à suivre l'idée de filaments d'énergie à l'intérieur et à l'extérieur de la boule lumineuse. Mais dès que je pensais à une multitude de boules lumineuses, le modèle s'effritait dans ma tête. En effet, raisonnais-je, dans une multitude de boules lumineuses les filaments d'énergie qui sont à l'extérieur d'une seront nécessairement à l'intérieur de sa voisine. Donc, dans une multitude, il serait impossible qu'un filament d'énergie soit totalement extérieur à toutes les boules.

« Comprendre tout cela n'est certainement pas un exercice pour ta raison, répondit-il après avoir soigneusement écouté tous mes arguments. Je ne dispose d'aucun moyen pour t'expliquer ce que les sorciers veulent dire par filaments intérieurs ou extérieurs à la forme humaine. Quand des voyants *voient* la forme humaine d'énergie, ils *voient* une seule boule d'énergie. S'il y a une autre boule à côté, l'autre boule est *vue*, elle aussi, telle une seule boule d'énergie. L'idée d'une multitude de boules d'énergie vient de ta connaissance des foules humaines. Dans l'univers de l'énergie, il n'existe que des individus, seuls, entourés par l'illimité.

« Tu dois *voir* cela toi-même ! »

Mon argument fut qu'il ne rimait à rien de me dire de *voir* par moi-même, alors qu'il savait pertinemment que je ne pouvais pas. Il me proposa d'emprunter son énergie et de m'en servir afin de *voir*.

« Comment puis-je faire ça ? Emprunter votre énergie.

– Très simplement. Je peux provoquer un changement de ton point d'assemblage jusqu'à une autre position, plus apte à percevoir directement l'énergie. »

C'était la première fois, pour autant que je m'en souvienne, qu'il parla ouvertement de ce qu'il avait toujours fait : me faire accéder à un état incompréhensible de conscience qui défiait mon idée du monde et de moi-même, un état qu'il nommait la seconde attention. Alors, afin de déplacer mon point d'assemblage sur une position mieux adaptée pour percevoir directement l'énergie, don Juan me frappa de sa main entre mes omoplates, avec une telle force que j'en eus le souffle coupé. Je crus m'être évanoui ou bien que le coup m'avait endormi. Soudain, je regardais, ou je rêvais que je regardais, quelque chose qui me laissa littéralement bouche bée. De brillantes ficelles de lumière jaillissaient de partout, allaient partout, des ficelles de lumière qui différaient de tout ce qui m'avait déjà traversé l'esprit.

Une fois mon souffle retrouvé, ou alors une fois réveillé, don Juan me demanda, avec l'air d'attendre quelque chose :

« Qu'as-tu *vu* ? »

Et quand, sincèrement, je lui répondis :

« Votre claque m'a fait voir les étoiles », il éclata de rire.

Il signala que même si elle survenait, je n'étais pas encore prêt à saisir une perception inhabituelle.

« J'ai provoqué un changement de ton point d'assemblage et pendant un instant, tu as rêvé les filaments de l'univers. Mais tu n'as pas encore la maîtrise ou l'énergie pour réorganiser ton uniformité et ta cohésion. Les sorciers d'antan étaient les maîtres accomplis de cette réorganisation. C'est grâce à elle qu'ils *virent* tout ce qui peut être *vu* par l'homme.

— Que signifie réorganiser l'uniformité et la cohésion ?

— Cela signifie entrer dans la seconde attention en retenant le point d'assemblage sur sa nouvelle position et en l'empêchant de glisser vers sa position originelle. »

Don Juan poursuivit ses explications en me donnant une définition traditionnelle de la seconde attention. Il dit que les sorciers d'antan nommaient seconde attention l'accomplissement qui consiste à fixer le point d'assemblage en de nouvelles positions, et qu'ils la considéraient comme un terrain approprié pour toutes les activités, tout aussi bien que l'attention du monde de tous les jours. Il fit remarquer que les sorciers ont vraiment deux aires complètes où exercer leurs entreprises : une réduite, nommée la première attention, ou conscience de notre monde quotidien, ou fixation du point d'assemblage à sa position habituelle ; et une aire bien plus vaste, la seconde attention, ou conscience des autres mondes, ou fixation du point d'assemblage en un nombre considérable de nouvelles positions.

Dans la seconde attention, don Juan m'aida à avoir l'expérience de choses inexplicables en faisant usage de ce qu'il désignait comme une manœuvre de sorcier : taper légèrement ou frapper durement mon dos à hauteur des omoplates. Il signifia qu'avec ses coups, il déplaçait le point d'assemblage. De mon point de vue expérimental, de tels déplacements faisaient que ma conscience entrait dans un état troublant d'incroyable clarté, un état de surconscience, qui s'avérait agréable pendant de brefs moments au cours desquels je pouvais tout comprendre avec un minimum de préliminaires. Il ne s'agissait pas d'un état vraiment plaisant. La plupart du temps, il m'apparaissait tel un rêve étrange, si intense qu'en comparaison la conscience normale s'affadissait.

Don Juan déclara cette manœuvre indispensable en précisant que, dans l'état de conscience normale, le sorcier enseigne à son apprenti des concepts et des procédés fondamentaux et que, dans la seconde attention, il lui donne des explications abstraites et détaillées.

Habituellement, les apprentis ne se souviennent absolument pas de ces explications, cependant ils les accumulent, fidèlement intactes, dans leur mémoire. Les sorciers prirent avantage de cette apparente particularité de la mémoire. Ils s'efforcèrent de se souvenir de tout ce qui leur était arrivé dans la seconde attention, au point qu'ils firent de cet exercice une des plus complexes et plus difficiles tâches traditionnelles de la sorcellerie.

Les sorciers expliquent cette apparente particularité de la mémoire, ainsi que la tâche de se souvenir, en disant que chaque fois que quelqu'un entre dans la seconde attention, le point d'assemblage est sur une position différente. Se souvenir signifie alors relocaliser le point d'assemblage à la position exacte qu'il occupait au moment où se produisirent ces entrées dans la seconde attention. Don Juan m'assura que non seulement les sorciers sont capables de tout se rappeler avec une clarté totale et absolue, mais qu'ils revivent chaque expérience qu'ils ont eue dans la seconde attention en accomplissant l'acte de replacer leur point d'assemblage sur chacune de ces positions spécifiques. Il me certifia aussi que les sorciers consacraient toute leur vie à parachever cette tâche de se souvenir.

Dans la seconde attention, don Juan me donna des explications très fouillées de la sorcellerie, car il savait qu'ainsi la précision et la véracité d'une telle instruction s'inscriraient en moi, fidèlement intactes, pour la durée de ma vie.

À propos de cette qualité de fidélité, il dit :

« Apprendre quelque chose dans la seconde attention est exactement comme apprendre lorsque nous étions enfants. Tout ce que nous apprenons est gravé pour la vie. " C'est ma seconde nature ", disons-nous quand il s'agit de quelque chose que nous avons appris très tôt dans notre vie. »

Si j'en juge par mon appréciation actuelle, je me rends compte que don Juan me faisait entrer dans la seconde attention aussi souvent que possible, de façon à m'obliger à maintenir pendant assez longtemps de nouvelles positions de mon point d'assemblage, et là, de percevoir de manière cohérente, c'est-à-dire qu'il avait pour but de m'obliger à réorganiser mon uniformité et ma cohésion.

Je parvins un nombre considérable de fois à tout

percevoir aussi précisément que je perçois dans le monde de tous les jours. Mon problème fut mon incapacité d'établir un pont entre mes actions dans la seconde attention et ma conscience du monde du quotidien. Il me fallut mettre en œuvre bien des efforts et du temps pour que j'arrive à comprendre ce qu'est la seconde attention. Non pas à cause de ses complications et complexités, qui sont vraiment extrêmes, mais plutôt parce qu'une fois revenu à ma conscience habituelle, je découvrais qu'il m'était impossible de me souvenir non seulement que j'étais entré dans la seconde attention, mais aussi qu'un tel état existait vraiment.

Une autre avancée monumentale réalisée par les sorciers d'antan, et que don Juan s'efforça de m'expliquer dans le moindre détail, était d'avoir découvert qu'il est très facile de déplacer le point d'assemblage dans le sommeil. Cette constatation en déclencha une autre : les rêves sont totalement associés à ce déplacement. Les sorciers d'antan *virent* que plus le déplacement est important, plus inhabituel est le rêve, et vice versa : plus inhabituel est le rêve, plus important est le déplacement. Don Juan ajouta que cette observation les amena à inventer des techniques extravagantes pour forcer le déplacement du point d'assemblage, comme par exemple prendre des plantes susceptibles de provoquer des états de conscience altérés, se soumettre au jeûne, à la fatigue, au stress, et particulièrement à contrôler les rêves. De cette façon, et peut-être sans même le savoir, ils créèrent l'art de rêver.

Un jour, alors que nous nous promenions autour de la place de la ville de Oaxaca, don Juan me fournit, d'un point de vue de sorcier, la plus cohérente définition de rêver.

« Les sorciers considèrent rêver comme un art très sophistiqué, l'art de déplacer à volonté le point d'assemblage de son habituelle position de façon à rehausser et à élargir la portée de ce qui peut être perçu. »

36

Selon lui, les sorciers d'antan fondèrent l'art de rêver sur cinq conditions qu'ils *virent* dans le courant d'énergie des êtres humains.

En premier lieu, ils *virent* que seuls les filaments qui passent par le point d'assemblage peuvent être assemblés en une perception cohérente.

En second lieu, ils *virent* que si le point d'assemblage est déplacé à un autre endroit, aussi infime que soit ce déplacement, des filaments d'énergie différents et inhabituels passent à travers lui. Ces filaments affectent la conscience et forcent l'assemblage de ces champs d'énergie inhabituels à former une perception stable et cohérente.

Troisièmement, ils *virent* qu'au cours de rêves ordinaires, le point d'assemblage se déplace facilement de lui-même sur une autre position à la surface ou à l'intérieur de l'œuf lumineux.

Quatrièmement, ils *virent* que l'on peut faire bouger le point d'assemblage en dehors de l'œuf lumineux, dans l'immensité des filaments d'énergie de l'univers.

Et, cinquièmement, ils *virent* qu'avec une certaine discipline il est possible de cultiver et d'accomplir, au cours du sommeil et des rêves ordinaires, un déplacement systématique du point d'assemblage.

2

LA PREMIÈRE PORTE DE RÊVER

En préambule à sa première leçon dans l'art de rêver, don Juan parla de la seconde attention comme d'une progression : elle débute semblable à une idée qui se présente à nous plus comme une curiosité qu'une véritable possibilité ; elle se transforme en quelque chose que l'on peut seulement ressentir, exactement comme une sensation est ressentie ; et finalement, elle évolue en un état d'être, ou un royaume de pratiques, ou une force prééminente qui nous ouvre des mondes bien au-delà de nos plus extravagantes fantaisies.

Pour expliquer la sorcellerie, les sorciers disposent de deux options. L'une est d'user de la métaphore, donc de parler d'un monde aux dimensions magiques. L'autre est d'expliquer leur entreprise en termes abstraits propres à la sorcellerie. J'ai toujours privilégié la seconde, tout en sachant pertinemment que ni l'une ni l'autre ne satisferont jamais la pensée rationnelle d'un Occidental.

Don Juan me précisa ce qu'il signifiait par sa description métaphorique de la seconde attention telle une progression. Résultant d'un déplacement du point d'assemblage, la seconde attention ne se produit pas naturellement, par conséquent il faut en « avoir l'intention », tout d'abord en en ayant l'intention comme idée et en finissant par avoir l'intention qu'elle soit une conscience stable et contrôlée du déplacement du point d'assemblage.

« Je vais t'enseigner le premier pas vers le pouvoir, dit don Juan pour commencer son instruction dans l'art de rêver. Je vais t'enseigner comment mettre en place rêver.

– Que signifie mettre en place rêver ?

– Mettre en place rêver signifie avoir une commande précise et pratique de la situation générale d'un rêve. Par exemple, tu es en train de rêver que tu es dans ta classe à l'université. Mettre en œuvre rêver signifie que tu ne laisses pas le rêve glisser vers autre chose. Tu ne sautes pas de cette salle aux montagnes, par exemple. En d'autres termes, tu contrôles la vision de la salle et tu ne la quittes pas jusqu'au moment où tu le désires.

– Mais est-ce vraiment possible ?

– Bien entendu, c'est possible. Un tel contrôle ne diffère en rien du contrôle que nous avons sur n'importe quelle situation de notre vie quotidienne. Les sorciers le font par habitude et s'en servent chaque fois qu'ils le désirent, ou en ont besoin. Pour que tu puisses t'y accoutumer, il faut commencer par quelque chose de très simple. Cette nuit, dans tes rêves, tu dois voir tes mains. »

Dans mon état de conscience ordinaire, il ne me dit presque rien d'autre à ce sujet. En me souvenant de mes expériences dans la seconde attention, j'ai toutefois découvert que nous avions eu de bien plus importantes conversations sur le sujet. En l'occurrence, j'exprimai mes sentiments quant à l'absurdité de la tâche, et don Juan suggéra qu'au lieu de la rendre grave et morbide, je devrais y faire face en termes d'une quête amusante.

« Sois aussi sérieux que tu veux quand nous parlons de rêver, ajouta-t-il. Les explications exigent toujours une pensée profonde. Mais alors que tu rêves, sois aussi léger qu'un duvet. Rêver doit être une performance intègre et sérieuse, mais dans une ambiance de rire et avec la confiance de celui qui n'a pas un seul souci au monde. C'est seulement dans ces conditions que nos rêves peuvent être transformés en rêver. »

Don Juan m'affirma qu'il avait arbitrairement choisi mes mains comme quelque chose à observer dans mes rêves, et que regarder n'importe quoi d'autre était tout aussi valable. Le but de l'exercice ne consistait pas à trouver un objet particulier, mais à déclencher mon « attention de rêver ».

Don Juan décrivit l'attention de rêver comme le contrôle qu'acquiert quelqu'un sur ses rêves en fixant son point d'assemblage sur n'importe quelle nouvelle position où il a été déplacé pendant le rêve. En termes plus simples, il considérait l'attention de rêver comme ayant sa propre existence, une facette incompréhensible de la conscience en attente du moment où nous la solliciterons, moment où nous lui donnerons un but ; c'est une faculté voilée que chacun d'entre nous a en réserve, sans toutefois pouvoir l'utiliser dans la vie de tous les jours.

Mes premières tentatives d'observer mes mains dans mes rêves se soldèrent par un fiasco. Après des mois d'efforts sans résultats, je baissais les bras et allai me plaindre auprès de don Juan de l'absurdité de la tâche.

« Il y a sept portes, dit-il en guise de réponse, et les rêveurs doivent les ouvrir toutes les sept, une à la fois. Tu fais face à la première ; si tu veux rêver tu dois l'ouvrir.

– Pourquoi ne pas m'avoir dit cela auparavant ?

– Avant que tu ne te cognes la tête contre la première, te mentionner les portes de rêver n'aurait servi à rien. Maintenant, tu sais que c'est un obstacle, et qu'il te faut le surmonter. »

Don Juan expliqua que, dans le courant de l'énergie de l'univers, il se trouve des entrées et des sorties et que, dans le cas spécifique de rêver, il y a sept entrées, vécues tels des obstacles, que les sorciers nomment les sept portes de rêver.

« La première porte est un seuil que nous devons franchir en prenant conscience d'une sensation particulière avant le stade du sommeil profond, dit-il. Une sensation qui est comme une agréable lourdeur qui nous empêche d'ouvrir nos yeux. Nous atteignons cette porte dès l'instant où nous tombons dans le sommeil, suspendus dans l'obscurité et la pesanteur.

– Comment puis-je devenir conscient de m'endormir ? Y a-t-il des étapes à suivre ?

– Non. Il n'y a pas d'étapes à suivre. On a juste l'intention de devenir conscient de s'endormir.

– Mais comment peut-on avoir l'intention de devenir conscient de s'endormir ?

– L'intention, ou avoir l'intention, est quelque chose qu'il est très difficile d'aborder par des mots. Moi ou quiconque ferait figure d'idiot s'il tentait de l'expliquer. Souviens-t'en lorsque tu entendras ce que je vais maintenant dire : les sorciers ont l'intention de chaque chose qu'ils décident eux-mêmes être le sujet de leur intention, simplement en en ayant l'intention.

– Don Juan, ça ne veut rien dire.

– Fais vraiment attention. Un jour viendra ton tour d'expliquer. Cette déclaration semble absurde parce que tu ne la places pas dans le contexte adéquat. À l'instar de tout homme rationnel, tu penses que comprendre est du ressort exclusif du royaume de notre raison, de notre pensée.

« Pour les sorciers, et ce parce que ma déclaration est du domaine de l'intention et d'avoir l'intention, comprendre est du ressort du royaume de l'énergie. Les sorciers croient que si quelqu'un dirigeait l'intention de cette déclaration au " corps d'énergie ", le corps d'énergie la comprendrait en termes entièrement différents de ceux de la pensée. L'astuce est d'atteindre le corps d'énergie. Pour cela, tu as besoin d'énergie.

– En quels termes le corps d'énergie comprendrait-il cette déclaration, don Juan ?

– En termes d'une sensation du corps, ce qui est difficile à décrire. Il te faudra en faire l'expérience pour savoir ce que je veux dire. »

Je désirais une explication plus précise, mais don Juan me flanqua une claque dans le dos et me fit entrer dans la seconde attention. À cette époque-là, ce qu'il venait de faire m'était encore absolument mystérieux. J'aurais juré qu'il m'avait hypnotisé en me touchant. Je crus qu'il m'avait en un éclair plongé dans le sommeil, et je rêvais que je marchais en sa compagnie le long d'une large avenue bordée d'arbres dans une ville inconnue. C'était un rêve tellement présent, et j'étais si conscient de tout que, sur-le-champ, je tentai de m'orienter en lisant les panneaux et en observant les gens. Sans le moindre doute, il ne s'agissait pas d'une ville où l'on parlait anglais ou espagnol, mais c'était une ville occidentale. Les gens semblaient être des Européens du Nord, éventuellement des Lituaniens. Mes efforts pour tenter de lire les panneaux de publicité et de circulation m'accaparèrent totalement.

Gentiment, don Juan me poussa du coude :

« Ne perds pas ton temps à ça, dit-il. Nous sommes en un lieu non identifiable. Je viens de te prêter mon énergie de façon à ce que tu atteignes ton corps d'énergie, et avec lui tu viens d'entrer dans un autre monde. Cela ne va pas durer longtemps, alors fais sage usage de ton temps.

« Observe tout, discrètement. Ne laisse personne te remarquer. »

Nous marchâmes en silence. Cette marche le long d'un pâté de maisons eut des effets remarquables sur moi. Plus nous marchions, plus s'amplifiait ma sensation d'anxiété viscérale. Ma pensée était curieuse, mais mon corps en alerte. Je savais clairement que je n'étais pas dans ce monde. Lorsque nous arrivâmes à un carrefour et fîmes halte, je vis que les arbres de l'avenue avaient été soigneusement élagués. Ils étaient petits avec des feuilles incurvées d'apparence dure. Chaque arbre était entouré d'un large espace d'arrosage carré dans lequel il n'y avait ni herbes ni ordures, si fréquentes autour des arbres d'une ville, seulement une terre poussiéreuse et noire comme du charbon de bois.

Dès l'instant où je portai le regard sur le bord du trottoir, avant même de l'enjamber pour traverser la chaussée, je remarquai qu'il n'y avait pas une seule voiture. Désespérément, je tentais d'observer les gens qui grouillaient autour de nous afin de découvrir quelque chose qui justifierait mon anxiété. Je les dévisageai, ils firent de même. En quelques secondes, des yeux bleu acier et bruns formèrent un cercle autour de nous.

Une certitude me frappa durement : cela n'était en rien un rêve ; nous étions dans une réalité au-delà de ce que je connaissais être réel. Je fis face à don Juan. J'étais sur le point de réaliser ce qui était différent dans ces gens, mais un étrange vent sec pénétra directement dans mes sinus, frappa mon visage, troubla ma vue, et me fit oublier ce que je voulais dire à don Juan. L'instant suivant, j'étais de retour à mon point de départ : la maison de don Juan, allongé sur un matelas de paille, en chien de fusil.

« Je t'ai prêté mon énergie, et tu as atteint ton corps d'énergie », commenta très terre à terre don Juan.

J'entendais ses paroles, mais j'étais engourdi. Une démangeaison inhabituelle au plexus solaire limitait et rendait douloureuse ma respiration. Je savais que j'avais été à deux doigts de découvrir quelque chose de transcendantal concernant rêver et les gens que j'avais vus, cependant je ne parvenais pas à fixer ce que je savais.

« Où étions-nous, don Juan ? Était-ce un rêve ? Un état hypnotique ?

– Ce n'était pas un rêve, répondit-il. C'était " rêver ". Je t'ai aidé à atteindre la seconde attention de façon à ce que tu puisses comprendre avoir l'intention comme un sujet non pour ta raison, mais pour ton corps d'énergie.

« Pour l'instant, tu ne peux pas encore comprendre la signification de tout cela, non seulement parce que tu n'as pas assez d'énergie, mais aussi parce que tu n'as pas l'intention de quelque chose. Si c'était le cas, ton corps d'énergie saisirait immédiatement que la seule façon d'avoir l'intention réside dans le fait de concentrer ton intention sur ce dont tu veux avoir l'intention. Cette fois-ci, pour atteindre ton corps d'énergie, je l'ai concentrée à ta place.

– Est-ce que rêver a pour but d'avoir l'intention du corps d'énergie ? demandai-je, soudain dominé par un raisonnement étrange.

– On pourrait certainement l'exprimer ainsi. Dans ce cas particulier, puisque nous parlons de la première porte de rêver, le but de rêver reste d'avoir l'intention que ton corps d'énergie devienne conscient que tu t'endors. N'essaie pas de t'efforcer d'être conscient de t'endormir. Laisse ton corps d'énergie le faire. Avoir l'intention est souhaiter sans souhaiter, faire sans faire.

« Accepte le défi d'avoir l'intention, poursuivit-il. Charge ta silencieuse détermination, vide de toute pensée, de te convaincre que tu as atteint ton corps d'énergie et que tu es un rêveur. Accomplir cela te placera automatiquement en position d'être conscient que tu t'endors.

– Comment puis-je me convaincre que je suis un rêveur alors que ce n'est pas le cas ?

– Quand tu entends que tu as à te convaincre, automatiquement tu deviens plus rationnel. Comment peux-tu te convaincre que tu es un rêveur alors que ce n'est pas le cas ? Avoir l'intention comprend deux choses : l'art de te convaincre que tu es vraiment un rêveur, bien que tu n'aies jamais rêvé auparavant, et l'acte d'être convaincu.

– Voulez-vous dire que je dois me dire que je

suis un rêveur et faire de mon mieux pour le croire ? Est-ce cela ?

– Non, en aucun cas. Avoir l'intention est bien plus simple et, en même temps, infiniment plus complexe que ça. Cela exige de l'imagination, de la discipline, et un but. Dans ton cas, avoir l'intention signifie que tu acquiers une connaissance corporelle indiscutable du fait que tu es un rêveur. Tu sens que tu es un rêveur par toutes les cellules de ton corps. »

Sur un ton de plaisanterie, don Juan ajouta qu'il n'avait pas assez d'énergie pour m'accorder un autre prêt qui me permettrait d'avoir l'intention, et que ce qu'il me restait à faire était d'atteindre mon corps d'énergie par moi-même. Il m'affirma qu'avoir l'intention de la première porte de rêver fut un des moyens découvert par les sorciers de l'antiquité pour atteindre la seconde attention et le corps d'énergie.

Cela dit, il me chassa pratiquement de chez lui, en m'ordonnant de ne pas y remettre les pieds avant d'avoir eu l'intention de la première porte de rêver.

Je rentrai chez moi, et chaque nuit, pendant des mois, je m'endormis en ayant, de toutes mes forces, l'intention de prendre conscience de m'endormir et de voir mes mains dans mes rêves. L'autre partie de cette tâche – me convaincre que j'étais un rêveur et que j'avais atteint mon corps d'énergie – me demeura totalement inaccessible.

Puis, pendant une sieste, je rêvai que je regardais mes mains. La surprise fut telle qu'elle me réveilla. Ce fut un rêve que je ne pus répéter. Des semaines s'écoulèrent, et j'étais toujours incapable soit de prendre conscience que je m'endormais, soit de découvrir dans mes rêves mes mains. Néanmoins, je commençais à remarquer que dans mes rêves j'avais une vague sensation que j'aurais dû faire quelque chose, mais je n'arrivais pas à m'en souvenir. Cette sensation devint tellement envahissante qu'elle me maintint éveillé à toutes les heures de la nuit.

Lorsque je confiai à don Juan mes vains efforts pour passer la première porte de rêve, il me donna quelques indications :

« Demander à un rêveur de trouver une chose déterminée dans ses rêves est un subterfuge, déclara-t-il. La vraie question est de prendre conscience de s'endormir. Et, aussi étrange que cela puisse paraître, cela ne survient pas en se donnant l'ordre de prendre conscience que l'on s'endort, mais en maintenant le regard sur n'importe quelle chose vue dans un rêve. »

Il précisa que les rêveurs jettent de brefs et volontaires coups d'œil à tout ce qui se présente dans un rêve. S'ils concentrent leur attention de rêveur sur quelque chose en particulier, ce n'est que pour en faire un point de départ. À partir de là, les rêveurs vont regarder d'autres éléments dans l'ensemble du rêve, tout en revenant aussi souvent que possible sur le point de départ.

Suite à de considérables efforts, je trouvais, cette fois-ci sans aucun doute, des mains dans mes rêves, mais jamais les miennes. Il s'agissait de mains qui semblaient seulement m'appartenir, des mains qui changeaient de forme, parfois jusqu'à devenir cauchemardesques. Le reste du contenu de mes rêves était agréablement stable, et je pouvais presque maintenir fixe la vision de chaque chose sur laquelle je portais mon attention.

Ainsi en fut-il pendant des mois, jusqu'au jour où, comme par elle-même, ma faculté de rêver changea. En dehors de ma sincère et constante détermination de prendre conscience de m'endormir et de trouver mes mains, je n'avais rien fait de spécial.

Je rêvais que je revenais dans ma ville natale. Non pas que la ville dont je rêvais eût ressemblé en quoi que ce soit à ma ville natale, mais d'une certaine façon j'avais la conviction qu'il s'agissait de l'endroit où j'étais né. Tout débuta comme un rêve ordinaire, hormis sa vivacité. Puis, dans le rêve, la lumière se modifia. Les images devinrent plus nettes. La rue dans laquelle je marchais devint clairement plus réelle qu'à l'instant précédent. Mes pieds commencèrent à me faire souffrir. Je pouvais sentir que les choses étaient absurdement dures. En l'occurrence, en cognant une porte, non seulement je ressentis une douleur au genou mais j'enrageai de ma maladresse.

Dans cette ville, je marchais de façon très réelle jusqu'à en être épuisé. Je vis tout ce que j'aurais vu si j'avais été un touriste déambulant dans les rues d'une ville. Et ce rêve ne différait en rien d'une excursion que j'aurais entreprise dans une ville où je mettais les pieds pour la première fois.

« Je pense que tu as été un peu trop loin, dit don Juan après mon récit. Tout ce qu'il fallait faire était de prendre conscience que tu t'endormais. Ce que tu as accompli équivaut à briser un mur pour écraser le moustique qui s'était posé dessus.

— Don Juan, voulez-vous dire que j'ai manqué mon coup ?

— Non. Mais de toute évidence, tu essayais de refaire quelque chose déjà vécu. Lorsque je fis déplacer ton point d'assemblage et que tous deux nous fûmes dans cette mystérieuse ville, tu n'étais pas endormi. Tu rêvais sans être endormi, ce qui signifie que ton point d'assemblage n'aurait pas atteint cette position dans un rêve normal. Je l'ai forcé à se déplacer.

« Sans aucun doute tu peux aller sur cette même position dans le rêve, mais actuellement je ne te conseille pas de le faire.

— Est-ce dangereux ?

— Et comment donc ! Rêver doit rester une affaire d'extrême sobriété. Pas un seul faux mouvement n'est permis. Rêver est un processus de renouveau de conscience, d'acquisition de contrôle. Notre attention de rêver doit être systématiquement utilisée, car elle est l'accès de la seconde attention.

– Quelle est la différence entre l'attention de rêver et la seconde attention?

– La seconde attention est tel un océan, l'attention de rêver est telle une rivière s'y jetant. La seconde attention est la condition pour prendre conscience de mondes complets, complets comme notre monde est complet, alors que l'attention de rêver est la condition pour prendre conscience des éléments de nos rêves. »

Il insista lourdement sur le fait que l'attention de rêver est la clé de chaque mouvement dans le monde des sorciers. Parmi la multitude des éléments de nos rêves, existent, précisa-t-il, de réelles interférences énergétiques, des choses qui ont été placées accessoirement par une force étrangère. Être capable de les trouver et de les suivre est de la sorcellerie.

L'insistance avec laquelle il fit ces déclarations fut telle, qu'il me fallut lui demander de s'expliquer. Avant de répondre, il hésita un moment.

« Nos rêves sont, si ce n'est une porte, une écoutille vers d'autres mondes, commença-t-il. En tant que telle, les rêves sont une voie à double circulation. Notre conscience emprunte cette écoutille pour aller dans d'autres mondes, et ces autres mondes l'utilisent pour envoyer leurs éclaireurs dans nos rêves.

– Que sont ces éclaireurs?

– Des charges d'énergie qui se mêlent aux éléments de nos rêves ordinaires. Ce sont des jets d'énergie étrangère qui surgissent dans nos rêves, et nous les interprétons comme des éléments qui nous sont familiers ou non.

– Je suis désolé, don Juan, mais vos explications n'ont pour moi ni queue ni tête.

– C'est exact, mais c'est parce que tu persistes à penser aux rêves en des termes qui te sont connus : ce qui se produit pendant ton sommeil. Et moi, j'insiste pour te fournir une autre version : une écoutille vers d'autres royaumes de perception. En passant cette écoutille, des courants d'énergie inconnue s'infiltrent. Alors la pensée, ou le cerveau, ou n'importe quoi d'autre, prend ces courants d'énergie et les transforme en parties de nos rêves. »

Il fit une pause, manifestement pour donner à mes pensées le temps d'absorber ce qu'il venait de dire.

« Les sorciers sont conscients de ces courants d'énergie étrangère, reprit-il. Ils les remarquent et s'efforcent de les isoler des éléments normaux de leurs rêves.

– Pourquoi les isolent-ils, don Juan ?

– Parce qu'ils viennent d'autres royaumes. Si nous les suivons jusqu'à leur source, ils nous servent de guides dans des zones tellement mystérieuses que les sorciers frémissent à la simple évocation d'une telle possibilité.

– Comment les sorciers les isolent-ils parmi les éléments normaux de leurs rêves ?

– En utilisant et en contrôlant leur attention de rêver. À un moment donné, notre attention de rêver les découvre parmi les éléments d'un rêve et elle se concentre sur eux ; alors l'intégralité du rêve s'effrite, et il ne demeure que l'énergie inconnue. »

Don Juan refusa d'aller plus loin dans ses explications. Il revint à la discussion concernant mon expérience de rêver et déclara qu'à tout prendre il fallait considérer mon rêve comme ma première véritable tentative de rêver, et que cela signifiait que j'avais réussi à atteindre la première porte de rêver.

Un autre jour, au cours d'une conversation à bâtons rompus, il aborda de nouveau le sujet. Il dit :

« Je vais répéter ce que tu dois faire dans tes rêves afin de franchir la première porte de rêver. En premier lieu, tu dois fixer ton regard sur une chose, peu importe laquelle, que tu choisis pour en faire un point de départ. Puis tu dois glisser ton regard vers d'autres éléments et les observer par de brefs coups d'œil. Concentre ton regard sur le plus d'éléments possible. Souviens-toi que si tu jettes de brefs coups d'œil, les images demeureront stables. Puis reviens vers le point de départ.

– Que signifie franchir la première porte de rêver ?

– Nous atteignons la première porte de rêver en prenant conscience de nous endormir, ou en ayant, comme cela t'est arrivé, un phénoménal vrai rêve. Une fois la porte atteinte, nous devons la franchir en devenant capables de soutenir la vue de n'importe quel élément de nos rêves.

– J'arrive presque à fixer mon regard sur les éléments de mes rêves, mais ils s'évanouissent trop rapidement.

– C'est précisément ce que je tente de t'expliquer. Pour déjouer le caractère évanescent des rêves, les sorciers ont élaboré l'usage d'un élément comme point de départ. Chaque fois que tu l'isoles et le regardes, tu prends un à-coup d'énergie ; alors au début n'observe pas trop de choses dans tes rêves. Quatre éléments suffisent. Plus tard, tu pourras élargir ce champ jusqu'à couvrir tout ce que tu désires, mais aussitôt que les images bougent et que tu sens que tu perds le contrôle, reviens sur ton élément point de départ et recommence tout à zéro.

– Don Juan, pensez-vous que j'aie vraiment atteint la première porte de rêver ?

– Tu l'as fait, et c'est déjà beaucoup. En allant de l'avant, tu vas découvrir combien il est devenu facile de rêver. »

Je pensais que don Juan exagérait ou bien qu'il voulait m'encourager. Mais il m'assura que j'avais le niveau adéquat.

« La chose la plus stupéfiante qui surprend les rêveurs, ajouta-t-il, est qu'en atteignant la première porte, ils atteignent aussi le corps d'énergie.

– En quoi consiste exactement ce corps d'énergie ?

– C'est la contrepartie du corps physique. Une configuration fantomatique faite de pure énergie.

– Mais le corps physique n'est-il pas fait d'énergie ?

– Bien sûr. La différence est que le corps d'énergie a seulement une apparence et pas de masse. Puisqu'il est pure énergie, il peut accomplir des actes bien au-delà des possibilités du corps physique.

– Quoi par exemple, don Juan ?

– Se transporter en un éclair aux confins de l'univers. Rêver est l'art de maîtriser le corps d'énergie, de le rendre flexible et cohérent en l'exerçant graduellement.

« Par l'acte de rêver, nous condensons le corps d'énergie jusqu'à ce qu'il devienne un ensemble capable de percevoir. Sa perception, bien qu'affectée par notre façon normale de percevoir le monde de tous les jours, est une perception indépendante. Elle a son propre milieu.

– Quel est ce milieu, don Juan ?

– L'énergie. Le corps d'énergie traite avec l'énergie en termes d'énergie. Il existe trois façons par lesquelles il traite avec l'énergie au cours de l'acte de rêver : il peut percevoir l'énergie qui s'écoule, ou il peut se servir de l'énergie pour se propulser telle une fusée dans des espaces inattendus, ou il peut percevoir comme nous percevons ordinairement le monde.

– Que signifie percevoir l'énergie qui s'écoule ?

– Cela signifie *voir*. Cela signifie que le corps d'énergie *voit* l'énergie directement comme une lumière, ou tel un courant vibrant en quelque sorte, ou encore comme une anomalie. Ou bien, il la sent directement comme une secousse, ou une sensation qui peut même être douloureuse.

– Et ces autres façons que vous avez mentionnées, don Juan ? Le corps d'énergie se servant d'énergie comme propulseur.

– Puisque l'énergie est son milieu, utiliser ces courants d'énergie qui existent dans l'univers pour se propulser ne pose aucun problème pour le corps d'énergie. Tout ce qu'il doit faire est de les isoler, et voilà déjà qu'il les chevauche. »

Il cessa de parler et sembla indécis, comme s'il voulait ajouter quelque chose mais n'en était pas certain. Il eut un sourire et, juste au moment où j'allais lui poser une question, il enchaîna :

« Je t'ai déjà mentionné, il y a quelque temps, que dans leurs rêves les sorciers isolaient les éclaireurs des autres royaumes. Ce sont leurs corps d'énergie qui accomplissent cela. Ils reconnaissent l'énergie et se précipitent dessus. Mais il n'est pas souhaitable que les rêveurs se complaisent à chercher les éclaireurs. Vu la facilité avec laquelle cette recherche peut nous détourner de notre but, j'étais peu disposé à te le dire. »

Rapidement, don Juan sauta à un autre sujet. Il ébaucha soigneusement un ensemble complet de pratiques. À cette époque, je pensais qu'à un certain niveau, il m'était entièrement incompréhensible, et cependant, à un autre, il s'avérait parfaitement logique et saisissable. Il répéta qu'atteindre avec un contrôle absolu la première porte de rêver est une voie d'accès au corps d'énergie. Mais que conserver ce gain dépendait uniquement de l'énergie personnelle de chacun. Les sorciers obtiennent cette énergie en redéployant, d'une manière plus intelligente, l'énergie qu'ils ont et utilisent pour percevoir le monde du quotidien.

Lorsque je priai don Juan d'être plus explicite, il ajouta que nous possédons tous une quantité déterminée d'énergie fondamentale. Cette quantité est toute l'énergie qui est à notre disposition, et nous en faisons usage pour percevoir, et pour traiter avec notre monde accapareur. À plusieurs reprises et avec insistance, il répéta que pour nous il n'y a pas d'autre énergie disponible et que, puisque notre disponibilité d'énergie est déjà prise, il n'en reste pas une seule miette en nous pour permettre une perception extraordinaire, tel le fait de rêver.

« Que nous faut-il donc faire ? demandai-je.

— Il nous reste à grappiller de l'énergie pour nous-mêmes, où que nous puissions la trouver », répliqua-t-il.

Don Juan expliqua que les sorciers ont une méthode pour grappiller. Intelligemment, ils redéploient leur énergie en élaguant tout ce qu'ils considèrent superflu dans leur vie. Ils nomment cette méthode : la voie du sorcier. La voie du sorcier est essentiellement, ainsi que don Juan la définit, un enchaînement de choix de comportements dans nos démêlés avec le monde, des choix bien plus intelligents que ceux que nous ont appris nos géniteurs. Les choix du sorcier sont conçus pour remanier nos vies en modifiant nos réactions fondamentales concernant le fait de vivre.

« Quelles sont ces réactions fondamentales ?

— Il y a deux façons de faire face au fait d'être en vie. L'une est de capituler devant elle, soit en cédant à ses demandes, soit en combattant ses demandes. L'autre est de façonner notre situation de vie particulière, afin de se conformer à notre propre constitution.

— Don Juan, peut-on vraiment façonner notre situation de vie ?

— La situation de vie particulière de quelqu'un peut être façonnée afin de la conformer à ses propres caractéristiques, insista-t-il. Les rêveurs le font. Une déclaration insensée ? Pas vraiment, considère le peu que nous savons de nous-mêmes. »

Il ajouta que ce qui l'intéressait, en sa position de maître, était d'arriver à m'impliquer à fond dans les thèmes de la vie et du fait de vivre ; c'est-à-dire, de m'engager pleinement à saisir la différence entre la vie, conséquence de forces biologiques, et l'acte de vivre, une question de cognition.

« Lorsque les sorciers parlent de façonner leur

propre situation de vie, ils signifient façonner leur conscience de vivre. En façonnant cette conscience, nous pouvons acquérir assez d'énergie pour atteindre et maintenir le corps d'énergie, et avec lui nous pouvons assurément façonner l'intégralité de la direction et des conséquences de notre vie. »

Don Juan acheva cette conversation à propos de rêver en me mettant en garde. Il ne me fallait pas simplement penser à ce qu'il venait de dire, il fallait surtout, par un procédé de répétition, changer ses concepts en un mode de vie viable. Il proclama que dans nos vies, toute chose nouvelle, par exemple les concepts des sorciers qu'il m'enseignait, doit nous être rabâchée jusqu'à notre propre épuisement avant que nous ne nous ouvrions à elle. Il fit remarquer que la répétition est la façon par laquelle nos géniteurs nous ont socialisés pour être fonctionnels dans le monde de tous les jours.

En poursuivant mes pratiques de rêver, j'acquis la capacité d'être parfaitement conscient de m'endormir et aussi la capacité de m'arrêter dans un rêve pour examiner, à volonté, n'importe quoi qui appartenait à ce rêve. Faire une telle expérience fut pour moi rien moins que miraculeux.

Don Juan mentionna que, lorsque nous ajustons notre contrôle sur nos rêves, nous ajustons la maîtrise de notre attention de rêver. Il avait entièrement raison de dire que l'attention de rêver entre en jeu dès qu'on l'interpelle, quand on lui a donné un but. Son entrée en jeu n'est pas un véritable processus, au moins de la façon dont on comprend en général un processus : un système d'opérations qui se perpétue ou une série d'actions ou de fonctions qui conduisent à un résultat final. C'est plutôt un recommencement.

Soudain, quelque chose qui était endormi devient fonctionnel.

3

LA SECONDE PORTE DE RÊVER

Grâce à ma pratique de rêver, je découvris que pour insister sur un point donné, un maître de rêver doit créer une synthèse didactique. Au fond, ce que don Juan désirait avec cette première tâche était d'exercer mon attention de rêver en la concentrant sur les éléments de mes rêves.

Dans ce but, il fit usage, telle la pointe d'une flèche, de l'idée de prendre conscience de s'endormir. Son subterfuge était de dire que la seule manière d'être conscient de s'endormir est d'examiner les éléments de ses rêves.

Presque tout au début de ma pratique de rêver, je réalisai qu'exercer l'attention de rêver est le point essentiel de rêver. Cependant pour notre pensée, s'entraîner à être conscient au niveau des rêves semble impossible. Don Juan avait dit que la partie active d'un tel entraînement est la persistance, et que la pensée et toutes ses défenses rationnelles ne peuvent rien face à la persistance. Sous sa pression, ajouta-t-il, tôt ou tard, les barrières de la pensée s'effondrent, et l'attention de rêver s'épanouit.

Au fur et à mesure que je pratiquais la concentration et le maintien de mon attention de rêver, je commençais à ressentir une assurance particulière, si remarquable qu'elle suscita un commentaire de don Juan.

« C'est ton entrée dans la seconde attention qui te donne cette assurance. Et cela t'oblige à encore plus de sobriété. Avance doucement, mais ne t'arrête pas, et par-dessus tout, n'en parle pas. Fais-le, un point c'est tout ! »

Je lui confirmai que, par la pratique, j'avais corroboré ce qu'il m'avait déjà dit : si l'on jette de rapides coups d'œil à tout ce qu'il y a dans un rêve, l'image reste fixe. Je fis remarquer que la partie la plus difficile est de briser la barrière initiale qui nous empêche d'amener nos rêves dans notre attention consciente. Je voulus avoir son opinion sur le sujet, car très sincèrement je croyais que cette barrière était psychologiquement mise en place par notre socialisation qui insiste prioritairement sur le rejet des rêves.

« La barrière est bien plus que l'effet de la socialisation, répondit-il. C'est la première porte de rêver. Maintenant que tu l'as dépassée, il te semble ridicule que nous ne puissions pas nous arrêter à volonté et prendre en considération les éléments de nos rêves. C'est une fausse certitude. La première porte de rêver est liée au flot de l'énergie dans l'univers. C'est un obstacle naturel. »

Don Juan me demanda d'accepter de ne parler de rêver que dans la seconde attention, et lorsqu'il le jugerait pertinent. Il m'encouragea à pratiquer et promit de ne pas intervenir.

Tout en améliorant ma compétence à mettre en œuvre rêver, j'éprouvais des sensations que je jugeais de grande importance, par exemple la sensation de rouler dans un fossé en m'endormant. Jamais don Juan ne me dit qu'elles étaient absurdes, et il me laissa les mentionner dans mes notes. Maintenant, je me rends compte combien j'ai dû lui apparaître ridicule. Aujourd'hui, si j'enseignais rêver, sans aucun doute je découragerais un tel comportement. Simplement, don Juan me tournait en dérision, disant que j'étais un égomaniaque qui s'ignore et, qui plus est, prétendait combattre sa suffisance tout en tenant méticuleusement un journal super-intime intitulé : « Mes Rêves ».

Chaque fois qu'une opportunité se présentait, don Juan signalait que l'énergie requise pour libérer notre attention de rêver de sa prison de socialisation vient du redéploiement de notre capital d'énergie. Rien n'aurait pu être plus exact. L'émergence de notre attention de rêver est le corollaire direct de la restauration de nos vies. Puisque nous n'avons, selon don Juan, pas une seule possibilité de nous brancher sur une source extérieure pour une recharge d'énergie, nous devons redéployer notre capital d'énergie, par n'importe quel moyen.

Don Juan insistait sur le fait que la voie du sorcier est la meilleure façon d'huiler, pour ainsi dire, les rouages de notre redéploiement, et que, de tous les mécanismes de la voie du sorcier, le plus efficace était « perdre sa suffisance ». Il était absolument convaincu que ce que font les sorciers s'avère indispensable et, pour cette raison, il s'efforçait avec acharnement de pousser ses apprentis à parfaire cet état. Il partageait l'opinion que la suffisance est non seulement le suprême ennemi du sorcier, mais aussi la Némésis – le châtiment mérité – de l'humanité.

L'argument de don Juan était que nous consacrons la majeure partie de notre énergie à entretenir notre suffisance. C'est tout à fait évident, vu notre souci jamais assouvi de présentation de notre moi, et cette autre préoccupation de savoir si oui ou non nous sommes admirés, ou aimés, ou reconnus. Son raisonnement le conduisait à dire que si nous étions capables de perdre un tant soi peu de cette importance, deux choses extraordinaires surviendraient. Primo, nous libérerions notre énergie de la tentative de maintenir l'illusoire idée de notre grandeur ; secundo, nous disposerions de cette énergie pour entrer dans la seconde attention et jeter un coup d'œil sur la véritable grandeur de l'univers.

Il me fallut plus de deux années pour devenir capable de concentrer mon inébranlable attention de rêver sur tout ce que je désirais. Et je devins si compétent que j'avais l'impression de l'avoir toujours fait. Le plus étrange était que je ne parvenais plus à concevoir de vivre sans disposer de cette aptitude. Néanmoins, je pouvais me souvenir combien il avait été difficile de penser qu'il s'agissait, au moins, d'une possibilité. Il me vint à l'esprit que la faculté d'examiner le contenu de nos rêves doit être le produit d'une configuration naturelle de notre être, semblable en fait à notre faculté de marcher. Nous sommes physiquement conditionnés à marcher d'une seule façon, en bipèdes, et malgré tout, il nous faut fournir un effort monumental pour apprendre à marcher.

Cette nouvelle faculté de pouvoir regarder en jetant de brefs coups d'œil aux éléments de mes rêves allait de pair avec un auto-harcèlement des plus persistants qui me rappelait qu'il fallait que j'observe les éléments de mes rêves. Je n'ignorais pas le penchant compulsif de mon caractère, mais dans mes rêves ma compulsion s'amplifiait énormément. Elle devint si manifeste que non seulement je m'indignais de mon dénigrement mais je commençais aussi à me demander s'il s'agissait vraiment de ma compulsion ou de quelque chose d'autre. Je pensais même que je perdais la tête.

« Don Juan, je me parle sans fin dans mes rêves, toujours à me dire de ne pas oublier de regarder les choses. »

J'avais scrupuleusement respecté notre accord de ne parler de rêver que s'il introduisait le sujet. Cependant, je pensais qu'il y avait urgence.

« Te semble-t-il que ce n'est pas toi, mais quelqu'un d'autre ? demanda-t-il.

– À bien réfléchir, oui. En ces moments-là, je ne reconnais pas ma voix.

– Alors, ce n'est pas toi. Le moment d'expliquer cela n'est pas encore venu. Mais disons que nous ne sommes pas seuls dans ce monde. Disons qu'il y a d'autres mondes accessibles aux rêveurs, des mondes complets. De ces autres mondes entiers, viennent parfois vers nous des entités énergétiques. La prochaine fois que tu t'entends te harceler dans tes rêves, mets-toi en colère et hurle un ordre. Dis : " Assez ! " »

J'abordais un autre défi : me souvenir de hurler cet ordre. Je crois qu'à force d'être tellement agacé de m'entendre me harceler, je parvins à me souvenir de hurler : « Assez ! » Instantanément, le chicanement cessa et plus jamais ne reprit.

« Est-ce que tous les rêveurs font cette expérience ?

– Quelques-uns », répondit-il banalement.

Je me mis à râler à propos de l'étrangeté de ce qui m'était arrivé. Il me coupa net en disant :

« Tu es maintenant prêt pour aller à la seconde porte de rêver. »

Je sautai sur l'occasion pour chercher des réponses à des questions que je n'avais pas pu lui poser. Dans mon esprit, ma première expérience, celle où don Juan m'avait fait rêver, demeurait la plus notable. Je lui dis que j'avais observé jusqu'à plus soif les éléments de mes propres rêves, et jamais, même vaguement, je n'avais ressenti quelque chose de similaire en termes de clarté et de finesse.

« Plus j'y pense, lui confiai-je, plus ça m'intrigue. En observant les gens de ce rêve, j'ai ressenti une peur et une répulsion impossibles à oublier. Qu'était cette sensation, don Juan ?

– À mon avis, ton corps d'énergie s'enticha de l'énergie étrangère de ce lieu et il eut sa fête. Naturellement, tu fus effrayé et révolté : tu voyais de l'énergie étrangère pour la première fois de ta vie.

« Tu as un penchant pour te comporter comme les sorciers de l'antiquité. Dès l'instant où la chance se présente, tu laisses filer ton point d'assemblage. Cette fois, ton point d'assemblage se déplaça sur une bonne distance. Il en résulta que tu voyageas, comme les sorciers d'antan, au-delà du monde que nous connaissons. Un voyage dangereux, mais des plus réels. »

Je négligeai le sens de sa déclaration pour favoriser ce qui m'intéressait ; je lui demandai :

« Cette ville, peut-être était-elle sur une autre planète ?

— Tu ne peux pas expliquer rêver par le biais de choses que tu sais ou supposes savoir, dit-il. Tout ce que je puis te dire est que la ville que tu as visitée n'était pas dans ce monde.

— Où donc était-elle ?

— Hors de ce monde, bien entendu. Tu n'es pas idiot à ce point. C'est d'ailleurs la première chose que tu remarquas. Ce qui te fit tourner en rond est que tu ne peux pas imaginer quelque chose hors de ce monde.

— Don Juan, où est ce hors de ce monde ?

— Crois-moi, le plus extravagant aspect de la sorcellerie est cette configuration nommée hors de ce monde. Par exemple, tu as assumé que je voyais les mêmes choses que toi. Preuve en est que jamais tu ne m'as demandé ce que je voyais. Toi, et toi seulement, as vu une ville et les habitants de cette ville. Je n'ai rien vu de tel. J'ai *vu* de l'énergie. Alors, hors de ce monde fut, pour toi seul, à cette occasion, une ville.

— Mais alors, don Juan, ce n'était pas une vraie ville. Elle existait seulement pour moi, dans ma tête.

— Non. Ce n'est pas le cas. Maintenant, tu veux réduire quelque chose de transcendantal à quelque chose de banal. Tu ne peux pas faire ça. Ce voyage était réel. Tu le vis telle une ville. Je le vis telle de l'énergie. Aucun de nous n'est dans le vrai ou le faux.

— Ma confusion survient dès que vous parlez de

choses comme étant réelles. Vous avez dit auparavant que nous avions atteint un endroit réel. Mais s'il était réel, comment pouvons-nous en avoir deux versions ?

– Très simplement. Nous avons deux versions parce qu'à ce moment-là nous avions deux niveaux différents d'uniformité et de cohésion. Je t'ai expliqué que ces deux attributs sont la clé de percevoir.

– Pensez-vous que je puisse revenir dans cette ville particulière ?

– Là, tu me pièges. Je n'en sais rien. Ou peut-être je sais mais ne puis l'expliquer. Ou bien je peux l'expliquer, mais ne désire pas le faire. Il te faudra attendre et trouver par toi-même ce qu'il en est. »

Il refusa toute prolongation de la discussion.

« Reprenons notre travail, dit-il. Tu atteins la seconde porte de rêver lorsque tu te réveilles d'un rêve dans un autre rêve. Tu peux avoir autant de rêves que tu désires, ou autant que tu es capable d'avoir, mais tu dois exercer un contrôle adéquat et ne pas te réveiller dans le monde que nous connaissons. »

Je sursautai de panique.

« Voulez-vous dire que je ne devrais jamais me réveiller dans ce monde ?

– Non. Ce n'est pas ce que j'ai dit. Mais maintenant que tu as mis ça sur la table, je dois t'avouer que c'est une possibilité. Les sorciers de l'antiquité le faisaient : ne jamais se réveiller dans le monde que nous connaissons. Quelques sorciers de ma lignée l'ont fait aussi. Assurément, on peut le faire, mais je ne le recommande pas. Ce que je veux est que tu te réveilles naturellement, lorsque tu as fini de rêver, mais pendant que tu es en train de rêver, je veux que tu rêves que tu te réveilles dans un autre rêve. »

Je m'entendis poser la même question que j'avais émise la première fois qu'il m'avait parlé de la mise en œuvre de rêver :

« Mais est-ce vraiment possible ? »

Évidemment, don Juan remarqua mon étourderie, et en riant répéta la réponse qu'il m'avait faite alors :

« Bien entendu, c'est possible. Un tel contrôle ne diffère en rien du contrôle que nous avons sur n'importe quelle situation de notre vie quotidienne. »

Rapidement, je surmontai mon embarras, prêt à relancer mes questions, mais don Juan me vit venir et commença à expliquer les caractéristiques de la seconde porte de rêver, une explication qui me mit encore plus mal à l'aise.

« Il y a un problème avec la seconde porte, concéda-t-il. C'est un problème qui peut s'avérer très sérieux, tout dépend du penchant de chacun. Si notre tendance est de nous complaire à nous accrocher aux choses ou aux situations, nous sommes bons pour un gnon dans la tronche.

– Comment, don Juan ?

– Réfléchis un instant. Tu as déjà fait l'expérience de la joie bizarre d'examiner le contenu de tes rêves. Imagine-toi allant de rêve en rêve, observant tout, examinant le moindre détail. Il ne faut pas être bien malin pour se rendre compte que l'on peut s'y plonger à de mortelles profondeurs. Particulièrement celui qui a tendance à l'indulgence.

– Mais la tête ou le corps ne l'arrêteraient-ils pas naturellement ?

– S'il s'agit d'un sommeil naturel, c'est-à-dire normal, oui. Mais il ne s'agit pas d'une situation normale. C'est rêver. Un rêveur qui traverse la première porte a déjà atteint le corps d'énergie. Donc, ce qui réellement passe la seconde porte, c'est le corps d'énergie.

– Ce qui implique quoi, don Juan ?

– Cela implique qu'en traversant la seconde porte, tu dois avoir l'intention d'un contrôle plus important et bien plus mesuré sur ton attention de rêver : la seule valve de sécurité des rêveurs.

– Qu'est donc cette valve de sécurité ?

– Tu découvriras par toi-même que le but réel de rêver est de perfectionner le corps d'énergie. Parmi bien d'autres choses bien entendu, un corps d'énergie parfait possède un tel contrôle sur l'attention de rêver qu'il peut la stopper lorsque besoin est. Voilà la valve de sécurité des rêveurs. Peu importe leur complaisance, à un moment donné, leur attention de rêver doit les ramener à la surface. »

Ainsi débuta une nouvelle quête dans rêver. Cette fois le but était plus insaisissable, et les difficultés bien plus grandes. Exactement comme pour ma première tâche, j'ignorais par où commencer. D'avance découragé, je soupçonnais même que, cette fois, toute ma pratique n'aboutirait à rien. Après bien des échecs, je baissais les bras et me contentais simplement de poursuivre ma pratique de fixer mon attention de rêver sur tous les éléments de mes rêves. Accepter mes limites sembla me remonter le moral, et je gagnais encore plus d'aptitude à maintenir la vision des éléments de mes rêves.

Une année s'écoula sans la moindre amélioration. Puis, un jour, quelque chose changea. Dans un rêve, alors que je regardais une fenêtre tout en tentant de voir si j'arriverais à jeter un coup d'œil sur le paysage extérieur à la pièce, une force semblable à un vent, que je ressentis tel un bourdonnement dans mes oreilles, me tira dehors au travers de la fenêtre. L'instant juste avant cette traction, mon attention de rêver avait été détournée par une étrange structure placée dans le proche lointain. Elle ressemblait à un tracteur. Sur-le-champ, je fus à côté de l'engin, l'examinant.

J'étais parfaitement conscient d'être en train de rêver. Je me retournai pour voir de quelle fenêtre je l'avais aperçu. Le paysage était celui d'une campagne. Pas un seul bâtiment n'était en vue. Je voulus réfléchir à cela. Cependant, mon attention fut captée par la quantité d'instruments agricoles déposés là, comme abandonnés. J'examinais des faucheuses, des tracteurs, des ramasseurs de maïs, des disques, des batteuses. Il y en avait tant que j'oubliais mon rêve original. Puis, j'eus le désir de m'orienter en observant le paysage environnant. À distance, il y avait quelque chose qui pouvait être un panneau publicitaire entouré de quelques poteaux téléphoniques.

Dès l'instant où je concentrai mon regard sur ce panneau, je fus près de lui. Sa structure métallique m'effraya. Elle semblait menaçante. Sur le panneau était représenté un bâtiment. Je lus le texte : il s'agissait d'une publicité pour un motel. J'éprouvais la singulière certitude d'être dans l'Oregon ou au nord de la Californie.

J'observais d'autres aspects du paysage environnant de mon rêve. J'aperçus des montagnes très lointaines et, bien plus proches, des collines rondes et vertes. Ces collines sont parsemées de bosquets de chênes de Californie, pensai-je. Je voulus être tiré par les collines vertes, mais ce furent les montagnes au loin qui m'emportèrent. J'étais persuadé qu'il s'agissait des Sierras.

Sur ces montagnes, toute mon énergie de rêver me quitta. Mais avant qu'elle ne s'épuise, je fus tiré par tous leurs aspects. Mon rêve cessa d'être un rêve. Pour autant que je puisse en juger par ma faculté de percevoir, j'étais véritablement dans les Sierras, précipité en un éclair dans les ravins, vers les rochers, les arbres, les cavernes. J'allais de faces verticales aux pics de ces monts, jusqu'à ne plus pouvoir évoluer et ne plus arriver à concentrer mon attention de rêver. Je me rendis compte que je perdais tout contrôle. Pour finir, le paysage disparut. Il n'y eut plus que la noirceur.

« Tu as atteint la seconde porte de rêver, me dit don Juan après mon récit. Maintenant, il te faut la traverser. Passer la seconde porte est une entreprise très sérieuse ; elle requiert des efforts parfaitement maîtrisés. »

Je demeurais dans l'incertitude d'avoir accompli la tâche qu'il m'avait esquissée, car je ne m'étais pas vraiment réveillé dans un autre rêve. Je questionnai don Juan quant à cet écart à la règle.

« L'erreur fut mienne, concéda-t-il. Je t'ai bien dit que l'on doit se réveiller dans un autre rêve, mais cela voulait dire qu'il faut changer de rêve d'une manière précise et ordonnée, comme tu le fis.

« Pour la première porte, tu gaspillas un temps considérable à chercher exclusivement tes mains. Cette fois, tu es allé droit à la solution sans te soucier de suivre l'exercice commandé : se réveiller dans un autre rêve. »

Don Juan précisa qu'il existe deux façons de traverser correctement la seconde porte de rêver. Une est de se réveiller dans un autre rêve, c'est-à-dire, rêver que l'on a un rêve et, dans ce rêve, rêver que l'on se réveille de ce rêve. L'autre est de se servir des éléments d'un rêve pour déclencher un autre rêve, exactement ce que j'avais fait.

Comme à son habitude, don Juan me laissa pratiquer rêver sans interférence de sa part. Et je corroborais les deux possibilités de l'alternative présentée. Soit je rêvais que j'avais un rêve dans lequel je rêvais que je me réveillais, ou je me précipitais d'un élément bien précis, accessible à mon immédiate attention de rêver, jusqu'à un autre, moins accessible. J'expérimentais aussi une variante de cette seconde possibilité : je jetai un regard sur un élément d'un rêve, soutenant le regard jusqu'à ce qu'il change de forme et, en changeant de forme, cet élément me tirait par un tourbillonnement bourdonnant dans un autre rêve. Cependant, je ne fus jamais capable de décider par avance laquelle des trois voies je prendrais. Ma pratique de rêver s'achevait toujours par l'épuisement de mon attention de rêver pour finalement me réveiller, ou bien sombrer dans un sommeil noir et profond.

Au cours de cette pratique, tout se déroula à la

perfection. Seule me perturba une singulière interférence, un sursaut de peur ou de malaise qui me
gagnait de plus en plus souvent. Ma façon de la
négliger consistait à me persuader qu'elle découlait
de mes abominables habitudes alimentaires, ou
bien du fait que don Juan me faisait, au cours de
mon entraînement, ingérer quantité de plantes hallucinogènes. Ces crises devinrent si gênantes que je
dus, malgré tout, demander l'avis de don Juan.

« Tu viens d'aborder la facette la plus dangereuse de la connaissance d'un sorcier, débuta-t-il.
C'est absolument terrifiant, un véritable cauche-
mar. Je pourrais plaisanter avec toi et prétendre
que je n'avais pas fait état de cette possibilité par
égard pour ta chère rationalité, mais cela m'est
impossible. Chaque sorcier doit y faire face. C'est le
moment, j'en ai peur, où tu pourrais bien penser
que tu perds tes billes. »

Très solennellement, don Juan expliqua que la
vie et la conscience, liées exclusivement à l'énergie,
ne sont pas la propriété exclusive d'un organisme.
Il mentionna que les sorciers avaient *vu* qu'il existe
deux sortes d'êtres conscients parcourant cette
terre, les êtres organiques et les êtres inorganiques.
En comparant les uns aux autres, ils avaient *vu* que
tous deux sont des amas lumineux traversés sous
tous les angles imaginables par des millions de filaments d'énergie de l'univers. Ils diffèrent toutefois
les uns des autres par leur forme et par leur niveau
de brillance. Les êtres inorganiques sont longs, en
forme de bougie mais opaques, alors que les êtres
organiques sont ronds et de très loin les plus brillants. Une autre différence notable, qui selon don
Juan avait aussi été *vue* par les sorciers, est que la
vie et la conscience des êtres organiques sont
courtes, parce qu'ils sont faits pour aller vite, alors
que la vie des êtres inorganiques est infiniment
plus durable et leur conscience infiniment plus
profonde et calme.

« Les sorciers n'ont aucun problème pour entrer

en relation avec eux, continua-t-il. Les êtres inorganiques possèdent l'ingrédient crucial pour l'interaction : la conscience.

– Mais, ces êtres inorganiques existent-ils vraiment ? Comme vous et moi existons ?

– Bien sûr. Crois-moi, les sorciers sont des créatures très intelligentes ; en aucun cas ils ne joueraient avec des aberrations de la pensée tout en les considérant comme réelles.

– Pourquoi dites-vous qu'ils sont en vie ?

– Pour les sorciers, posséder la vie signifie posséder la conscience. Ce qui signifie avoir un point d'assemblage et son rayonnement environnant, un état qui signale aux sorciers que l'être devant eux, organique ou inorganique, est parfaitement capable de percevoir. Percevoir est pour les sorciers le préalable au fait de vivre.

– Par conséquent, les êtres inorganiques doivent aussi mourir. Vrai ou faux, don Juan ?

– Naturellement. Ils perdent leur conscience tout comme nous, sauf que, à notre point de vue, la durée de leur conscience est stupéfiante.

– Ces êtres inorganiques apparaissent-ils aux sorciers ?

– Avec eux, il est très difficile de savoir ce qu'il en est. Disons que ces êtres sont attirés par nous, ou mieux encore, contraints d'entrer en relation avec nous. »

Don Juan me toisa volontairement du regard, et du ton de celui qui en a tiré une conclusion, il dit :

« En toi, rien de tout ça ne fait mouche !

– Y penser rationnellement m'est quasiment impossible.

– Je t'avais prévenu que le sujet mettrait ta raison à l'épreuve. L'attitude la plus adéquate est de suspendre tout jugement et de laisser les choses suivre leur cours, ce qui signifie que tu laisses les êtres inorganiques venir à toi.

– Êtes-vous sérieux, don Juan ?

– Mortellement sérieux. La grande difficulté

avec les êtres inorganiques est que leur conscience est très lente comparée à la nôtre. Il faudra des années pour qu'un sorcier soit remarqué par un être inorganique. Donc, il est préférable d'avoir de la patience et d'attendre. Tôt ou tard, ils se manifesteront. Mais pas comme toi ou moi nous nous révélerions. Ils ont une façon très singulière de se faire connaître.

– Comment les sorciers les attirent-ils ? Par un rituel ?

– Eh bien, en aucun cas ils ne se plantent au milieu de la route aux douze coups de minuit pour, d'une voix tremblante, les invoquer, si c'est de cela dont tu parles.

– Alors, que font-ils ?

– Ils les attirent en rêvant. Je précise qu'il s'agit de bien plus que de les attirer. Par l'acte de rêver, les sorciers contraignent ces êtres à entrer en relation avec eux.

– Comment ces sorciers peuvent-ils les contraindre dans l'acte de rêver ?

– Rêver est maintenir la position où le point d'assemblage s'est déplacé dans les rêves. Un tel acte crée une charge d'énergie très distincte qui attire leur attention. C'est comme un appât pour les poissons ; ils fonceront dessus. Les sorciers, une fois atteintes et franchies les deux portes de rêver, placent des appâts pour ces êtres et les contraignent à apparaître.

« En traversant les deux portes, tu leur as fait connaître ton offre. Maintenant, tu dois attendre un signe de leur part.

– En quoi consistera ce signe, don Juan ?

– Peut-être l'apparition de l'un d'eux, bien qu'il soit trop tôt pour ça. Selon moi, ils se signaleront par une interférence, lorsque tu seras en train de rêver. Je pense que les crises de peur que tu subis ces temps-ci ne sont pas dues à de l'indigestion, mais sont des impulsions d'énergie que t'adressent les êtres inorganiques.

– Que dois-je faire ?

– Tu dois jauger tes attentes. »

Je n'arrivais pas à comprendre ce qu'il voulait dire et, soigneusement, il expliqua que notre attente ordinaire, lorsque nous entrons en relation avec nos semblables les hommes ou avec tout autre être organique, est d'avoir une réponse immédiate à notre sollicitation. Toutefois, avec les êtres inorganiques, puisqu'ils sont séparés de nous par une formidable barrière – de l'énergie qui se déplace à une vitesse différente de la nôtre –, les sorciers doivent jauger leurs attentes et maintenir la sollicitation aussi longtemps qu'il faut pour qu'elle soit satisfaite.

« Don Juan, voulez-vous dire que la sollicitation est identique à celle de la pratique de rêver ?

– Oui. Mais pour un résultat parfait, il te faut ajouter à tes pratiques l'intention d'entrer en contact avec ces êtres inorganiques. Transmets-leur une sensation de puissance et de confiance, une sensation de force, de détachement. Quoi qu'il t'en coûte, évite de transmettre une sensation de peur ou de malsaine curiosité. Ils sont assez malsains eux-mêmes ; ajouter ta morbidité à la leur est inutile, et c'est peu dire.

– Don Juan, je ne vois pas clairement comment ils apparaissent aux sorciers. Quelle est la manière particulière par laquelle ils se manifestent ?

– Parfois, ils se matérialisent dans le monde de tous les jours, juste devant nous. La plupart du temps, leur présence invisible se signale par un frémissement du corps, une sorte de tremblement qui vient droit de la moelle des os.

– Et en rêvant ?

– Dans le rêve, l'effet est totalement inversé. Parfois, nous les ressentons comme tu les ressens, tel un frémissement de peur. La plupart du temps, ils se matérialisent juste sous nos yeux. Puisque, au tout début de rêver, nous n'avons pas la moindre expérience de leur existence, ils peuvent nous

69

insuffler une peur sans limites. C'est pour nous un véritable danger. Par le canal de la peur, ils peuvent nous suivre dans le monde de tous les jours, et il en résulte des désastres personnels.

– Comment cela ?

– La peur peut s'installer dans nos vies et, pour y faire face, il faudrait être un surhomme. Les êtres inorganiques peuvent être pires que la peste. Avec la peur, ils parviennent facilement à nous rendre fous à lier.

– Qu'entreprennent donc les sorciers avec les êtres inorganiques ?

– Ils se mêlent à eux. Ils en font des alliés. Ils établissent des associations, créent des amitiés extraordinaires. J'appelle ça de vastes entreprises où la perception joue le rôle majeur. Nous sommes des êtres sociaux. Inévitablement, nous recherchons la compagnie de la conscience.

« Avec les êtres inorganiques, le secret est de ne pas avoir peur. Et cela doit être manifeste dès le début. L'intention à leur transmettre est simplement puissance et calme. Dans cette intention, il faut coder le message : je n'ai pas peur de vous. Venez me rendre visite. Si vous venez, je vous accueillerai bien. Si vous ne désirez pas venir, vous me manquerez.

« Ce message les rendra si curieux qu'à coup sûr ils viendront.

– Pourquoi rechercheraient-ils ma compagnie, et pourquoi après tout devrais-je chercher la leur ?

– Les rêveurs, qu'ils le veuillent ou non, recherchent par leur acte de rêver des associations avec d'autres êtres. Cela peut te choquer, mais automatiquement les rêveurs cherchent des groupes d'êtres, dans ce cas des nexus – des interconnexions – avec les êtres inorganiques. Les rêveurs les recherchent avidement.

– Pour moi, don Juan, cela reste très étrange. Pourquoi les rêveurs feraient-ils ça ?

– Pour nous, la chose nouvelle, ce sont les êtres

inorganiques. Et pour eux, la chose nouvelle est que l'un de notre espèce traverse les frontières de leur royaume. À partir de maintenant, ce qu'il te faut bien garder en tête est que les êtres inorganiques exercent, avec leur superbe conscience, une attraction formidable sur les rêveurs et, ainsi, ils peuvent facilement les transporter dans des mondes indescriptibles.

« Les sorciers de l'antiquité les utilisèrent, et les estampillèrent du nom d'alliés. Leurs alliés leur enseignèrent comment déplacer le point d'assemblage au-dehors des limites de l'œuf dans l'univers non humain. Par conséquent, lorsqu'ils transportent un sorcier, ils le transportent au-delà du domaine humain. »

Tout en l'entendant parler, j'étais perclus de peurs et de doutes étranges, et il s'en rendit compte sur-le-champ.

« Tu es un homme religieux jusqu'au bout des ongles, dit-il en éclatant de rire. Tu sens déjà le soufre du souffle du diable. Pense à rêver en ces termes : rêver est percevoir plus que ce que nous croyons possible de percevoir. »

Dans ma vie éveillée, je m'inquiétais de la possibilité de l'existence des êtres inorganiques. Dans ma pratique de rêver, ce souci conscient n'affectait rien. Les crises de peur physique continuèrent, mais lorsqu'elles se produisaient, un étrange état de calme leur faisait suite, un état de calme qui me contrôlait et me laissait poursuivre comme si aucune peur n'existait.

À cette époque-là, il m'apparut que chaque avancée dans rêver survenait soudainement, sans préavis. La présence des êtres inorganiques dans mes rêves se produisit ainsi : je rêvais d'un cirque que j'avais connu dans mon enfance. L'endroit où il était installé ressemblait à une ville des montagnes de l'Arizona. Je commençais par regarder les gens avec cet espoir vague, mais toujours présent, que je retrouverais des gens déjà vus la première fois où don Juan m'avait fait entrer dans la seconde attention.

Alors que je les observais, je ressentis une brutale crispation nerveuse au creux de mon estomac ; comme un coup de poing. Ce sursaut me fit perdre mon observation des gens, du cirque, de la ville de montagne de l'Arizona. À leur place se dressaient deux figures d'étrange apparence. Elles étaient minces, larges de moins de trente centimètres, mais très longues, peut-être plus de deux mètres. Elles flottaient au-dessus de moi, tels deux gigantesques vers de terre.

Je savais que c'était un rêve, mais je savais aussi que je *voyais*. Don Juan m'avait parlé de *voir* tout autant dans ma conscience normale que dans la seconde attention. Bien qu'incapable d'en faire une expérience personnelle, je pensais avoir compris l'idée de percevoir directement l'énergie. Dans ce rêve, en observant ces deux étranges apparitions, je me rendis compte que je *voyais* l'essence énergétique de quelque chose d'incroyable.

Je demeurais très calme. Je ne bougeais pas. L'occurrence la plus remarquable pour moi consistait dans le fait qu'ils ne se dissipèrent pas ou ne furent pas changés en quelque chose d'autre. Ils étaient des êtres cohérents qui maintenaient leur forme de bougie. Quelque chose en eux m'obligeait à soutenir cette vision de leurs formes. Je le savais, car quelque chose me disait que si je restais immobile, ils feraient de même.

À un moment donné, tout prit fin, et je me réveillai effrayé. Je fus sur-le-champ assailli par la peur. Une préoccupation intense s'empara de moi. Ce n'était pas un souci d'ordre psychologique, mais plutôt une sensation corporelle d'angoisse, de tristesse, sans raison apparente.

À partir de ce jour-là, les deux formes étranges se présentèrent dans chacune de mes sessions de rêve. D'une certaine manière, c'était comme si je rêvais seulement dans le but de les retrouver.

Jamais elles ne tentèrent de se diriger vers moi ou d'entrer de quelque façon que ce soit en relation avec moi. Elles demeuraient là, immobiles, devant moi, aussi longtemps que durait mon rêve. Non seulement je ne fis pas un seul effort pour modifier mes rêves, mais j'oubliai aussi la quête originale de cette pratique de rêver.

C'est après avoir passé sept mois à ne voir uniquement que ces deux formes, que j'abordai enfin ce sujet avec don Juan.

« Tu es en panne à un dangereux croisement, dit-il. Ce n'est pas bien de chasser ces êtres, mais ce n'est pas mieux de les laisser s'implanter là. À ce moment de ta vie, leur présence gêne ta pratique de rêver.

– Que puis-je faire, don Juan ?

– Fais-leur face, sans plus attendre, dans le monde de la vie de tous les jours, et dis-leur de revenir plus tard, lorsque tu auras plus de puissance de rêver.

– Comment leur faire face ?

– Ce n'est pas si simple, mais c'est possible. Cela exige que tu aies assez de cran, ce qui, évidemment, est le cas. »

Sans me laisser le temps d'avouer que je n'avais pas de cran, il me guida vers les collines. Il vivait alors dans le nord du Mexique, et il m'avait fait l'impression d'être un sorcier solitaire, un vieil homme oublié de tout le monde et complètement en marge du courant principal des affaires humaines. Néanmoins, j'avais découvert qu'il était suprêmement intelligent. Et pour cette raison, j'étais prêt à satisfaire ce qui m'apparaissait, vu que je n'y croyais qu'à moitié, comme l'expression de simples lubies.

La rouerie des sorciers, cultivée à travers les âges, était le coup de patte caractéristique de don Juan. Il s'assurait que j'avais fait mon plein de compréhension dans mon état de conscience normale et, en même temps, il s'assurait que je rentrais dans la seconde attention, un état où je comprenais, ou tout au moins écoutais passionnément tout ce qu'il m'enseignait. Ainsi faisant, il me divisait en deux. Dans mon état de conscience normale, je ne pouvais pas comprendre pourquoi et comment j'étais tellement prêt à prendre ses lubies au sérieux, alors que dans la seconde attention, tout était sensé.

Il affirmait que la seconde attention est à la disposition de nous tous, mais qu'en nous accrochant délibérément à notre rationalité mal armée, nous la repoussons à bonne distance, certains d'entre nous plus que d'autres. Son idée était que rêver fait sauter les barrières qui entourent et isolent la seconde attention.

Le jour où il m'entraîna dans les collines du désert de Sonora pour y rencontrer les êtres inorganiques, j'étais dans mon état de conscience normal. Cependant, je savais pertinemment que j'allais y faire quelque chose qui, assurément, serait incroyable.

Dans le désert, il avait très légèrement plu et la poussière rouge encore humide s'agglutinait à mes semelles de caoutchouc. Je dus à plusieurs reprises m'installer sur un bloc de rocher pour retirer ces lourds amas de terre. Nous marchions vers l'est, montant en direction des collines. Une fois arrivés dans un vallon étroit entre deux buttes, don Juan s'arrêta. Il déclara :

« Voici certainement un endroit idéal pour convoquer tes amis.

— Pourquoi dites-vous : mes amis ?

— Ils t'ont choisi eux-mêmes. Lorsqu'ils agissent ainsi, ils signifient qu'ils recherchent une association. Je t'ai déjà mentionné qu'avec eux les sorciers établissent des liens. Ton cas semble en être un exemple. Et tu n'as même pas besoin de les solliciter.

— En quoi consiste cette amitié, don Juan ?

— Elle consiste en un échange réciproque

d'énergie. Les êtres inorganiques fournissent leur extrême conscience, et les sorciers fournissent leur conscience amplifiée et leur haute énergie. D'un échange égal découle un résultat positif. Cependant, un résultat négatif engage la dépendance des deux parties.

« Les sorciers d'antan aimaient leurs alliés. En fait, ils aimaient leurs alliés bien plus qu'ils n'aimaient les hommes. Si ta relation évolue ainsi, je peux facilement prévoir de terrifiants dangers.

– Que recommandez-vous, don Juan ?

– Convoque-les. Évalue-les, et décide toi-même la démarche à suivre.

– Que dois-je faire pour les convoquer ?

– Fixe dans ta pensée la vision que tu as d'eux dans le rêve. La raison pour laquelle ils t'ont saturé de leur présence dans tes rêves est qu'ils désirent créer dans ta pensée une mémoire de leurs formes. Le moment est venu de te servir de cette mémoire. »

Don Juan m'ordonna de fermer mes yeux et de les garder clos. Puis il me guida jusqu'à des rochers où je m'assis. Je sentais la roche dure et froide. La surface était inclinée et il m'était difficile d'y demeurer en équilibre.

« Reste assis là, et visualise leurs formes jusqu'au moment où elles seront comme dans tes rêves, me chuchota don Juan à l'oreille. Fais-moi savoir quand leur image sera nette. »

Il ne me fallut que très peu de temps pour avoir une image mentale de leurs formes aussi nette que dans mes rêves. Le fait d'y être parvenu ne me surprenait pas du tout. Le choc pour moi fut que, malgré ma tentative forcenée de signaler à don Juan que je les avais parfaitement clairs dans ma pensée, je ne pus ni ouvrir mes yeux ni émettre un seul son. Sans aucun doute, j'étais réveillé. Je pouvais tout entendre. Don Juan me dit :

« Maintenant, tu peux ouvrir les yeux », et je les ouvris sans la moindre difficulté.

J'étais assis jambes croisées sur des roches, mais non sur celles que j'avais si bien ressenties en m'asseyant. Don Juan était juste derrière moi, à ma droite. Je tentai de tourner ma tête vers lui, mais il m'obligea à la garder bien droite. Et alors, juste devant moi, je vis deux figures noires, tels deux troncs d'arbres fins.

Bouche bée, je les fixais du regard. Elles n'étaient pas aussi grandes que dans mes rêves. À peu près réduites de moitié. Au lieu d'être des formes d'une opaque luminosité, elles apparaissaient maintenant tels deux bâtons solides, sombres, presque noirs, menaçants.

« Lève-toi et attrapes-en une, ordonna don Juan, et ne la lâche pas, peu importe combien elle te secoue. »

Je n'avais pas la moindre envie de lui obéir, mais une force inconnue me poussa à me lever contre ma volonté. Dès ce moment-là, je réalisai clairement que je finirais par faire ce qu'il m'avait ordonné de faire, alors que je n'avais pas d'intention consciente de le faire.

Mécaniquement, mon cœur battant à tout rompre, j'avançai vers les deux figures. Je saisis celle à ma droite. Je ressentis une décharge électrique qui me fit presque lâcher prise.

Comme s'il criait de très loin, la voix de don Juan me parvint :

« Si tu la lâches, c'en est fait de toi. »

Je m'accrochai à la figure qui se contorsionnait et vibrait. Non pas comme un animal, mais comme quelque chose de cotonneux, léger, et surtout fortement électrique. Sur le sable du vallon nous roulâmes et tournâmes pendant assez longtemps. Elle m'infligeait secousses après secousses d'un écœurant courant électrique. Je pensais qu'il m'écœurait parce que je l'imaginais différent de l'énergie que j'avais toujours rencontrée dans notre monde quotidien. Quand il atteignait mon corps, il me chatouillait et me faisait hurler et grogner tel un animal, non pas de douleur, mais suite à une étrange colère.

Finalement, la figure devint une forme immobile, presque solide sous moi. Elle était inerte. Je demandai à don Juan si elle était morte, mais il ne m'entendit pas.

« Pas le moins du monde, dit quelqu'un en riant, quelqu'un qui n'était pas don Juan. Tu as seulement vidé sa charge d'énergie. Mais ne te relève pas encore. Demeure allongé juste un moment de plus. »

Je questionnai don Juan des yeux. Il m'examinait avec beaucoup de curiosité, puis il m'aida à me relever. La figure sombre restait au sol. Je désirais demander à don Juan si la figure sombre allait bien. Une fois de plus, je ne pus exprimer ma question. Alors, je fis une chose extravagante. Je pris la situation comme une réalité. Jusqu'à ce moment-là, quelque chose dans ma pensée avait préservé ma rationalité en me faisant considérer ce qui se passait comme un rêve, un rêve né d'une machination de don Juan.

J'allai vers la figure toujours au sol et je voulus la relever. Il me fut impossible de placer mes bras autour car elle n'avait pas de masse. Cela me désorienta. La même voix, qui n'était définitivement pas celle de don Juan, me dit de me coucher sur l'être inorganique. Je le fis, et tous deux en un seul mouvement nous nous relevâmes, l'être inorganique fixé contre moi telle une ombre sombre. Elle se détacha doucement et disparut en me laissant avec une sensation extrêmement agréable d'état complet.

Je ne repris un total contrôle de mes facultés que vingt-quatre heures plus tard. Je dormis pendant presque tout le temps. Ici et là, don Juan me posait la même question :

« L'énergie de l'être inorganique était-elle comme du feu, ou comme de l'eau ? »

Ma gorge semblait brûlée. Je ne parvenais pas à

lui dire que les secousses d'énergie que j'avais ressenties étaient comme des jets d'eau électrifiée. De ma vie, je n'ai jamais ressenti des jets d'eau électrifiée. J'ignore même s'il est possible de produire des jets d'eau électrifiée, ou de les ressentir, mais, chaque fois que don Juan posait sa question, cette image se présentait.

Lorsque je me sentis enfin complètement remis, don Juan dormait. Sachant l'importance de sa question, je le réveillai pour lui confier ce que j'avais ressenti.

« Parmi les êtres inorganiques tu ne vas pas avoir des amis qui t'aident, mais des relations de dépendance gênante. Fais extrêmement attention. Les êtres inorganiques à caractère d'eau sont plus enclins à l'excès. Les sorciers d'antan croyaient qu'ils étaient plus aimables, plus capables d'imiter, et peut-être même susceptibles de sentiments. Ceci en opposition avec ceux de feu, qu'ils pensaient plus sérieux, plus réservés que les autres, mais aussi plus pompeux.

– Que signifie tout cela pour moi, don Juan ?

– Le sens de tout cela est bien trop vaste pour l'aborder maintenant. Afin de sauvegarder ton intégrité, je te recommande de vaincre la peur de tes rêves et de ta vie. L'être inorganique que tu as vidé de son énergie et rechargé ensuite y a pris un plaisir extrême. Il reviendra vers toi, pour une autre dose.

– Pourquoi ne pas m'avoir arrêté, don Juan ?

– Tu ne m'en as pas donné le temps. En plus, tu ne m'as même pas entendu te crier de laisser l'être inorganique au sol.

– Vous auriez dû me préparer à toutes les possibilités auparavant, comme vous l'avez toujours fait.

– J'ignorais toutes les possibilités. En matière d'êtres inorganiques, je suis quasiment un novice. J'ai refusé cette partie de la connaissance des sorciers, car elle est trop encombrante et capricieuse. Je refuse d'être soumis à une entité, organique ou inorganique. »

Ainsi se termina notre discussion. Vu sa réaction définitivement négative, j'aurais dû m'inquiéter, mais ce ne fut pas le cas. D'une manière ou d'une autre, j'avais la certitude d'avoir fait ce qu'il fallait faire.

Je repris ma pratique de rêver sans interférence aucune de la part des êtres inorganiques.

4

LA FIXATION
DU POINT D'ASSEMBLAGE

Puisque, comme convenu, nous n'abordions ma pratique de rêver que si don Juan le jugeait nécessaire, je lui en parlais rarement et, au-delà d'un certain point, je ne l'importunais pas avec mes questions. Par conséquent, dès qu'il se décidait à aborder le sujet, je brûlais d'impatience de l'entendre. Invariablement, ses commentaires et ses discussions se trouvaient être soigneusement amoindris par leur subtile apparition au cours de la présentation d'autres sujets de son enseignement, et ils survenaient toujours de façon brusque et soudaine.

Une fois, au cours d'une de mes visites chez lui, alors que nous étions plongés dans une conversation à mille lieues du sujet, sans le moindre préambule il me dit que c'était grâce à leurs contacts avec les êtres inorganiques que les sorciers d'antan avaient acquis leur immense compétence dans la manipulation du point d'assemblage, un vaste et sinistre sujet.

Je sautai immédiatement sur l'occasion pour demander à don Juan à quelle époque avaient approximativement vécu ces sorciers d'antan. Cette question, je l'avais à plusieurs reprises posée, mais jamais il ne m'avait répondu précisément. Néanmoins, vu sa volonté de faire surgir le sujet, j'éprouvais l'assurance qu'il se sentirait obligé de me répondre.

« C'est un sujet bien agaçant », dit-il, et sa façon de parler me fit croire qu'il allait ignorer ma question. Aussi fus-je très surpris de l'entendre poursuivre :

« Il va ébranler ta rationalité au moins tout autant que le thème des êtres inorganiques. D'ailleurs, que penses-tu d'eux maintenant ?

– C'est le " statu quo ", je ne puis plus me permettre de laisser vagabonder mes pensées dans un sens ou dans l'autre. »

Ma réponse le réjouit. Il éclata de rire et fit quelques commentaires sur ses propres peurs et sa répugnance des êtres inorganiques.

« Ils n'ont jamais été à mon goût, dit-il. Bien entendu, c'est surtout parce que j'en avais peur. Une peur que je n'arrivais pas à surmonter quand il le fallait, alors elle s'incrusta pour de bon.

– Don Juan, vous font-ils toujours peur ?

– Ce n'est pas exactement de la peur, c'est plutôt du dégoût. Je ne veux rien d'eux.

– Ce dégoût, a-t-il une raison particulière ?

– La meilleure du monde : nous sommes antithétiques. Ils adorent l'esclavage, et j'adore la liberté. Ils adorent acheter, et je ne vends rien. »

Inexplicablement, je m'énervai et, brusquement, je lui déclarai qu'il s'agissait d'un sujet tellement outrancier que je ne pouvais pas l'envisager sérieusement.

Il me fixa du regard en souriant et dit :

« La meilleure chose à faire avec les êtres inorganiques est la tienne : nier leur existence, mais leur rendre visite régulièrement et te persuader que tu rêves et que dans rêver tout est possible. De cette façon, tu ne t'engages à rien. »

Sans comprendre pourquoi, je fus gagné par une étrange culpabilité. Je ne pus m'empêcher de lui demander :

« À quoi faites-vous référence, don Juan ?

– À tes rencontres avec les êtres inorganiques, répliqua-t-il sèchement.

— Est-ce une plaisanterie ? Quelles rencontres ?

— Je ne voulais pas aborder ce sujet-là, mais je crois venu le temps de te dire que la voix agaçante que tu as entendue, celle qui te rappelle de fixer ton attention sur les éléments de tes rêves, était la voix d'un être inorganique. »

Je croyais don Juan devenu complètement irrationnel. Mon irritation fut telle que je l'enguirlandai. Il pouffa de rire et me demanda de lui parler de ces sessions irrégulières de rêver. Jamais je n'avais mentionné, à qui que ce soit, que de temps à autre je sortais précipitamment d'un rêve, tiré par un de ses éléments, mais qu'au lieu de changer de rêve, comme à l'accoutumée, l'ambiance globale du rêve changeait et je me trouvais dans une dimension totalement inconnue. Conduit par un guide invisible, je volais dans cette dimension en tourbillonnant sans cesse. Lorsque je me réveillais d'un de ces rêves, je tourbillonnais encore, ballotté et secoué pendant assez longtemps avant de finalement faire vraiment surface.

« Ce sont, en toute bonne foi, des rencontres avec tes amis les êtres inorganiques », constata don Juan.

Je ne voulus pas le contredire, mais en aucun cas accepter sa conclusion. Je gardais le silence. J'avais même oublié ma question sur les sorciers d'antan, mais don Juan saisit le sujet au vol.

« Selon ce que je sais, les sorciers d'antan existaient déjà il y a au moins dix mille ans », reprit-il en souriant et en observant ma réaction.

Fondant ma réponse sur les plus récents résultats archéologiques concernant les migrations de tribus nomades d'Asie vers les Amériques, je déclarai que sa date ne pouvait être que fausse : dix mille ans, c'était beaucoup trop ancien.

« Tu as tes sources, et moi les miennes, dit-il. Ma connaissance est que la gloire des sorciers d'antan commença il y a environ sept mille ans et qu'ils régnèrent pendant quatre mille années. Il y a trois millénaires, ils disparurent presque. Depuis, les sorciers se regroupèrent, restructurant ce qui restait de la connaissance des sorciers d'antan.

– Comment pouvez-vous être aussi certain de vos dates ?

– Comment peux-tu être certain des tiennes ? » rétorqua-t-il.

Je lui dis que les archéologues possédaient des méthodes infaillibles pour établir la datation des civilisations antérieures. Il rétorqua que les sorciers possédaient leurs propres et tout aussi infaillibles méthodes.

« Je ne tente pas de m'opposer à, ou de contrecarrer, tes arguments, continua-t-il, mais un jour proche, tu seras à même de questionner quelqu'un qui sait cela, sans l'ombre d'un doute.

– Don Juan, personne ne peut savoir cela sans l'ombre d'un doute.

– C'est une autre de ces choses impossibles à croire, mais il existe quelqu'un qui peut vérifier toutes ces dates. Un jour, tu rencontreras cette personne.

– Allons donc, don Juan, vous devez plaisanter. Qui peut vérifier ce qui a eu lieu il y a sept mille ans ?

– C'est enfantin, un de ces sorciers d'antan dont nous avons parlé. Celui que j'ai rencontré. C'est lui qui m'a tout appris des sorciers d'antan. J'espère que tu n'oublieras pas ce que je vais te confier maintenant sur ce personnage particulier. Il est la clé de la plupart de nos entreprises et, en plus, il est celui qu'il te faudra rencontrer. »

J'affirmai à don Juan que je buvais chacune de ses paroles, même si je ne comprenais pas ce qu'il disait. Il m'accusa de me moquer de lui et de ne pas croire un traître mot quant à ce qui touchait aux sorciers d'antan. Je dus admettre que, bien entendu, dans mon état de conscience ordinaire, je n'avais jamais cru à ces histoires extravagantes. D'ailleurs, pas plus dans la seconde attention, bien que dans cet état j'aurais dû avoir une réaction différente.

« Ce n'est que lorsque tu rumines ce que j'ai dit que ça devient pour toi une histoire un peu trop tirée par les cheveux, remarqua-t-il. Si tu n'impliques pas ton bon sens, elle demeure purement une question d'énergie.

– Don Juan, pourquoi dites-vous que je vais rencontrer un de ces sorciers d'antan ?

– Parce que tu vas le rencontrer. Pour ta vie, il est essentiel que vous vous rencontriez un jour. Mais, en ce qui concerne l'immédiat, permets-moi de te conter une autre histoire tirée par les cheveux, une histoire à propos de l'un des naguals de ma lignée, le nagual Sebastian. »

Don Juan me raconta que le nagual Sebastian était sacristain dans une église du sud du Mexique, approximativement au début du dix-huitième siècle. Don Juan insista sur le fait que les sorciers, d'hier et d'aujourd'hui, cherchent et trouvent refuge dans les institutions bien en place, par exemple l'Église. À son idée, ils sont avidement recherchés par ces institutions qui ont toujours grand besoin de telles personnes, des gens d'une discipline inégalable, des employés de confiance. Il maintint que, pour autant que leurs activités de sorciers demeurent ignorées de tous, leur absence de sympathies idéologiques les fait apparaître comme des employés modèles.

Don Juan reprit son histoire en racontant qu'un jour, alors que Sebastian accomplissait ses devoirs de sacristain, un homme étrange entra dans l'église, un vieil Indien qui semblait mal en point. D'une voix faiblarde, il dit à Sebastian qu'il avait grand besoin d'aide. Le nagual pensa que l'Indien réclamait le curé, mais, au prix d'un énorme effort, l'homme s'adressa au nagual lui-même. D'un ton rêche et sans ambages, il lui dit qu'il savait que Sebastian était non seulement un sorcier mais aussi un nagual.

Sebastian, plutôt effrayé par la soudaine tournure des événements, tira l'Indien de côté et exigea des excuses. L'homme répliqua qu'il n'était pas venu pour faire des excuses, mais pour bénéficier d'une aide spécialisée. Il avait besoin, dit-il, de recevoir l'énergie du nagual pour continuer sa vie qui, affirma-t-il à Sebastian, avait déjà duré plusieurs milliers d'années mais en ce moment déclinait.

Sebastian, assurément un homme très intelligent, décidé à ne pas prêter la moindre attention à une telle absurdité, intima au vieil Indien de cesser ses clowneries. Le vieillard se mit en colère et le menaça, s'il ne satisfaisait pas à sa demande, de le dénoncer ainsi que son groupe aux autorités ecclésiastiques.

Don Juan me rappela qu'à cette époque, les autorités ecclésiastiques éradiquaient brutalement et systématiquement toutes les pratiques hérétiques des Indiens du Nouveau Monde. Par conséquent, la menace brandie par cet homme ne pouvait pas être traitée à la légère : le nagual et son groupe étaient vraiment en danger de mort. Sebastian demanda à l'Indien comment il pouvait lui donner de l'énergie. L'homme expliqua que les naguals, grâce à leur discipline, emmagasinent dans leurs corps une énergie spéciale, et qu'il l'extrairait sans la moindre douleur du centre d'énergie placé au-dessus du nombril de Sebastian. En échange, Sebastian bénéficierait non seulement du privilège de poursuivre indemne ses activités, mais aussi d'un don de pouvoir.

Savoir qu'il se trouvait manipulé par le vieil Indien ne satisfaisait en rien le nagual, mais l'homme s'avérait inflexible et n'offrait aucun autre choix que de satisfaire sa requête.

Don Juan m'assura que le vieil Indien n'exagérait en rien ses déclarations. Il était un des sorciers des temps anciens, l'un de ceux connus sous le nom de *défieurs de la mort*. Apparemment, il avait survécu jusqu'alors en manipulant son point d'assemblage d'une façon qu'il était seul à connaître.

Don Juan précisa que ce qui se déroula entre Sebastian et cet homme fit plus tard l'objet d'un accord qui lia chacun des six naguals qui suivirent Sebastian. Le défieur de la mort tint sa promesse ; en échange de l'énergie de chacun de ces hommes, il leur fit un cadeau : un don de pouvoir. Bien à contrecœur, Sebastian dut accepter ce présent. Par contre, tous les naguals qui le suivirent furent heureux et fiers de recevoir le leur.

Don Juan termina son histoire en précisant qu'au fil du temps, le défieur de mort devint plus connu sous le nom de *locataire*. Et pendant plus de deux cents années, les naguals qui succédèrent à Sebastian honorèrent cet accord les liant tous, créant ainsi une relation symbiotique qui modifia la course et le but final de leur lignée.

Don Juan ne désira pas expliquer plus avant cette histoire, et je demeurais avec l'étrange sensation de sa véracité, ce qui me gênait beaucoup plus que je n'aurais pu l'imaginer.

« Comment a-t-il pu vivre si longtemps ?

– Personne ne le sait, répliqua don Juan. Depuis des générations, tout ce que nous savons de lui est ce qu'il nous raconte. Le défieur de la mort est aussi celui que j'ai questionné à propos des sorciers d'antan, et il me répondit qu'ils connurent leur apogée il y a trois mille ans.

– Comment êtes-vous certain qu'il dise la vérité ? »

Don Juan hocha la tête de stupeur, sinon d'indignation.

« Lorsque tu fais face à cet inconcevable inconnu, là-bas, dit-il en pointant du doigt tout autour de lui, tu ne perds pas ton temps avec des mensonges minables. Les mensonges minables sont pour ceux qui n'ont jamais eu la moindre idée de ce qui est là-bas, à les attendre.

– Qu'est-ce qui nous attend là-bas, don Juan ? »

Sa réponse, une phrase apparemment inoffensive, fut cependant pour moi plus terrifiante que s'il avait décrit les choses les plus horribles.

« Quelque chose d'absolument impersonnel. »

Il dut remarquer que je m'effondrais. Pour contrecarrer ma peur, il me fit changer de niveau de conscience.

Quelques mois plus tard, ma pratique de rêver prit une tournure étrange. Au cours de mes rêves commencèrent à se manifester des réponses aux questions que j'avais prévu de poser à don Juan. Le côté le plus impressionnant de ces bizarreries est que, très rapidement, elles s'introduisirent dans mes périodes d'éveil. Et un jour, alors que j'étais assis à mon bureau, j'eus la réponse à une question jamais exprimée concernant l'état de réalité des êtres inorganiques. J'avais vu des êtres inorganiques dans mes rêves si souvent que je commençais à envisager leur probable réalité. Je me souvins même que j'en avais touché un au cours d'un état quasi normal de conscience dans le désert de Sonora. Et périodiquement, mes rêves avaient été déviés vers des visions de mondes dont je doutais sérieusement qu'ils pussent être le produit de ma pensée. Je souhaitais surprendre don Juan par, à mon avis, mon triomphe de concision dans l'interrogation ; dans ma pensée, j'avais élaboré cette question : si l'on doit accepter que les êtres inorganiques sont aussi réels que les gens, où donc, dans l'état physique de l'univers, se situe le royaume dans lequel ils existent ?

À peine la question fut-elle mentalement formulée que j'entendis un rire étrange, identique à celui perçu le jour où je m'étais battu avec l'être inorganique. Puis une voix d'homme me répondit :

« Ce royaume existe dans une position particulière du point d'assemblage. Tout comme votre monde existe dans la position habituelle du point d'assemblage. »

S'il y avait une chose que je ne désirais absolument pas faire, c'était entamer une conversation avec une voix incorporelle, par conséquent je me levai et me précipitai hors de chez moi. Je pensais même que je perdais la tête. Un tracas de plus à entasser sur ma pile de soucis.

La voix avait été si claire et si sûre d'elle qu'elle m'intriguait tout autant qu'elle me terrifiait. Avec une grande inquiétude, j'attendais les interventions futures de cette voix, mais jamais l'événement ne se répéta. Dès que l'opportunité se présenta, je demandai conseil à don Juan.

Mon récit le laissa de marbre.

« Une fois pour toutes, tu dois comprendre que de telles choses sont parfaitement normales dans le monde d'un sorcier, dit-il. Tu ne deviens pas fou ; simplement tu entends la voix de ton émissaire de rêver. Une fois traversées les première et seconde portes de rêver, les rêveurs atteignent un seuil d'énergie et commencent à voir des choses ou à entendre des voix. Pas vraiment plusieurs voix, mais une en particulier. Les sorciers la nomment la voix de l'émissaire de rêver.

— Qu'est donc cet émissaire de rêver ?

— De l'énergie étrangère qui a de la concision. De l'énergie étrangère qui est censée aider les rêveurs en leur disant des choses. Le problème avec l'émissaire de rêver est qu'il ne peut dire que ce que le sorcier sait déjà ou est supposé savoir, s'il vaut son pesant d'or.

— Dire que c'est de l'énergie étrangère qui a de la concision ne me sert à rien, don Juan. Quelle sorte d'énergie – bénigne, maligne, vraie, fausse, quoi en sorte ?

— C'est juste ce que j'ai dit, de l'énergie étrangère. Une force impersonnelle que nous changeons en une force très personnelle parce qu'elle a une voix. Il y a des sorciers qui ne jurent que par elle. Ils la voient même. Ou bien, c'est ton cas, ils entendent simplement une voix d'homme ou de femme. Et cette voix les renseigne sur l'état des choses, ce que la plupart du temps ils prennent comme un avis sacro-saint.

— Pourquoi certains l'entendent-ils telle une voix ?

— Nous la voyons ou nous l'entendons parce que nous maintenons notre point d'assemblage sur une position nouvelle et particulière ; plus est forte cette fixation, plus est forte notre expérience de l'émissaire de rêver. Fais bien attention ! Tu pourrais bientôt la voir et la sentir telle une femme nue. »

Don Juan éclata de rire, mais j'étais trop effrayé pour apprécier la moindre légèreté.

« Cette force, est-elle capable de se matérialiser ? demandai-je.

— Assurément, répliqua-t-il. Tout dépend de la stabilité de la fixation du point d'assemblage. Mais sois rassuré, si tu es capable de maintenir un certain niveau de détachement, rien ne surviendra. L'émissaire reste ce qu'il est : une force impersonnelle qui agit sur nous à cause de la fixation du point d'assemblage.

— Son avis est-il sûr, et judicieux ?

— Il ne peut pas s'agir d'un avis. Il nous dit ce qui est, et c'est à nous d'en tirer les conséquences. »

Je confiai alors à don Juan ce que m'avait dit la voix.

« C'est comme je viens de le dire, remarqua don Juan. L'émissaire ne t'a rien dit de neuf. Ses déclarations étaient exactes, et ce n'est que toi qui les as prises pour des révélations. L'émissaire n'a simplement fait que reprendre ce que tu savais déjà.

— Sincèrement, je ne peux pas prétendre l'avoir su auparavant.

— Oui, tu peux. Concernant le mystère de l'univers, tu sais maintenant beaucoup plus que ne le soupçonne ta rationalité. Mais ça, c'est notre maladie d'homme : connaître bien mieux le mystère de l'univers que nous ne le supposons. »

Le fait d'avoir eu seul, sans l'assistance de don Juan, l'expérience de cet incroyable phénomène, me plongea dans un état d'exultation. Je voulus en savoir plus sur l'émissaire, j'allais même demander à don Juan s'il avait lui aussi entendu la voix de l'émissaire, lorsqu'il s'interposa et déclara avec un large sourire :

« Oui, oui. L'émissaire me parle, à moi aussi. Dans ma jeunesse je le voyais souvent comme un prêtre avec un capuchon noir. Un prêtre parleur qui, chaque fois, me faisait sauter au plafond. Puis ma peur devint plus contrôlable, et il ne demeura qu'une voix incorporelle qui, aujourd'hui encore, me dit des choses.

– Quel genre de choses, don Juan ?

– Tout ce sur quoi je concentre mon intention, les choses dont je ne veux pas me soucier de faire le suivi. Comme, par exemple, des détails sur le comportement de mes apprentis. Ce qu'ils font quand je suis ailleurs. Il me dit des choses sur toi, en particulier. L'émissaire me dit tout ce que tu fais. »

Dès cet instant-là, je n'appréciai plus la direction prise par notre conversation. Désespérément, je fouillais ma pensée à la recherche de questions concernant d'autres points, et pendant ce temps il rugissait de rire.

« L'émissaire de rêver est-il un être inorganique ? demandai-je.

– Disons que l'émissaire de rêver est une force qui vient du royaume des êtres inorganiques. C'est la raison pour laquelle les rêveurs la rencontrent toujours.

– Don Juan, est-ce à dire que chaque rêveur l'entend ou le voit ?

– Tous entendent l'émissaire. Rares sont ceux qui le voient ou le ressentent.

– Avez-vous quelque explication à ce propos ?

– Non. Du reste, l'émissaire n'est pas ce qui retient vraiment mon attention. Il fut un moment de ma vie où je dus trancher, soit me concentrer sur les êtres inorganiques et suivre ainsi les traces des sorciers d'antan, soit refuser le tout. Mon maître, le nagual Julian, m'aida à décider de tout refuser. Je n'ai jamais regretté cette décision.

– Don Juan, pensez-vous que je doive moi aussi refuser les êtres inorganiques ? »

Au lieu de me répondre, il expliqua que la totalité du royaume des êtres inorganiques est toujours disposée à enseigner. Peut-être parce que les êtres inorganiques ont une conscience bien plus profonde que la nôtre, ce qui les pousse à nous prendre sous leurs ailes.

« Je n'ai trouvé aucun intérêt à devenir leur élève ajouta-t-il. Leur prix est bien trop élevé.

– Quel est leur prix ?

– Notre vie, notre énergie, notre dévotion pour eux. En d'autres mots, notre liberté.

– Mais qu'enseignent-ils ?

– Des choses pertinentes de leur monde. De la même manière que nous leur enseignerions, si nous en étions capables, des choses pertinentes de notre monde. Toutefois, leur méthode consiste à prendre notre moi fondamental comme repère pour évaluer ce dont nous avons besoin, et ensuite à nous instruire en conséquence. C'est une entreprise redoutable !

– Je ne vois pas pourquoi elle devrait être redoutable.

– Si quelqu'un prend ton moi fondamental comme repère, avec toutes tes peurs, ton avidité, tes envies, etc., et t'enseigne ce qui satisfait cet horrible état de ton être, à ton avis, quel en sera le résultat ? »

Je crus bien avoir compris les raisons de son refus. Je cessai mes questions.

« Le problème des sorciers d'antan est qu'ils apprirent des choses prodigieuses, malheureusement basées sur leur moi inférieur inchangé, reprit don Juan. Les êtres inorganiques devinrent leurs alliés et, au moyen d'exemples délibérément choisis, ils leur enseignèrent les merveilles des sorciers d'antan. Les alliés exécutaient ces exploits et, étape par étape, ils guidaient les sorciers d'antan pour leur apprendre à copier ces actions, sans rien changer de leur nature fondamentale.

— Ce genre de relation avec les êtres inorganiques, existe-t-il encore de nos jours ?

— Sincèrement, je ne peux pas te répondre. Tout ce que je sais est qu'il m'est inconcevable d'entrer dans une relation de ce genre. En consommant tout notre potentiel d'énergie, des participations de cette nature limitent notre recherche de liberté. Pour vraiment suivre l'exemple de leurs alliés, les sorciers d'antan devaient passer toute leur vie dans le royaume des êtres inorganiques. La quantité d'énergie requise pour effectuer un voyage d'une telle intensité est stupéfiante.

— Don Juan, voulez-vous dire que les sorciers d'antan étaient capables d'exister dans ces royaumes comme nous existons ici ?

— Non, pas tout à fait comme nous existons ici, mais sans aucun doute ils existaient, ils conservaient leur conscience, leur individualité. Pour ces sorciers, l'émissaire de rêver devint l'entité la plus vitale. Si un sorcier désire vivre dans le royaume des êtres inorganiques, l'émissaire constitue la liaison parfaite : il parle, il a une propension à enseigner, à guider.

— Don Juan, avez-vous été dans ce royaume ?

— D'innombrables fois. Et toi aussi. Mais il est inutile d'en parler maintenant. Tu n'as pas évacué tous les détritus qui encombrent ton attention de rêver, pas encore. Un jour, nous parlerons de ce royaume.

— Si je comprends bien, don Juan, vous n'approuvez ni n'aimez l'émissaire de rêver ?

— Je ne l'approuve ni ne l'aime. Il appartient à un autre état d'esprit, l'état d'esprit des sorciers d'antan. En outre, dans notre monde, ses enseignements et ses conseils sont absurdes. Et pour cette absurdité, l'émissaire nous taxe énormément en termes d'énergie. Un jour viendra où tu seras d'accord avec moi. Tu verras. »

Dans le ton de don Juan, il y avait l'implication à peine voilée de sa conviction que je n'étais pas d'accord avec lui quant à ce qui concernait l'émissaire. J'allais soulever ce point, lorsque j'entendis la voix de l'émissaire dans mes oreilles :

« Il a raison, disait-elle. Tu m'aimes parce que tu ne vois pas ce qu'il y aurait de mal à explorer toutes les possibilités. Tu veux la connaissance ; la connaissance, c'est le pouvoir. Tu ne veux pas de la sécurité des routines et des croyances de ton monde de tous les jours. »

L'émissaire venait de parler avec un anglais typique de la côte nord-ouest des États-Unis. Puis il passa à l'espagnol. Je remarquai alors une touche d'accent argentin. Je n'avais jamais auparavant entendu l'émissaire parler de la sorte. Cela me fascinait. L'émissaire me parla d'accomplissement, de connaissance, de l'éloignement du lieu de mon enfance, de mon désir d'aventures et de ma presque totale obsession pour les choses nouvelles, les horizons renouvelés. La voix me parla même en portugais, avec cette fois un clair accent des pampas du sud du Brésil.

Entendre cette voix qui débitait toutes ces flatteries m'effraya et me donna envie de vomir. Sur-le-champ, je dis à don Juan que je devais suspendre ma pratique de rêver. Pris de court, il me dévisagea. Mais quand je lui rapportai ce que je venais d'entendre, il manifesta son approbation, bien que j'eusse l'impression qu'il signifiait son accord simplement pour m'apaiser.

Quelques semaines plus tard, ma réaction m'apparut un peu hystérique et ma décision de me retirer mal fondée. Je repris ma pratique de rêver. J'étais persuadé que don Juan connaissait ma volte-face.

Lors d'une de mes visites suivantes, tout à coup, il parla de rêver :

« Ce n'est pas parce qu'on ne nous a pas appris à développer les rêves tel un vrai champ d'exploration que ce n'en est pas un. On analyse bien les rêves pour déchiffrer leur signification, ou ils sont pris comme porteurs de présages, mais jamais on ne les considère comme un royaume d'événements réels.

« À ma connaissance, seuls les sorciers d'antan firent ce pas mais, vers la fin, ils gâchèrent tout. Ils furent dominés par leur avidité et, bien qu'ayant atteint un point crucial, ils choisirent la mauvaise direction. Ils placèrent tous leurs œufs dans le même panier : la possibilité de fixer le point d'assemblage sur des milliers de positions. »

Don Juan exprima sa perplexité devant le fait que parmi toutes ces choses merveilleuses que les sorciers d'antan apprirent en explorant ces milliers de positions, seuls nous sont parvenus l'art de rêver et l'art de traquer. Il répéta que l'art de rêver concerne le déplacement du point d'assemblage. Puis il définit l'art de traquer comme l'art qui traite de la fixation du point d'assemblage sur n'importe quel endroit où il a été déplacé.

« Fixer le point d'assemblage sur n'importe quel nouveau point signifie acquérir de la cohésion, continua-t-il. C'est exactement ce que tu as fait dans ta pratique de rêver.

— Je pensais que je perfectionnais mon corps d'énergie, dis-je, un tant soit peu surpris par sa déclaration.

— Tu fais ça et bien plus ; tu apprends à avoir de la cohésion. Rêver l'accomplit en forçant les rêveurs à fixer leur point d'assemblage. L'attention de rêver, le corps d'énergie, la seconde attention, la relation avec les êtres inorganiques, l'émissaire de rêver sont tous des dérivés de l'acquisition de la cohésion. En d'autres mots, ils sont les sous-produits de la fixation du point d'assemblage sur un certain nombre de positions de rêver.

– Qu'est-ce qu'une position de rêve ?

– Toute nouvelle position où le point d'assemblage a été déplacé au cours du sommeil.

– Comment fixons-nous le point d'assemblage sur une position de rêve ?

– En soutenant la vision de n'importe quel élément de nos rêves, ou en changeant volontairement de rêve. Par ta pratique de rêver, tu exerces vraiment ta capacité à avoir de la cohésion ; c'est-à-dire que tu exerces ton aptitude à maintenir une forme d'énergie nouvelle en tenant le point d'assemblage fixé sur la position de n'importe lequel de tes rêves.

– Est-ce que je maintiens réellement une nouvelle forme d'énergie ?

– Pas exactement, et non pas parce que tu ne peux pas, mais seulement parce que tu changes le point d'assemblage au lieu de le mouvoir. Les changements du point d'assemblage conduisent à d'infimes déplacements, pratiquement imperceptibles. Le défi des changements résulte du fait qu'ils soient si petits et si nombreux ; c'est une sacrée victoire de réussir à maintenir la cohésion sur tous.

– Comment savons-nous que nous maintenons notre cohésion ?

– Nous le savons par la clarté de notre perception. Plus la vision de nos rêves est claire, plus grande est notre cohésion. »

Il annonça qu'il était temps de mettre en pratique ce que j'avais appris en rêvant. Sans me laisser la moindre chance de le questionner, il insista pour que je concentre mon attention, tout comme dans un rêve, sur le feuillage d'un arbre du désert tout proche : un mesquite.

« Voulez-vous que je le fixe du regard ? demandai-je.

– Je ne veux pas que tu le fixes seulement du regard ; je veux que tu fasses avec ce feuillage quelque chose de très spécial, répondit-il. Souviens-toi, dans tes rêves, une fois que tu es capable de maintenir la vue d'un seul élément, tu es en fait en train de maintenir la position de rêver de ton point d'assemblage. Maintenant, observe ces feuilles comme si tu étais dans un rêve, mais avec une légère et très significative variation : tu vas maintenir ton attention de rêver sur les feuilles du mesquite dans ton état de conscience de notre monde de tous les jours. »

Ma nervosité m'empêcha de suivre le déroulement de sa pensée. Avec beaucoup de patience, il m'expliqua qu'en fixant le feuillage j'allais accomplir un infime déplacement de mon point d'assemblage. Alors, en sommant mon attention de rêver par l'observation de chaque feuille séparément, je fixerais cet infime déplacement et ma cohésion me ferait percevoir en termes de la seconde attention. Avec un gloussement de rire, il ajouta que le processus était si simple qu'il en paraissait ridicule.

Don Juan avait raison. Il me suffit de concentrer ma vue sur les feuilles, de l'y maintenir, et en un éclair je fus entraîné par une sensation de maelström, semblable aux tourbillonnements de mes rêves. Le feuillage du mesquite se transforma en un univers d'impulsions sensorielles. Ce fut comme si ce feuillage m'avait absorbé, mais cela n'impliquait pas uniquement ma vision : si je touchais les feuilles, je les ressentais vraiment. Je pouvais aussi sentir leur odeur. Mon attention de rêver était faite de plusieurs sensations et non plus, comme dans mes rêves ordinaires, de la seule vision.

Ce qui avait débuté par l'observation du feuillage du mesquite s'était transformé en un rêve. Je croyais être dans un arbre rêvé, tout comme j'avais été dans des arbres au cours d'innombrables rêves. Et naturellement, je me conduisais dans cet arbre rêvé comme j'avais appris à le faire dans mes rêves. J'allais d'éléments en éléments, tiré pas la force d'un tourbillon qui se formait sur n'importe quelle partie de l'arbre où je focalisais mon attention de rêver multisensorielle. Les tourbillons ne se formaient pas uniquement en observant, mais aussi en touchant n'importe quoi avec n'importe quelle partie de mon corps.

Au milieu de cette vision ou rêve, je fus saisi de doutes rationnels. Je commençais à me demander si j'avais réellement grimpé sur l'arbre, tout hébété, comme drogué, et étais actuellement accroché aux feuilles, perdu dans le feuillage, sans savoir vraiment ce que je faisais. Ou peut-être m'étais-je endormi, comme « mesmérisé » par la palpitation des feuilles dans le vent, et je rêvais. Mais, comme dans rêver, je n'avais pas assez d'énergie pour réfléchir trop longtemps. Mes pensées m'échappaient. Elles furent présentes pendant un instant, puis la force de l'expérience directe les effaça complètement.

Soudain autour de moi un mouvement fit tout trembler et me fit surgir d'un bouquet de feuilles, comme si j'avais échappé à l'attraction magnétique de l'arbre. À partir de cette élévation, je fis face à un immense horizon. Tout autour de moi, ce n'étaient que verte végétation et noires montagnes. Une autre secousse d'énergie jaillit de la moelle de mes os ; alors, je fus ailleurs. Partout, d'énormes arbres apparurent. Ils étaient plus grands que les douglas des forêts des états de l'Oregon et de Washington. Jamais je n'avais vu une telle futaie. Ce paysage contrastait tant avec l'aridité du désert de Sonora qu'il me convainquit que je rêvais.

Trop effrayé de la perdre, je gardais cette vue extraordinaire, sachant pertinemment que c'était vraiment un rêve et qu'il disparaîtrait dès que s'épuiserait mon attention de rêver. Mais les images continuèrent, même lorsque je pensais avoir épuisé mon attention de rêver. Alors une pensée terrifiante s'imposa : et si ce n'était ni un rêve ni le monde de tous les jours ?

Effarouché, probablement comme un animal doit subir la frayeur, je me rencognai dans le bouquet de feuilles. Ce mouvement de recul m'entraîna au travers du feuillage et autour de dures branches. Il me tira de l'arbre et, en moins d'une seconde, je fus debout près de don Juan, au seuil de sa maison, face au désert de Sonora.

Sur-le-champ, je me rendis compte que j'avais retrouvé un état dans lequel je pouvais penser de façon cohérente, mais je n'arrivais pas à parler. Don Juan me dit de ne pas me faire de souci. Il précisa que notre faculté de parler est extrêmement fragile, et que par conséquent les crises de perte d'usage de la parole sont fréquentes chez les sorciers qui s'aventurent au-delà des limites de la perception ordinaire.

Viscéralement, j'eus l'impression que don Juan avait pitié de moi et m'octroyait un petit laïus d'encouragement. Mais à cet instant la voix de l'émissaire de rêver se fit clairement entendre et me dit que dans quelques heures et après un bon repos, tout irait parfaitement bien.

À peine réveillé, à la demande de don Juan je fis une description complète de ce que j'avais vu et fait. Il me prévint que pour comprendre mon expérience, il ne me serait pas possible de compter sur ma rationalité, non pas que ma rationalité fût de quelque manière altérée, mais parce que ce qui avait eu lieu était un phénomène au-dehors des paramètres de la raison.

Bien entendu, j'arguais du fait que rien ne peut être au-dehors des limites de la raison ; les choses peuvent être obscures, mais tôt ou tard la raison trouve toujours une façon de tout éclaircir. Et je le disais parce que j'y croyais.

Avec une patience à toute épreuve, don Juan fit remarquer que la raison n'est qu'un dérivé de la position habituelle du point d'assemblage ; par conséquent, savoir ce qui se passe, être sain d'esprit, avoir les pieds bien sur terre – sources de notre extrême orgueil puisque considérées comme allant naturellement de pair avec notre grandeur – résultent simplement de la fixation du point d'assemblage sur sa position habituelle. Plus elle est rigide et stationnaire, plus nous avons confiance en nous-mêmes, plus est assuré notre sentiment de connaître le monde, et de pouvoir le prévoir.

Il ajouta que tout ce que rêver fait est de nous accorder, en détruisant notre sensation de connaître ce monde, la fluidité d'entrer dans d'autres mondes. Rêver est un voyage aux dimensions impensables, un voyage qui, après nous avoir fait percevoir tout ce qui est humainement perceptible, fait sauter le point d'assemblage en dehors du domaine humain, et ainsi nous permet de percevoir l'inconcevable.

« Et nous voici, de nouveau, en train de tourner autour du plus important des thèmes du monde des sorciers, continua-t-il, la position du point d'assemblage : la malédiction des sorciers d'antan, aussi bien que l'épine au pied de l'humanité.

– Pourquoi dites-vous cela, don Juan ?

– Parce que tous deux, l'humanité en général et les sorciers d'antan, succombèrent au piège de la position du point d'assemblage : l'humanité, car ne sachant pas que le point d'assemblage existe, elle nous oblige à prendre le sous-produit de sa position habituelle comme une chose finale et incontestable ; et les sorciers d'antan car, bien qu'ayant eu la connaissance du point d'assemblage, ils furent subjugués par leur facilité à le manipuler.

« Tu dois éviter de tomber dans ces pièges. Ce serait vraiment dégoûtant si tu te rangeais du côté de l'humanité, tel celui qui ignore l'existence du point d'assemblage. Mais, plus insidieux encore serait de prendre le parti des sorciers d'antan et de manipuler cyniquement le point d'assemblage pour en tirer profit.

– Je ne comprends toujours pas. Où est la relation de tout ceci avec mon expérience d'hier ?

– Hier, tu étais dans un monde différent. Mais si tu me demandes où est ce monde, et que je te réponde qu'il est dans la position du point d'assemblage, pour toi ma réponse n'aura aucun sens. »

L'argument de don Juan était que je disposais de deux choix. L'un consistait à suivre l'analyse raisonnée de l'humanité et ainsi de me trouver dans une fâcheuse situation : mon expérience conclurait à l'existence d'autres mondes, mais ma raison proclamerait que de tels mondes n'existent pas et ne peuvent pas exister. L'autre, de suivre la raison des sorciers d'antan, cas dans lequel j'accepterais automatiquement l'existence d'autres mondes, et seule mon avidité justifierait l'amarrage de mon point d'assemblage sur la position qui crée ces mondes. Il en résulterait une autre situation tout aussi fâcheuse : celle d'avoir, poussé par des désirs de pouvoir et de profit, à entrer physiquement dans des royaumes visionnaires.

J'étais trop engourdi pour suivre son argument, mais soudain, car j'étais entièrement d'accord avec lui, je me rendis à l'évidence, sans toutefois avoir une image totale du champ de cet agrément. Être d'accord avec lui était plutôt un sentiment venu de très loin, une certitude ancienne que j'avais perdue et qui, graduellement, vers moi refaisait surface.

Avec mon retour à la pratique de rêver cette confusion disparut, mais il s'en présenta d'autres. Par exemple, depuis des mois j'entendais tous les jours avec agacement ou émerveillement la voix de l'émissaire de rêver et elle me devint naturelle. Influencé par ce qu'elle me disait, je fis alors bien des erreurs, au point d'enfin comprendre l'attitude de don Juan qui rechignait à la prendre au sérieux. Interpréter l'émissaire sur la base de toutes les permutations possibles de ma dynamique intrapersonnelle, constituerait pour un psychanalyste un terrain de choix.

Quant à don Juan, son point de vue demeurait immuable : c'est une force permanente et impersonnelle du royaume des êtres inorganiques, donc tous les rêveurs en font l'expérience, plus ou moins de la même façon. Et celui qui choisit de prendre ses paroles au pied de la lettre est un incurable fou à lier.

Définitivement, c'était mon cas. En aucune manière je n'aurais pu rester insensible au fait d'être en contact direct avec un événement aussi extraordinaire : une voix qui avec concision et clarté me confiait, en trois langues, des facettes cachées de chaque chose ou de chaque personne sur laquelle je concentrais mon attention. Son seul inconvénient, qui pour moi demeurait inconséquent, résidait dans notre manque de synchronicité. L'émissaire me confiait des informations concernant des gens ou des événements, alors qu'en toute sincérité, j'avais oublié l'intérêt que je leur avais porté.

Je questionnai don Juan sur cette bizarrerie. Il me répondit qu'elle découlait de la rigidité de mon point d'assemblage. Il expliqua qu'ayant été élevé par des personnes âgées qui m'avaient imprégné de leur point de vue de gens âgés, j'étais dangereusement imbu de droiture. Son insistance à me faire ingérer des potions de plantes hallucinogènes n'était qu'une tentative, me dit-il, d'ébranler mon point d'assemblage pour lui donner une marge minimale de fluidité.

« Si tu ne parviens pas à développer cette marge, ou bien tu deviendras encore plus enclin à la droiture, ou tu te transformeras en un sorcier hystérique. Lorsque je te raconte ces histoires des sorciers d'antan, mon but n'est pas de médire à leur propos, mais de te les jeter à la figure. Tôt ou tard, ton point d'assemblage sera plus fluide, mais pas assez pour contrecarrer ta facilité à être comme eux : sûrs de leur droit et hystériques.

– Comment puis-je déjouer ces écueils, don Juan ?

– D'une seule manière. Les sorciers la nomment : pure compréhension. Je la nomme : romance avec la connaissance. C'est la motivation que les sorciers mettent en œuvre pour connaître, découvrir, et être stupéfaits. »

Don Juan changea de sujet et poursuivit ses explications sur la fixation du point d'assemblage. Il déclara qu'après avoir *vu* le point d'assemblage des enfants, comme mû par des tremblements, palpiter en permanence, changer de place sans difficulté, les sorciers d'antan en vinrent à conclure que la position habituelle du point d'assemblage n'est pas innée mais résulte d'une accoutumance. Ayant aussi *vu* que c'est seulement chez les adultes que le point d'assemblage est fixé à un seul endroit, ils en conclurent que la position spécifique du point d'assemblage favorise une manière spécifique de percevoir. Par l'usage, cette manière spécifique de percevoir devient un système d'interprétation de l'information sensorielle.

Don Juan indiqua que, puisque nous sommes enrôlés dans ce système par le simple fait d'y naître, dès l'instant de notre naissance nous désirons impérativement ajuster notre façon de percevoir afin de nous conformer aux demandes de ce système, un système qui règle notre vie entière. Par conséquent, les sorciers d'antan avaient eu tout à fait raison de croire que l'acte consistant à le neutraliser et à percevoir l'énergie directement est ce qui transforme une personne en un sorcier.

Don Juan exprima son émerveillement pour ce qu'il nommait la plus grande réussite de notre éducation : bloquer notre point d'assemblage à sa position habituelle. Car, une fois qu'il y est immobilisé, nos perceptions peuvent être entraînées et poussées à percevoir plus en termes de notre système qu'en termes de nos sens. Il me certifia que la perception humaine est mondialement homogène, car les points d'assemblage de toute la race humaine sont fixés au même endroit.

Il poursuivit en précisant que les sorciers en ont la preuve quand ils *voient* qu'au moment où le point d'assemblage est déplacé au-delà d'un certain seuil, et que de nouveaux filaments universels commencent à être perçus, il n'y a plus aucun sens dans ce que nous percevons. Ceci est, en premier lieu, provoqué par l'ensemble nouveau d'informations sensorielles qui rend notre système inopérant : il ne peut plus être mis en œuvre pour interpréter ce que nous percevons.

« Percevoir sans notre système est, sans aucun doute, le chaos, déclara don Juan. Mais, aussi étrange que cela puisse paraître, lorsque nous pensons avoir perdu toutes nos billes, notre ancien système bat le rappel. Il se porte à notre secours et transforme notre nouvelle et incompréhensible perception en un nouveau monde totalement compréhensible. Exactement comme cela se produisit quand tu fixas des yeux les feuilles du mesquite.

– Que m'arriva-t-il exactement, don Juan ?

– Pendant un certain temps, ta perception fut chaotique. Tout se présenta à toi en même temps, et ton système d'interprétation du monde cessa de fonctionner. Puis, le chaos s'éclaircit, et tu te trouvas face à un monde nouveau.

– Don Juan, nous en revenons au même endroit : ce monde existe-t-il, ou ma pensée l'at-elle simplement échafaudé ?

– Sans l'ombre d'un doute, nous sommes de retour au même endroit, et la réponse demeure la même. Il existe, dans la position précise où ton point d'assemblage résidait à ce moment-là. Afin de percevoir, tu avais besoin de cohésion, c'est-à-dire que tu avais besoin de maintenir ton point d'assemblage fixé sur cette position, et c'est ce que tu fis. Il en résulta, pendant un certain temps, la perception totale d'un nouveau monde.

– Mais est-ce que d'autres personnes pourraient percevoir ce même monde ?

– S'ils avaient uniformité et cohésion, ils pour-raient. L'uniformité consiste à maintenir, à l'unis-son, la même position du point d'assemblage. Les sorciers nommèrent l'acte complet d'acquérir, en dehors du monde normal, uniformité et cohésion la perception de traquer.

« L'art de traquer, ajouta-t-il, comme je l'ai déjà dit, traite de la fixation du point d'assemblage. En pratiquant, les sorciers d'antan découvrirent qu'aussi important que cela fût-il de déplacer le point d'assemblage, il était encore plus important de le fixer sur sa nouvelle position, quelle qu'elle fût. »

Il expliqua que si le point d'assemblage ne demeure pas stationnaire, il n'existe aucune possi-bilité de percevoir de façon cohérente. Notre expé-rience serait alors un kaléidoscope d'images disso-ciées. C'est la raison pour laquelle les sorciers d'antan insistèrent tout autant sur rêver que sur traquer. L'un de ces arts ne peut exister sans l'autre, surtout pour le genre d'activités auquel se livraient les sorciers d'antan.

« Quelles activités, don Juan ?

– Les sorciers d'antan les nommaient : complexi-tés de la seconde attention, ou la grande aventure de l'inconnu. »

Don Juan précisa que ces activités proviennent du déplacement du point d'assemblage. Les sor-ciers d'antan n'avaient pas simplement appris à déplacer leurs points d'assemblage sur des milliers de positions à la surface ou à l'intérieur de leurs formes d'énergie, ils avaient aussi appris à fixer leurs points d'assemblage sur ces positions et, ce faisant, à conserver indéfiniment leur faculté de cohérence.

« Et quel en était l'avantage, don Juan ?

– On ne peut pas parler d'avantage, on ne peut parler que de résultat final. »

Il expliqua que la faculté de cohérence des sor-ciers d'antan était telle qu'elle leur permettait de devenir physiquement et perceptuellement tout ce que dictait la position spécifique de leur point d'assemblage. Ils pouvaient se transformer en tout ce dont ils avaient un inventaire spécifique. Un inventaire, précisa-t-il, ce sont tous les détails de perception impliqués pour se transformer, par exemple, en jaguar, en oiseau, etc.

« Il m'est excessivement difficile de croire qu'une telle transformation soit possible ?

– Elle est possible, m'assura-t-il. Pas tant pour toi ou moi, mais pour eux. Pour eux, c'était de l'enfantillage. »

Il mentionna la superbe fluidité des sorciers d'antan. Tout ce dont ils avaient besoin était un infime changement de leurs points d'assemblage, la plus infime indication perceptuelle de leur rêver, et ils traquaient instantanément leur perception, réorganisaient leur faculté de cohérence pour l'accorder à leur nouvel état de conscience, donc devenir un animal, une autre personne, un oiseau ou quoi que ce soit.

« Mais n'est-ce pas ce que font les malades mentaux ? Construire leur propre réalité à l'avenant ?

– Non, ce n'est pas la même chose. Les malades mentaux imaginent une réalité qui leur est propre parce qu'ils n'ont pas le moindre but préconçu. Les fous amènent le chaos dans le chaos. Au contraire, les sorciers introduisent l'ordre dans le chaos. Leur but préconçu et transcendantal est de libérer leur perception. Les sorciers ne font pas le monde qu'ils perçoivent ; ils perçoivent l'énergie directement et alors ils découvrent que ce qu'ils perçoivent est un monde nouveau et inconnu, qui peut les gober intégralement, car il est aussi réel que tout ce que nous connaissons comme étant réel. »

Don Juan me livra alors une autre version de ce qui m'était survenu lors de l'observation du mesquite. Il précisa qu'au premier abord, j'avais perçu l'énergie de l'arbre. À un niveau subjectif, je croyais cependant que je rêvais puisque je faisais usage des techniques de rêver pour percevoir l'énergie. Il affirma que l'usage des techniques de rêver dans le monde de tous les jours fut un des procédés les plus efficaces des sorciers d'antan. Au lieu d'avoir une perception de l'énergie totalement chaotique, il la rendait directement semblable à un rêve, jusqu'au moment où quelque chose réorganisait la perception et le sorcier se trouvait face à un monde nouveau – exactement ce qui m'était arrivé.

Je lui fis part d'une pensée qui m'avait traversé et dont l'audace me surprenait : la scène que j'avais vue n'était pas un rêve, et n'existait pas dans notre monde quotidien.

« Ni l'un ni l'autre, répondit don Juan. Je me suis acharné à te dire cela maintes et maintes fois, et tu persistes à penser que je ne fais que me répéter. Je connais la difficulté de la pensée à concevoir que de telles possibilités insensées puissent devenir réelles. Mais les nouveaux mondes existent ! Ils sont enveloppés l'un dans l'autre, comme les couches d'un oignon. Le monde où nous existons n'est que l'une de ces couches.

– Voulez-vous dire, don Juan, que le but de vos enseignements est de me préparer à aller dans ces mondes ?

– Non. Ce n'est pas ce que je veux dire. Nous allons dans ces mondes simplement en tant qu'exercice. Ces périples sont des préalables pour les sorciers d'aujourd'hui. Nous faisons le même acte de rêver que les sorciers d'antan, mais à un moment donné nous bifurquons sur un terrain vierge. Les sorciers d'antan préféraient les changements du point d'assemblage, car alors ils se retrouvaient toujours sur un terrain plus ou moins connu, donc plus ou moins prévisible. Nous privilégions les mouvements du point d'assemblage. Les sorciers d'antan couraient après l'inconnu humain. Nous courons après l'inconnu non humain.

– Je ne suis pas encore parvenu à ça, n'est-ce pas ?

– Non. Tu n'en es qu'au tout début. Et au commencement, nous devons tous suivre les traces des sorciers d'antan. Après tout, ce sont eux qui ont inventé rêver.

– Et à quel moment commencerai-je à apprendre le mode de rêver des nouveaux sorciers ?

– Il te reste énormément de terrain à parcourir. Dans des années, peut-être. D'autre part, dans ton cas, il me faut être extraordinairement attentif. Vu ton caractère, tu es définitivement apparenté aux sorciers d'antan. Je te l'ai déjà dit, mais tu t'arranges toujours pour éviter mes tentatives de fouiner. Parfois, je pense même qu'une énergie étrangère te conseille, mais sans insister j'écarte une telle supposition. Tu n'es pas retors.

– De quoi parlez-vous, don Juan ?

– Involontairement, tu as fait deux choses qui me donnent la chair de poule. La première fois que tu as rêvé, tu as voyagé avec ton corps d'énergie jusqu'à un lieu au-dehors de ce monde. Et là-bas, tu as marché ! Et maintenant, en partant de la conscience de notre monde quotidien, tu as voyagé avec ton corps d'énergie jusqu'à un autre lieu hors de ce monde.

– Pourquoi cela vous inquiéterait-il tant ?

– Pour toi, rêver est trop facile. Et si nous n'y prenons garde, c'est sacrément embêtant. C'est la voie vers l'inconnu humain. Je te l'ai dit, les sorciers de nos jours s'efforcent d'atteindre l'inconnu non humain.

– Que peut être l'inconnu non humain ?

– Être libre de notre condition humaine. Des mondes inconcevables qui sont au-delà de la portée de l'homme, mais que nous pouvons néanmoins percevoir. C'est là où les sorciers d'aujourd'hui s'engagent sur le chemin de l'écart. Ils privilégient ce qui est au-dehors du domaine humain. Et au-dehors de ce domaine, ce sont des mondes complets, pas simplement le royaume des oiseaux ou le royaume des animaux ou encore le royaume des hommes, même s'il s'agit de celui de l'homme inconnu. Ce dont je parle, ce sont des mondes, tel celui où nous vivons ; des mondes entiers avec leurs infinis royaumes.

– Où sont ces mondes, don Juan ? En différentes positions du point d'assemblage ?

– Exact. En différentes positions du point d'assemblage, mais des positions auxquelles parviennent les sorciers grâce à un mouvement de leur point d'assemblage, et non à un changement. Seuls les sorciers d'aujourd'hui accèdent à ces mondes, c'est leur mode de rêver. Les sorciers d'antan ne l'abordèrent même pas, car une telle pratique exige un détachement extrême et pas une seule touche d'importance personnelle. Un prix qu'ils ne pouvaient pas se permettre.

« Pour les sorciers qui pratiquent aujourd'hui l'art de rêver, rêver est la liberté de percevoir des mondes au-delà de l'imagination.

– Mais dans quel but les percevoir ?

– Aujourd'hui, tu m'as posé la même question. Tu parles comme un vrai marchand. Tu demandes : quel est le risque ? Quel est le taux d'intérêt pour ce placement ? Cela va-t-il me rendre meilleur ?

« En aucun cas il n'existe une réponse à cette question. La pensée du commerçant fait du commerce. Mais la liberté ne peut pas être un placement. La liberté est une aventure sans fin, au cours de laquelle nous risquons nos vies et bien plus encore, pour quelques moments de quelque chose au-delà des mots, au-delà des pensées, au-delà des sensations.

– Ce n'est pas dans cet esprit que j'ai posé cette question, don Juan. Ce que je désire savoir est quelle peut être la force motivante qui y poussera un paresseux clochard comme moi ?

– Chercher la liberté est la seule force motivante que je connaisse. La liberté de planer dans cette infinité là-bas. La liberté de se dissoudre ; de s'envoler ; d'être comme la flamme d'une bougie, qui, bien qu'ayant à faire face à la lumière de milliards d'étoiles, reste intacte, car elle n'a jamais prétendu être plus que ce qu'elle est : une simple bougie. »

5

LE MONDE
DES ÊTRES INORGANIQUES

Fidèle à mon engagement d'attendre que don Juan ouvre la discussion sur rêver, je ne recherchai son avis qu'en cas d'urgence. Habituellement, il semblait non seulement montrer de la répugnance à aborder le sujet mais, à ce propos, il paraissait mécontent de moi. Quand nous parlions de ma pratique de rêver, il minimisait toujours la signification de ce que j'avais accompli, ce qui me confirmait sa silencieuse désapprobation.

À cette époque, l'aspect critique de ma pratique de rêver était pour moi l'existence animée des êtres inorganiques. Après les avoir rencontrés dans mes rêves et, spécialement suite à mon combat dans le désert non loin de la maison de don Juan, j'aurais dû être enfin disposé à considérer leur existence comme une affaire sérieuse. Toutefois, tous ces événements eurent sur moi l'effet contraire. Je devins inflexible et je niais obstinément leur existence.

Puis je traversais une période plus tolérante et je décidai de conduire une enquête objective à leur sujet. La méthode choisie pour cette recherche exigeait qu'en premier lieu j'établisse une liste de tout ce qui s'était infiltré dans mes rêves, puis que je me serve de cette liste comme d'une matrice afin de trouver si rêver prouvait, ou niait, quoi que ce soit concernant les êtres inorganiques. En fait, je remplis méticuleusement des centaines de pages traitant de détails sans importance, alors que, dès le début de mon enquête, l'évidence de leur existence aurait dû m'apparaître comme acquise.

Après quelques séances de travail, je découvris que ce que j'avais pris pour une banale recommandation de don Juan – suspendre tout jugement et laisser les êtres inorganiques venir à ma rencontre – constituait en fait la procédure utilisée par les sorciers de l'antiquité pour les attirer. En me laissant le découvrir par moi-même, don Juan ne faisait que poursuivre mon entraînement à la sorcellerie. Maintes et maintes fois, il avait signalé qu'il est très difficile, excepté par la pratique, d'obliger le moi à sortir de ses bastions. Une des lignes de défense les plus fortes du moi est sans aucun doute notre rationalité et, quand on en vient aux actions et explications de la sorcellerie, ce n'est pas seulement la ligne de défense la plus résistante, mais c'est aussi la plus menacée. Don Juan affirmait que l'existence des êtres inorganiques est ce qui agresse le plus notre rationalité.

Dans ma pratique de rêver, j'avais établi un programme que je respectais fidèlement chaque jour, sans le moindre écart. Mon premier but était l'observation de chaque élément détectable de mes rêves, puis venait changer de rêve. Sans mentir, je puis dire que, rêves après rêves, j'ai observé des univers de détails. En fait, à un moment donné mon attention de rêver commençait à décliner et mes sessions s'achevaient, soit en m'endormant avec des rêves ordinaires au cours desquels je n'exerçais pas la moindre attention de rêver, soit en me réveillant, incapable alors de dormir.

Cependant, de temps à autre, comme don Juan l'avait déjà décrit, un courant d'énergie étrangère, un éclaireur, comme il disait, était injecté dans mes rêves. Avoir été prévenu m'aida à ajuster mon attention de rêver et à demeurer sur mes gardes. La première fois que je remarquai de l'énergie étrangère, je rêvais que je faisais des courses dans un grand magasin. J'allais de comptoir en comptoir à la recherche d'antiquités. Finalement, je tombai sur une pièce. Chiner dans un grand magasin était tellement incongru que je gloussai de rire, mais puisque j'avais trouvé une pièce ancienne, une poignée de canne, j'oubliai l'absurdité de la situation. Le vendeur me mentionna qu'elle était en iridium, une des substances les plus dures du monde, précisa-t-il. Elle était sculptée d'une tête et des épaules d'un singe. Pour moi, elle semblait en jade. À cette insinuation, le vendeur se sentit insulté et, pour prouver son point de vue, de toutes ses forces il lança l'objet sur le sol de ciment. Il ne se cassa pas, mais rebondit comme une balle et s'envola en tournant sur lui-même comme un frisbee. Je le suivis du regard. Il disparut derrière quelques arbres. Je courus le chercher et le retrouvai, planté au sol. Il s'était transformé en une extraordinaire et magnifique canne entière, d'un vert et noir profonds.

Je la convoitais. Je la saisis et m'efforçai de l'arracher de terre avant que quelqu'un ne vînt. Mais quels que fussent mes efforts, elle ne bougea pas. En la remuant dans tous les sens pour la dégager du sol, j'avais peur de la casser. Alors, de mes mains, je creusai tout autour. Mais plus je creusais, plus elle fondait, jusqu'à ce qu'il ne reste plus sur place qu'une flaque d'eau verte. J'observai l'eau ; tout à coup elle sembla exploser. Elle se transforma en une bulle blanche, et alors elle disparut. Mon rêve se poursuivit par d'autres images et des détails qui, bien que d'une clarté de cristal, n'avaient rien de bizarre.

Quand j'eus raconté ce rêve à don Juan, il dit : « Tu as isolé un éclaireur. Dans nos rêves les plus courants, les plus ordinaires, il y a plus d'éclaireurs que dans les autres. Curieusement, dans les rêves des rêveurs, il y a peu d'éclaireurs. Lorsqu'ils apparaissent, ils sont identifiables grâce à l'étrangeté et l'incongruité qui les caractérisent.

– Incongrus, de quelle façon, don Juan ?

– Leur présence n'a pas le moindre sens.

– Dans un rêve, bien peu de choses apparaissent sensées.

– Les choses absurdes n'arrivent que dans les rêves courants. Je pourrais avancer que, puisque l'inconnu dirige sur les gens ordinaires un tir de barrage plus important, beaucoup plus d'éclaireurs y sont injectés.

– Savez-vous pourquoi, don Juan ?

– Selon moi, ce qui se déroule est un équilibre de forces. Les gens ont des remparts extra-ordinairement solides qui les protègent de ces assauts. Des remparts tels que les soucis de soi. Plus le rempart est résistant, plus l'attaque est importante.

« À l'opposé, les rêveurs présentent bien moins de remparts, donc ils ont bien moins d'éclaireurs dans leurs rêves. Il semble que dans les rêves des rêveurs les choses absurdes disparaissent, peut-être pour assurer que les rêveurs saisiront la présence des éclaireurs. »

Don Juan me conseilla de faire très attention et de me souvenir du moindre détail de mon rêve. Il m'obligea même à le raconter une fois de plus.

« Vous me déconcertez, lui dis-je. Vous ne voulez rien savoir de mes rêves, puis, soudain, c'est le contraire. Y a-t-il un ordre quelconque dans vos refus et vos acceptations ?

– Tu parles ! Bien entendu qu'il y a de l'ordre derrière tout cela. Il y a de fortes chances qu'un jour tu feras de même avec un autre rêveur. Certains éléments sont d'une importance primordiale parce qu'ils sont associés à l'esprit. D'autres n'ont absolument pas d'importance pour la simple raison qu'ils sont associés à la satisfaction de notre personnalité.

« Le premier éclaireur que tu as isolé sera toujours présent, sous n'importe quelle forme, serait-ce de l'iridium. En tout état de cause, qu'est-ce que l'iridium ?

– Je l'ignore, répondis-je sincèrement.

– Et voilà ! Que diras-tu si tu découvres que l'iridium est une des matières les plus dures du monde ? »

Pendant que je riais nerveusement d'une si absurde suggestion qui, je le découvris plus tard, se révéla exacte, les yeux de don Juan brillaient de malice.

À partir de ce jour-là, je commençai à remarquer des éléments incongrus dans mes rêves. Une fois acceptée la façon dont don Juan caractérisait l'énergie étrangère des rêves, je fus entièrement d'accord avec lui sur le fait que les éléments incongrus étaient des étrangers envahisseurs de mes rêves. Une fois que je les avais isolés, mon attention de rêver se concentrait toujours sur eux avec une intensité jamais éprouvée en une autre circonstance.

Je remarquai aussi que chaque fois qu'un élément étranger envahissait mes rêves, il fallait que mon attention de rêver travaille d'arrache-pied pour le transformer en un objet connu. Mon attention de rêver se révélait avoir un handicap : son incapacité à accomplir entièrement une telle transformation. Il en résultait un élément bâtard, quasiment inconnu pour moi. Alors l'énergie étrangère se dissipait facilement et l'élément abâtardisé disparaissait en se transformant en un amas de lumière qui était rapidement absorbé par d'autres détails évidents de mes rêves.

Lorsque je suscitai les commentaires de don Juan à ce propos, il dit :

« À ce niveau de ta pratique de rêver, les éclaireurs sont de simples agents de reconnaissance envoyés par le royaume inorganique. Ils sont excessivement rapides, ce qui signifie qu'ils n'y restent que très peu de temps.

– Pourquoi dites-vous que ce sont des agents de reconnaissance ?

– Ils viennent à la recherche de conscience

potentielle. Eux aussi ont une conscience et un but qui, bien qu'incompréhensible pour notre pensée, sont peut-être comparables à la conscience et au but des arbres. La célérité intérieure des arbres et des êtres inorganiques nous reste incompréhensible parce qu'elle est infiniment plus lente que la nôtre.

– D'où tenez-vous cela, don Juan ?

– Les arbres et les êtres inorganiques vivent bien plus longtemps que nous. Ils sont faits pour ne pas bouger. Ils sont immobiles, cependant ils font tout bouger autour d'eux.

– Don Juan, voulez-vous dire que les êtres inorganiques sont stationnaires comme les arbres ?

– Évidemment. Ce que tu vois dans les rêves, ces bâtons noirs ou lumineux, ce sont leurs projections. Ce que tu entends, la voix de l'émissaire de rêver, est aussi une projection. Et il en est de même de leurs éclaireurs. »

Pour une insondable raison, ces déclarations me bouleversèrent. Tout à coup, je fus submergé d'anxiété. Je demandai à don Juan si les arbres avaient eux aussi de telles projections.

« Ils en ont. Mais leurs projections nous sont encore moins amicales que celles des êtres inorganiques. Les rêveurs ne les recherchent jamais, sauf s'ils sont dans un état de profonde sympathie avec les arbres, un état très difficile à atteindre. Sur cette terre, nous n'avons aucun ami, tu le sais bien. »

Il gloussa de rire et ajouta :

« Pourquoi ? Ce n'est vraiment pas un mystère !

– Pour vous, don Juan, ça ne semble pas être un mystère, mais pour moi, c'en est certainement un.

– Nous sommes des destructeurs. Nous nous sommes mis à dos tous les êtres vivants de cette terre. Voilà pourquoi nous n'avons plus un seul ami. »

Le malaise qui m'envahit me fit souhaiter la fin de cette conversation. Mais un besoin impulsif me poussa à relancer le sujet des êtres inorganiques, et je lui demandai :

« Que pensez-vous que je doive faire pour suivre les éclaireurs ?

— Mais donne-moi une seule raison au monde qui justifierait de les suivre ?

— Je fais une enquête objective sur les êtres inorganiques.

— Tu me fais marcher, n'est-ce pas ? Je te pensais immuable quant à ton point de vue que les êtres inorganiques n'existent pas. »

Son ton railleur et son caquètement de rire m'éclairaient assez sur ce qu'il pensait de mon enquête objective.

« J'ai changé mon fusil d'épaule, don Juan. Maintenant, je veux explorer toutes ces possibilités.

— Souviens-toi bien, le royaume des êtres inorganiques était le terrain des sorciers d'antan. Pour y accéder, ils fixaient avec une extrême ténacité leur attention de rêver sur les éléments de leurs rêves. De cette façon, ils étaient capables d'isoler les éclaireurs. Et une fois leur concentration focalisée sur eux, ils hurlaient leur intention de les suivre. Dès l'instant où les sorciers d'antan avaient manifesté verbalement cette intention, en un éclair ils s'en allaient, tirés par cette énergie étrangère.

— Est-ce si simple que ça, don Juan ? »

Il ne me répondit pas. Simplement, il se mit à rire, comme s'il me défiait de le faire.

Revenu chez moi, je me fatiguai vite à chercher ce qu'il avait vraiment voulu dire. Je refusais de considérer le fait qu'il aurait pu me décrire un véritable processus. Un jour, à bout de patience et d'idées, j'abandonnai toute résistance. Je faisais un rêve où un poisson, qui avait soudain sauté du bassin près duquel je passais, me déconcerta. Il gigota à mes pieds, s'envola tel un oiseau de toutes les couleurs, puis se posa sur une branche, où il redevint poisson. La scène était si bizarre que mon attention de rêver en fut comme galvanisée. Sur-le-champ, je sus qu'il s'agissait d'un éclaireur. Une seconde plus tard, alors que le poisson-oiseau s'était transformé en un point de lumière, je hurlai mon intention de le suivre et, tout comme don Juan me l'avait dit, en un éclair j'allais dans un autre monde.

Je volais dans ce qui me sembla être un tunnel noir tel un insecte sans poids. Cette sensation de tunnel cessa d'un seul coup. Ce fut comme si j'avais été soufflé d'une sarbacane et que cette propulsion m'avait plaqué contre une masse immense et réelle; je la touchais presque. Je regardais dans toutes les directions sans pouvoir en voir la fin. Cette chose me rappelait tellement les films de science-fiction que je fus absolument persuadé que j'avais échafaudé la vision de cette masse, comme on peut construire son rêve. Pourquoi pas? Après tout, pensai-je, je suis endormi et je rêve.

Je me mis à observer les détails de mon rêve. Ce que je voyais ressemblait beaucoup à une gigantesque éponge. C'était poreux et caverneux. Je ne parvenais pas à sentir sa texture, mais elle semblait être rugueuse et fibreuse. Elle était d'un brun sombre. Alors, j'eus un sursaut de doute sur le fait que cette masse silencieuse ne fût qu'une construction de rêve. Ce qui me faisait face ne changeait pas de forme, et d'ailleurs ne bougeait pas non plus. Lorsque je la fixais du regard, j'avais l'impression d'une chose réelle en position stationnaire, comme plantée quelque part. Elle possédait un tel pouvoir d'attraction que j'étais incapable de dévier mon attention de rêver pour examiner quelque chose d'autre, moi-même inclus. Une force étrange, jamais rencontrée auparavant dans mes rêves, m'avait cloué sur place.

Alors, je sentis clairement que la masse libérait mon attention de rêver; toute ma conscience se focalisa sur l'éclaireur qui m'avait conduit là. On aurait dit une luciole qui dans la nuit planait au-dessus et à côté de moi. Dans son royaume, c'était un amas de pure énergie. Je pouvais *voir* son énergie grésillante. Il semblait conscient de ma présence. Soudain, il fit une embardée vers moi et me tira, ou me poussa, comme du doigt. Je ne ressentis pas son contact, mais je savais qu'il me touchait. Ce fut une sensation surprenante et nouvelle, comme si une partie de moi-même qui n'était pas présente avait été électrifiée par ce contact ; se succédant l'une après l'autre, des ondes d'énergie la traversaient.

Dès lors, tout dans cette session de rêver devint bien plus réel. J'avais beaucoup de difficultés à me convaincre que je rêvais un rêve. À cette difficulté, il me fallait ajouter la certitude que par son contact l'éclaireur avait réalisé une relation énergétique avec moi. À l'instant même où il semblait me tirer ou me pousser, je savais parfaitement ce qu'il voulait.

La première de ses actions fut de me propulser au travers d'une immense caverne, ou d'une ouverture, dans la masse qui était devant moi. Une fois entré dans cette masse, je m'aperçus que l'intérieur était, de façon homogène, tout aussi poreux que son extérieur, mais d'apparence bien plus douce, comme si la rugosité avait été passée à la ponceuse. Ce que j'observais maintenant était une structure qui ressemblait à un agrandissement de l'intérieur d'une ruche. Il y avait une infinité de tunnels de forme géométrique allant dans toutes les directions. Certains vers le haut, d'autres vers le bas, ou vers ma gauche, ou vers ma droite ; ils faisaient entre eux des angles, ou montaient ou descendaient avec des pentes raides ou peu inclinées.

Malgré une luminosité plutôt faible, tout était parfaitement visible. Les tunnels me semblèrent vivants et conscients ; ils grésillaient. Je les observais et je m'aperçus avec stupéfaction que je *voyais*. C'étaient des tunnels d'énergie. Au moment où je m'en rendis compte, la voix de l'émissaire de rêver rugit si fort dans mes oreilles que je ne pus comprendre ce qu'elle me disait.

« Moins fort », hurlai-je, avec une impatience inusuelle, en me rendant compte qu'alors que je parlais ma vision des tunnels s'estompait, et que j'entrais dans un vide où la seule chose que je pouvais faire était d'entendre.

L'émissaire baissa la voix et dit :

« Vous êtes dans un être inorganique, choisissez un tunnel et vous pourrez vivre dedans. »

La voix fit une pause, puis ajouta :

« C'est-à-dire, si vous le désirez. »

J'étais incapable de prononcer un mot. J'avais peur que toute déclaration ne fût interprétée totalement à l'envers.

« Pour vous, voici des avantages sans fin, reprit la voix de l'émissaire. Vous pouvez vivre dans autant de tunnels que vous le désirez. Et chacun d'eux vous apprendra quelque chose de différent. C'est ainsi que vivaient les sorciers de l'antiquité, et ils apprirent des choses merveilleuses. »

Même privé de sensation, je sentais que l'éclaireur me poussait dans le dos. Il semblait désirer me voir avancer. Je pris le tunnel immédiatement à ma droite. Aussitôt entré, quelque chose me fit prendre conscience que je ne marchais pas dans le tunnel ; je planais à l'intérieur, je volais. J'étais un amas d'énergie semblable à l'éclaireur.

La voix de l'émissaire se présenta de nouveau à mes oreilles :

« Oui, vous êtes simplement un amas d'énergie », dit-il.

Cette redondance me soulagea fortement.

« Et vous flottez à l'intérieur d'un être inorganique. L'éclaireur veut que vous vous déplaciez ainsi dans ce monde. Lorsqu'il vous toucha, il vous changea pour toujours. Maintenant, vous êtes pratiquement un des nôtres. Si vous désirez rester ici, exprimez votre intention. »

L'émissaire cessa de parler, et la vision du tunnel revint. Mais lorsqu'il reprit la parole, quelque chose s'était ajusté ; je ne perdais plus de vue ce monde et je pouvais entendre la voix de l'émissaire :

« Les anciens sorciers apprirent tout ce qu'ils savaient de rêver en demeurant parmi nous », dit-il.

J'allais demander s'ils avaient appris tout ce qu'ils savaient en vivant dans ces tunnels, mais la réponse de l'émissaire me parvint avant même que je ne pose cette question.

« Oui, ici ils apprirent tout, simplement en vivant dans les êtres inorganiques. Pour vivre à l'intérieur d'eux, les sorciers d'antan n'eurent qu'à exprimer leur désir, tout comme pour arriver ici il vous a seulement fallu manifester votre intention, à haute et claire voix. »

L'éclaireur me poussa, pour me signifier d'avancer. J'hésitais, et il fit quelque chose qui équivaudrait à me projeter telle une balle de fusil dans des tunnels infinis. Je m'arrêtai enfin, parce que l'éclaireur s'arrêta. Pendant un instant, nous planâmes, puis ce fut la chute dans un tunnel vertical. Je ne ressentis même pas ce changement de direction aussi marqué. Pour autant que je pouvais en juger par ma façon de percevoir, je me déplaçais toujours parallèlement au sol.

Nous changeâmes de direction bien des fois, sans que l'effet de ma perception soit différent. Je commençais à formuler une pensée à propos de mon incapacité à ressentir si je montais ou descendais, quand j'entendis la voix de l'émissaire :

« Je pense que vous seriez plus à l'aise en vous déplaçant à quatre pattes plutôt qu'en volant. Vous pouvez aussi vous déplacer comme une araignée ou une mouche, vers le haut, ou vers le bas, ou la tête à l'envers. »

Immédiatement, je me stabilisai. Ce fut comme si mon état cotonneux prenait tout à coup du poids, et cela me fit atterrir. Je ne pouvais pas ressentir les parois du tunnel, mais l'émissaire avait raison, je me sentais bien mieux à quatre pattes.

« Dans ce monde, point n'est besoin d'être cloué au sol par la pesanteur », dit-il.

Bien évidemment, ça, je pouvais m'en rendre compte moi-même.

« Par ailleurs, vous n'avez pas besoin de respirer, poursuivit-il. Et, pour votre propre confort, vous pouvez conserver votre vision, donc voir comme vous voyez dans votre monde. »

L'émissaire donna l'impression d'hésiter avant d'en dire plus. Il toussa, exactement comme un homme éclaircit sa voix, et dit :

« La vision n'est jamais modifiée ; par conséquent, un rêveur parle toujours de ses rêves en termes de ce qu'il voit. »

L'éclaireur me poussa dans un tunnel à ma droite. Il était un peu plus sombre que les autres. À un niveau absurde, il me semblait aussi plus confortable que les autres, plus amical et comme déjà connu. La pensée que j'étais comme ce tunnel ou que ce tunnel était comme moi me traversa.

« Vous vous êtes déjà rencontrés, dit la voix de l'émissaire.

– Qu'avez-vous dit, demandai-je. J'avais bien entendu, mais cette déclaration me paraissait incompréhensible.

– Vous vous êtes battus et, suite à ça, chacun de vous a en lui de l'énergie de l'autre. »

À mon avis, la voix de l'émissaire se teinta d'une touche de malice, voire de sarcasme.

« Non, je ne suis pas sarcastique, reprit-il. Je suis très heureux de savoir que vous avez des parents parmi nous.

– Que voulez-vous dire par parents ?

– L'énergie partagée crée la parenté. L'énergie est tout comme le sang. »

Je fus incapable de parler. Je ressentis clairement des tiraillements de peur.

« La peur est une chose absente de ce monde »,
dit l'émissaire. Et ce fut sa seule déclaration erronée.

Rêver cessa sur-le-champ. La vivacité de toutes
choses, l'impressionnante clarté et continuité des
déclarations de l'émissaire, m'avaient tellement
choqué que je ne pus attendre et je partis chez don
Juan pour lui en parler. Il ne voulut rien entendre,
ce qui me surprit et me perturba. Il n'exprima
pas ce refus, mais j'eus l'impression qu'il pensait
que tout n'avait été qu'un produit de ma personnalité complaisante.

« Don Juan, lui demandai-je, pourquoi agissez-vous ainsi avec moi ? Vous ai-je déçu ?

– Non, tu ne m'as pas déçu. Le problème est
que je ne peux pas parler de cette partie de ta session de rêver. Dans un cas comme celui-là, tu es
irrémédiablement seul. Je t'ai dit que les êtres
inorganiques sont réels. Tu découvres qu'ils sont, ô
combien, réels. Mais ce que tu fais d'une telle
découverte est ton affaire, et uniquement ton
affaire. Un jour, tu comprendras la raison qui me
conduit à ne pas m'en mêler.

– Mais n'y a-t-il rien que vous puissiez me dire
sur ce rêve ? insistai-je.

– Tout ce que je peux te dire est que ce n'était
pas un rêve. Ce fut un voyage dans l'inconnu. Un
voyage nécessaire, pourrais-je ajouter, et ultra-personnel. »

Il changea de sujet et commença à parler
d'autres aspects de ses enseignements.

À partir de ce jour-là, en dépit de ma peur et de
la répugnance de don Juan à me conseiller, je
devins un voyageur rêveur habituel de ce monde
spongieux. Immédiatement, je découvris que plus
importante était mon aptitude à observer les
détails de mes rêves, plus grande devint ma capacité à isoler les éclaireurs. Si mon choix consistait à
reconnaître les éclaireurs comme de l'énergie
étrangère, ils demeuraient dans mon champ de

perception pendant un certain temps. Maintenant, si je choisissais de les transformer en objets presque connus, ils restaient encore plus long-temps, changeant de formes irrégulièrement. Toutefois, si je les suivais, en révélant à haute voix mon intention d'aller avec eux, les éclaireurs transportaient véritablement mon attention de rêver dans un monde au-delà de ce que je peux normalement imaginer.

Don Juan avait mentionné que les êtres inorganiques ont toujours une tendance à enseigner. Mais il ne m'avait pas dit que rêver est ce qu'ils ont tendance à enseigner. Il avait déclaré que l'émissaire de rêver, puisque c'est une voix, constitue le pont parfait entre leur monde et le nôtre. Je découvris que l'émissaire de rêver n'était pas uniquement une voix de maître, mais aussi celle du plus subtil des vendeurs. Il ne cessait de vanter, à chaque moment et occasion opportuns, les avantages de son monde. Néanmoins, il m'enseigna aussi des choses inestimables concernant rêver. En l'écoutant, je comprenais enfin la préférence des sorciers d'antan pour une pratique concrète.

« Pour parfaitement rêver, la première chose à faire est de cesser le dialogue intérieur, me dit-il une fois. Pour obtenir de meilleurs résultats, placez entre vos doigts des cristaux de quartz de sept à dix centimètres de long ou sinon quelques galets de rivière minces et bien polis. Puis, courbez légèrement les doigts en pressant entre eux les cristaux ou les galets. »

L'émissaire précisa que des tiges de métal, pour autant qu'elles soient de la taille et de l'épaisseur des doigts de la personne, conduisaient au même effet. Le procédé consistait à avoir au moins trois minces objets entre les doigts de chaque main pour créer une pression presque douloureuse dans les mains. Cette pression possédait l'étrange propriété de faire cesser le dialogue intérieur. La préférence de l'émissaire allait aux cristaux de quartz ; il précisa qu'ils fournissaient les meilleurs résultats, bien qu'avec de la pratique on puisse utiliser n'importe quoi.

« S'endormir à un moment de silence complet assure une parfaite entrée dans rêver, dit la voix de l'émissaire, et cela garantit aussi l'amplification de votre attention de rêver. »

« Les rêveurs devraient porter une bague d'or, préférablement d'une taille qui serre le doigt », dit-il à une autre occasion.

L'explication fournie par l'émissaire était que cette bague sert de pont pour quitter rêver et refaire surface dans le monde de tous les jours, ou pour, à partir de notre conscience quotidienne, nous enfoncer dans le royaume des êtres inorganiques.

« Comment un tel pont agit-il ? demandai-je, car je n'avais pas compris cette opération.

– Le contact des doigts sur la bague fait baisser le pont, répondit-il. Si un rêveur vient dans mon monde avec une bague, cette bague attire l'énergie de mon monde et l'accumule ; et lorsque besoin est, cette énergie transporte aussi le rêveur dans mon monde car la bague permet à notre énergie de s'écouler dans les doigts du rêveur.

« La pression de cette bague autour d'un doigt sert aussi à assurer le retour du rêveur dans son monde. Elle établit une sensation familière et constante sur ce doigt. »

Pendant une autre session de rêver, l'émissaire m'informa que notre peau est l'organe parfait pour transposer des ondes énergétiques du mode du monde quotidien en celui du monde des êtres inorganiques, et vice versa. Il me recommanda de tenir ma peau fraîche, nette de colorants et de corps gras. Il préconisa aussi pour les rêveurs le port d'une ceinture serrée ou d'un bandeau frontal, ou d'un bracelet, de manière à créer une zone de pression servant ainsi de centre cutané d'échange énergétique. Il expliqua que la peau a une fonction naturelle de filtre d'énergie ; et ce qu'il nous faut faire pour, outre cette fonction, lui donner la faculté d'échanger de l'énergie d'un mode à un autre, est d'exprimer, tout en rêvant, notre intention à haute voix.

Un jour, l'émissaire m'accorda une prime fabuleuse. Il déclara que pour assurer la finesse et la précision de notre attention de rêver, nous devions l'extraire d'au-dessus du palais où, chez tous les humains, se situe un énorme réservoir d'attention. Ses instructions particulières consistaient à pratiquer, apprendre et contrôler, tout en rêvant, la pression de la pointe de la langue sur le palais. C'est une tâche aussi difficile et accaparante, ajouta l'émissaire, que de retrouver ses mains dans ses rêves. Mais une fois réussie, elle procure des résultats stupéfiants en termes de contrôle de l'attention de rêver.

Il me fournit une foule d'instructions relatives à une infinité de sujets, des instructions que j'oubliais immédiatement si elles ne m'étaient pas répétées en permanence. Pour résoudre ce problème de manque de mémoire, je demandai à don Juan son avis.

Son commentaire fut aussi bref que je l'avais prévu :

« Concentre-toi seulement sur ce que l'émissaire te dit à propos de rêver. »

Tout ce que l'émissaire répétait assez souvent, je parvenais à le saisir avec une ferveur et un intérêt considérables. Fidèle à la recommandation de don Juan, je ne suivais ses conseils que s'ils concernaient rêver, et seulement après avoir personnellement corroboré la validité de ses instructions. L'information que je jugeais la plus importante fut d'apprendre que l'attention de rêver vient d'audessus du palais. Il me fallut exercer un effort considérable pour, en rêvant, ressentir la pression de la pointe de ma langue sur mon palais. Une fois cet objectif atteint, mon attention de rêver se vivifia d'elle-même et devint, je pourrais même dire, plus fine que mon attention normale du quotidien.

Je n'éprouvais plus aucune difficulté à comprendre l'intensité avec laquelle les sorciers d'antan avaient plongé dans la relation avec les êtres inorganiques. Les commentaires et les avertissements de don Juan sur le danger d'une telle relation s'avérèrent plus que jamais essentiels dans ma vie. Je fis de mon mieux pour vivre selon ses règles d'auto-examen sans la moindre complaisance. Par conséquent, la voix de l'émissaire et ce qu'elle me disait constituèrent un superdéfi. À n'importe quel prix, il me fallait éviter de succomber au piège de la tentation posé par la promesse de connaissance faite par l'émissaire, et uniquement par moi-même puisque don Juan refusait toujours de prêter une oreille à mon désir pressant de tout lui raconter.

« Don Juan, vous devez au moins me donner un indice sur la conduite à suivre, insistai-je un jour en profitant d'une audace passagère.

– Je ne peux pas, dit-il sans ambages, et ne me le redemande plus jamais. Je t'ai déjà dit que, face à cette situation, les rêveurs doivent rester seuls.

– Mais vous ne savez même pas ce que je veux vous demander.

– Oh si, je le sais. Tu veux me demander si vivre dans un de ces tunnels est une bonne chose, ne serait-ce que pour vérifier ce que prétend la voix de l'émissaire. »

Je dus admettre qu'il connaissait mon dilemme. Tout au moins, je désirais savoir ce qu'impliquait dire que quelqu'un peut vivre dans ces tunnels.

« Je me suis trouvé dans la même impasse, continua don Juan, et personne n'aurait pu m'aider, car il s'agit d'une décision super-personnelle et sans appel, une décision finale prise dès l'instant où tu exprimes verbalement ton désir de vivre dans ce monde. Afin de te pousser à énoncer ce désir, les êtres inorganiques vont se mettre en quatre pour satisfaire tes plus secrètes envies.

126

– Mais c'est vraiment diabolique, don Juan.

– Dis-toi ça souvent. Et pas seulement au vu de ce que tu en penses. Pour toi, le côté diabolique est la tentation d'accepter, particulièrement lorsque de telles récompenses sont en jeu. Pour moi, la nature diabolique du royaume des êtres inorganiques est que dans un univers hostile, il pourrait bien être le seul sanctuaire à la disposition des rêveurs.

– Est-ce vraiment un paradis pour les rêveurs ?

– Pour certains rêveurs, sans aucun doute. Pas pour moi. Je n'ai besoin ni d'accessoires ni de rambarde. Je sais ce que je suis. Je suis seul dans un univers hostile, et j'ai appris à dire : ainsi soit-il ! »

Ici s'acheva notre conversation. Il n'avait pas dit ce que je voulais entendre, mais je savais que même le désir de vouloir connaître ce qu'il en est de vivre dans un tunnel signifiait presque avoir choisi cette façon de vivre. Ce choix ne m'intéressait pas le moins du monde. Sur-le-champ, je pris la décision de poursuivre ma pratique de rêver sans plus m'impliquer dans cette direction. Immédiatement, j'en fis part à don Juan.

« Ne dis rien, me conseilla-t-il. Mais comprends bien que si tu décides d'y rester, ta décision sera sans appel. Tu y resteras pour toujours. »

Il m'est impossible de juger de manière objective ce qui se passa au cours des innombrables fois où je rêvais de ce monde. Je puis affirmer qu'il m'apparut aussi réel qu'un rêve peut être réel. Ou je puis dire qu'il me parut aussi réel que notre monde de tous les jours est réel. En rêvant de ce monde, je pris conscience de ce que don Juan avait maintes fois répété : sous l'influence de rêver, la réalité opère une métamorphose. Je me trouvais donc face à deux possibilités qui, selon don Juan, sont les choix offerts à tous les rêveurs : soit nous remanions très soigneusement notre système d'interprétation de nos impulsions sensorielles, soit nous en faisons entièrement fi.

Pour don Juan, remanier notre système d'interprétation signifiait avoir l'intention de le rénover. Ce qui impliquait de s'efforcer délibérément et soigneusement d'accroître ses capacités. En vivant selon les préceptes de la voie du sorcier, les rêveurs économisent et accumulent l'énergie nécessaire pour suspendre tout jugement et, ainsi, faciliter cette intention de rénovation. Il expliqua que si nous choisissons de rénover notre système d'interprétation, la réalité devient fluide, et la portée de ce qui peut être réel est élargie sans porter atteinte à l'intégrité de la réalité. Alors, rêver ouvre la porte sur les autres aspects de ce qui est réel.

Si nous choisissons de faire fi de notre système, la portée de ce qui peut être perçu sans interprétation augmente de façon désordonnée. L'élargissement de notre perception est tellement gigantesque que nous sommes abandonnés avec quelques rares outils d'interprétation sensorielle et, par conséquent, avec le sens d'une infinie réalité qui est irréelle ou une infinie irréalité qui pourrait bien être réelle mais ne l'est pas.

Pour moi, la seule option valable était de reconstruire et d'élargir mon système d'interprétation. En rêvant le royaume des êtres inorganiques, je dus faire face à la consistance de ce monde, rêve après rêve, de l'acte d'isoler les éclaireurs à celui d'écouter la voix de l'émissaire de rêve ou encore à évoluer dans les tunnels. J'accomplissais cela sans rien ressentir, mais en demeurant conscient que l'espace et le temps étaient constants, bien qu'en des termes insaisissables, dans des conditions normales, pour notre rationalité. Néanmoins, en remarquant les différences, ou l'absence, ou la profusion de détails dans chaque tunnel, ou en remarquant la sensation de distance entre tunnels, ou encore en relevant l'apparente longueur et largeur de chaque tunnel que je traversais, je parvenais à une sensation d'observation objective.

Le domaine dans lequel cette reconstruction de mon système d'interprétation eut l'effet le plus manifeste fut celui de savoir comment me positionner par rapport au monde des êtres inorganiques. Dans ce monde, qui pour moi s'avérait réel, j'étais un amas d'énergie. Donc, je pouvais foncer à toute vitesse dans les tunnels, telle une flèche de lumière, ou crapahuter sur les parois, tel un insecte. Lorsque je volais, une voix me fournissait des informations conséquentes et non arbitraires sur les détails des parois sur lesquelles je concentrais mon attention de rêver. Il s'agissait de protubérances compliquées, un peu comme l'écriture braille. Mais lorsque je me traînais à quatre pattes sur les parois, je pouvais voir les mêmes détails de façon bien plus précise et écouter la voix me donner des descriptions encore plus raffinées.

L'inévitable conséquence de cette situation fut le développement en moi d'une double attitude. D'une part, je savais que je rêvais un rêve ; de l'autre, je savais que j'étais impliqué dans un voyage d'ordre pragmatique, tout comme n'importe quel voyage dans notre monde. Cette évidente division corroborait ce que don Juan m'avait dit : que l'existence des êtres inorganiques est ce qui agresse le plus notre rationalité.

Ce n'est qu'une fois que j'eus vraiment réussi à suspendre mon jugement, que je fus soulagé. À un moment donné, quand la tension résultant de mon insoutenable position – croire sérieusement en la possibilité de vérifier l'existence des êtres inorganiques tout en croyant aussi sérieusement qu'elle n'était qu'un rêve – fut proche de me détruire, quelque chose dans mon attitude changea radicalement, sans aucune incitation de ma part.

Don Juan affirmait que mon niveau d'énergie s'était en permanence élevé, et avait atteint un seuil qui me permettait de faire fi des hypothèses et des préjugés sur la nature de l'homme, de la réalité, et de la perception. Ce jour-là, je devins amoureux de la connaissance, sans aucun souci de logique ou de valeur fonctionnelle et, par-dessus tout, sans aucun égard pour mon confort personnel.

Une fois que mon enquête objective portant sur les êtres inorganiques ne m'intéressa plus, don Juan me questionna sur l'état de mon exploration de leur monde par le rêve :

« Je ne pense pas que tu sois conscient de la régularité de tes rencontres avec les êtres inorganiques. »

Il avait raison. Jamais cela ne m'était venu à l'esprit. Je fis un commentaire sur l'étrangeté de cette lacune.

« Il ne s'agit pas d'une lacune, dit-il. C'est dans la nature de ce royaume d'encourager le secret. Les êtres inorganiques se cachent dans le mystère et l'obscurité. Pense un peu à leur monde : il est stationnaire, immobile, pour nous attirer comme les papillons de nuit vers une lumière ou un feu.

« Il y a un sujet que, jusqu'à présent, l'émissaire n'a pas eu l'audace d'aborder : le fait que les êtres inorganiques chassent notre conscience ou la conscience de n'importe quel être qui se prend dans leurs filets. Ils nous donneront la connaissance, mais ils extrairont leur paiement : notre être tout entier.

– Que voulez-vous dire, don Juan, les êtres inorganiques sont-ils comme des pêcheurs ?

– Exactement. À un moment donné, l'émissaire te montrera des hommes qui se laissèrent prendre dans leurs filets, ou d'autres êtres, qui ne sont pas des humains, qui eux aussi se laissèrent prendre là-bas. »

Ma réponse aurait dû être une manifestation de répugnance ou de peur. Si les révélations de don Juan m'affectèrent profondément, ce fut en éveillant mon incontrôlable curiosité. J'en bavais presque.

« Les êtres inorganiques ne peuvent forcer personne à rester chez eux, reprit don Juan. Vivre dans leur monde est un choix volontaire. Cependant, en se mettant au service de nos désirs, en nous cajolant et en nous satisfaisant, ils sont capables d'emprisonner n'importe lequel d'entre nous. Fais bien attention à la conscience qui est immobile. Une telle conscience doit rechercher le mouvement et, comme je te l'ai dit, elle le fait en créant des projections, parfois des projections fantasmagoriques. »

Je demandai à don Juan de m'expliquer ce qu'il entendait par « projections fantasmagoriques ». Il me répondit que les êtres inorganiques se branchent sur les sentiments les plus enfouis des rêveurs et, sans la moindre pitié, jouent avec. Ils créent des fantômes pour satisfaire ou effrayer les rêveurs. Il me rappela que je m'étais battu avec un de ces fantômes. Il précisa que les êtres inorganiques sont de prodigieux projectionnistes, qui adorent se projeter eux-mêmes telles des images contre un mur.

« Les sorciers d'antan furent trahis par leur stupide confiance en ces projections, continua-t-il. Les sorciers d'antan croyaient dur comme fer que leurs alliés avaient du pouvoir. Ils négligèrent le fait que leurs alliés étaient de l'énergie ténue projetée au travers de mondes, comme dans un cinéma cosmique.

– Don Juan, vous vous contredisez vous-même. Vous avez dit que les êtres inorganiques sont réels. Maintenant vous soutenez qu'ils ne sont que de simples images.

– J'ai voulu dire que, dans notre monde, les êtres inorganiques sont comme des images animées projetées sur un écran ; et je pourrais même ajouter qu'ils sont comme des images animées d'énergie raréfiée projetées au travers des frontières de deux mondes.

– Mais qu'en est-il des êtres inorganiques dans leur monde ? Sont-ils aussi comme des images animées ?

– Pas la moindre chance. Leur monde est tout aussi réel que le nôtre. Les sorciers d'antan décrivaient le monde des êtres inorganiques tel un amas de cavernes et de pores flottant dans un certain espace obscur. Et ils peignaient les êtres inorganiques telles des cannes creuses agglomérées ensemble comme le sont les cellules de notre corps. Les sorciers d'antan nommaient cet immense faisceau : le labyrinthe de la pénombre.

– Alors tous les rêveurs voient ce monde dans les mêmes conditions, exact ?

– Bien sûr. Chaque rêveur le voit tel qu'il est. Te croyais-tu unique ? »

Je dus convenir que dans ce monde quelque chose m'avait toujours donné la sensation que j'étais unique. Ce n'était pas la voix de l'émissaire de rêver qui créait ce sentiment très agréable et très clair d'être un être exclusif, et d'ailleurs rien que je puisse consciemment définir.

« C'est exactement ce qui plaqua au sol les sorciers d'antan, dit don Juan. Les êtres inorganiques leur firent ce qu'ils te font ; ils créèrent à leur intention cette impression d'être unique, exclusif ; plus une impression encore plus pernicieuse : la sensation de détenir le pouvoir. Le pouvoir et l'unicité sont des forces de corruption imbattables. Fais bien attention. Prends garde !

– Don Juan, comment avez-vous évité ce danger ?

– Je suis allé quelquefois dans ce monde, et ensuite je n'y suis plus jamais revenu. »

Don Juan expliqua que les sorciers partagent l'opinion que l'univers est prédateur, donc, plus que tout autre homme, ils doivent en tenir compte dans leurs activités de sorcellerie. Son idée était que la conscience est intrinsèquement contrainte à s'accroître, et que sa seule façon de le faire est la lutte, les confrontations à la vie ou à la mort.

« La conscience des sorciers augmente au fur et à mesure de leur pratique de rêver, poursuivit-il.

Dès qu'elle commence à s'accroître, quelque chose, là-bas, décèle sa croissance, l'identifie et porte sur elle une enchère. Les êtres inorganiques sont les enchérisseurs de cette conscience nouvelle et enrichie. Les rêveurs doivent en permanence être sur leurs gardes. Dès l'instant où ils s'aventurent dans cet univers prédateur, ils deviennent une proie potentielle.

– Que suggérez-vous que je fasse, don Juan, pour me tenir sur mes gardes ?

– Chaque seconde, fais attention où tu poses tes pieds ! Ne laisse personne, choses ou êtres, prendre une décision pour toi. Ne va dans le monde des êtres inorganiques que lorsque tu désires y aller.

– Honnêtement, don Juan, je ne pourrais pas savoir comment agir ainsi. Chaque fois que j'ai isolé un éclaireur, une force formidable me pousse à continuer. Je n'ai pas la moindre chance de pouvoir changer ma pensée.

– Allons donc ! De qui te fiches-tu ? Sans l'ombre d'un doute, tu peux changer cette situation. Tu n'as jamais essayé, c'est tout. »

J'insistai sincèrement sur le fait qu'il m'était impossible de stopper net. Il n'élabora plus ce point, et je lui en fus reconnaissant. Un curieux sentiment de culpabilité avait commencé à me ronger. Pour une raison inconnue, la pensée de faire cesser volontairement la force de traction des éclaireurs ne m'avait jamais traversé l'esprit.

Comme toujours, don Juan avait raison. Je découvris que je pouvais changer le cours de rêver en ayant l'intention de le changer. Après tout, j'avais eu l'intention que les éclaireurs me transportent dans leur monde. Si, délibérément, j'avais l'intention opposée, il était plausible que rêver s'engage dans un cours inverse.

Avec la pratique, ma faculté d'avoir l'intention de mes voyages dans le royaume des êtres inorganiques s'affina extraordinairement. De l'amélioration de ma faculté d'avoir l'intention découlait un contrôle accru de mon attention de rêver. Ce meilleur contrôle me rendait aussi plus audacieux. Je me sentais capable de voyager en toute impunité, puisque j'étais capable de stopper le voyage dès que je le désirais.

« Ta confiance est vraiment effrayante », fut le seul commentaire de don Juan une fois que j'eus, à sa demande, rapporté ces nouveaux aspects de mon contrôle sur mon attention de rêver.

« Pourquoi est-elle effrayante ? » demandai-je.

J'étais parfaitement convaincu de la valeur pratique de mes découvertes.

« Parce que ta confiance est celle d'un fou, répondit-il. Je vais te raconter une histoire de sorcier qui est parfaitement à propos. Je n'en ai pas été témoin, ce fut le maître de mon maître, le nagual Elias. »

Don Juan me raconta que le nagual Elias et l'amour de sa vie, une sorcière nommée Amalia, s'étaient perdus, du temps de leur jeunesse, dans le monde des êtres inorganiques.

Jamais je n'avais entendu don Juan mentionner qu'un sorcier fût amoureux. Cette déclaration m'époustouflait. Je lui signalai cette incohérence.

« Ce n'est pas une incohérence. J'ai simplement pris le parti de ne pas te raconter des histoires d'affection entre sorciers, dit-il. Tu as tellement été submergé d'amour pendant toute ta vie que je désirais t'accorder un peu de répit.

« Bon, reprenons ; le nagual Elias et l'amour de sa vie, la sorcière Amalia, étaient perdus dans le monde des êtres inorganiques. Ils y étaient allés non pas en rêvant, mais avec leurs corps physiques.

– Comment cela arriva-t-il, don Juan ?

– Leur maître, le nagual Rosendo, était par sa pratique et son tempérament très semblable aux sorciers d'antan. Il avait l'intention d'aider Elias et Amalia, mais en fait il les poussa au travers de frontières mortelles. Le nagual Rosendo n'avait pas prévu cette traversée. Tout ce qu'il désirait était placer ses deux disciples dans la seconde attention, mais au lieu de cela il constata leur disparition. »

Don Juan précisa qu'il n'allait pas entrer dans les détails de cette histoire longue et compliquée. Il désirait seulement me raconter comment ils se perdirent dans ce monde. Il déclara que l'erreur du nagual Rosendo avait été de présumer que les êtres inorganiques n'ont pas le moindre intérêt pour les femmes. Son raisonnement était correct, car fondé sur le savoir des sorciers que l'univers est principalement féminin et que la masculinité, ramification de la féminité, y est rare, donc convoitée.

Don Juan en profita pour remarquer que la rareté des mâles est peut-être, sur notre planète, la cause de la domination injustifiée des hommes. J'aurais voulu développer ce sujet, mais il poursuivit son histoire. Il dit que le plan du nagual Rosendo avait été d'instruire Elias et Amalia uniquement dans la seconde attention. Et, dans ce but, il suivit les techniques prescrites par les sorciers d'antan. En rêvant, il engagea un éclaireur, et lui commanda de transporter ses disciples dans la seconde attention en déplaçant leurs points d'assemblage sur la position appropriée.

Théoriquement, un éclaireur puissant aurait pu déplacer sans peine leurs points d'assemblage sur la position désirée. Ce que le nagual Rosendo oublia de prendre en considération, c'est la rouerie des êtres inorganiques. L'éclaireur déplaça les points d'assemblage de ses disciples, mais il les déplaça sur la position où il est facile de les transporter corporellement dans le royaume des êtres inorganiques.

« Est-il donc possible d'y être transporté avec son corps ? demandai-je.

– C'est possible, m'assura-t-il. Nous sommes de l'énergie qui est maintenue dans une position et une forme spécifique par la fixation du point d'assemblage sur un endroit. Si cet endroit est changé, la forme et la position de cette énergie changent en conséquence. Tout ce que les êtres inorganiques ont à faire est de placer notre point d'assemblage au lieu approprié et, zou ! nous voilà partis comme une balle de fusil, chaussures et chapeau compris !

– Don Juan, cela peut-il arriver à n'importe lequel d'entre nous ?

– Très certainement. Particulièrement si notre niveau d'énergie est adéquat. De toute évidence, la somme des énergies combinées d'Elias et d'Amalia était quelque chose que les êtres inorganiques ne pouvaient pas négliger. C'est absurde de faire confiance aux êtres inorganiques. Ils ont leur propre rythme, et il n'est pas humain. »

Je demandai à don Juan ce qu'avait exactement fait le nagual Rosendo pour envoyer ses disciples dans ce monde. Je savais la question stupide, et il se devait de l'ignorer. Je fus vraiment surpris quand il me répondit.

« Les étapes sont la simplicité même. Il plaça ses disciples dans un espace réduit et clos, comme un placard. Il s'installa pour rêver, appela un éclaireur du monde des êtres inorganiques en exprimant son intention d'en avoir un, puis il manifesta à haute voix son intention de lui faire cadeau de ses disciples.

« Naturellement, l'éclaireur accepta l'offre et les emporta, à un moment où ils n'étaient pas sur leurs gardes : ils faisaient l'amour dans le placard. Lorsque le nagual Rosendo ouvrit le placard, ils n'y étaient plus. »

Don Juan expliqua qu'en offrant ses disciples aux êtres inorganiques, il n'avait fait que ce qui était courant pour les sorciers d'antan. Le nagual Rosendo n'avait pas désiré cette disparition, mais il avait été influencé par l'absurde croyance qu'il contrôlait les êtres inorganiques.

« Les manœuvres des sorciers peuvent être fatales, je te supplie d'en avoir extraordinairement conscience. Ne te laisse pas gagner par cette stupide confiance en toi-même.

— Que devinrent le nagual Elias et Amalia ?

— Pour les chercher, le nagual Rosendo dut aller corporellement dans ce monde.

— Les retrouva-t-il ?

— Oui, suite à des combats dont il ne parla jamais. Malgré tout, il ne réussit pas à les ramener dans leur intégralité. Par conséquent, les deux jeunes gens demeurèrent à moitié prisonniers de ce royaume.

— Les avez-vous connus, don Juan ?

— Bien entendu, et tu peux me croire, ils étaient vraiment étranges. »

6

LE MONDE DES OMBRES

« Tu dois être extrêmement attentif, car tu es à la veille de tomber dans les griffes des êtres inorganiques », me dit, tout à fait à l'improviste, don Juan, suite à une conversation sans aucun lien avec rêver.

Sa déclaration me prit par surprise. Comme à mon habitude, je tentai de me défendre :

« Vous n'avez pas à me mettre en garde. Je fais très attention.

– Les êtres inorganiques complotent, dit-il. Je le sens, et me dire qu'ils tendent leurs pièges dès le début et, de cette manière, trient effectivement et pour toujours les rêveurs indésirables ne me réconforte pas. »

Le ton de sa voix signalait une telle urgence que je ne pus m'empêcher de lui donner l'assurance que je n'allais pas tomber dans leurs pièges.

« Tu ne dois pas négliger le fait que les êtres inorganiques disposent de moyens stupéfiants, reprit-il. Leur conscience est admirable. En comparaison, nous ne sommes que des enfants, des enfants avec beaucoup d'énergie, et c'est elle qui fait l'objet de la convoitise des êtres inorganiques. »

Je voulus lui confier que, d'une façon abstraite, je comprenais sa position et son souci, mais que sur un plan concret, je ne voyais pas de raison à son avertissement, car je contrôlais parfaitement ma pratique de rêver.

Il y eut quelques minutes de lourd silence avant que don Juan ne reprenne la parole. Il changea de sujet et annonça qu'il allait porter mon attention sur un point très important de son enseignement de rêver, un problème qui, jusqu'à ce jour au moins, n'avait pas effleuré ma conscience.

« Tu comprends maintenant que les portes de rêver constituent des obstacles particuliers, mais tu n'as pas encore compris que ce qui est fourni tel un exercice pour atteindre et franchir une porte n'est vraiment pas tout ce qui concerne cette porte.

— Ce n'est pas très clair, don Juan.

— Je veux préciser qu'il n'est pas exact de dire, par exemple, que la seconde porte est atteinte et franchie quand un rêveur apprend à se réveiller dans un autre rêve, ou quand un rêveur apprend à changer de rêve sans se réveiller dans le monde de tous les jours.

— Et pourquoi n'est-ce pas exact, don Juan ?

— Parce que la seconde porte de rêver est atteinte et franchie uniquement lorsque le rêveur apprend à isoler et à suivre les éclaireurs de l'énergie étrangère.

— Alors pourquoi suggérer cette idée de changer de rêve ?

— S'éveiller dans un autre rêve ou changer de rêve sont les exercices conçus par les sorciers d'antan pour entraîner l'aptitude d'un rêveur à isoler et à suivre un éclaireur. »

Don Juan signala l'accomplissement remarquable que constitue l'acte de suivre un éclaireur ; lorsque les rêveurs y parviennent, la seconde porte s'ouvre instantanément en leur donnant accès à l'univers qui existe au-delà. Il insista sur le fait que cet univers est toujours là, mais qu'il nous est inaccessible car nous manquons de courage énergétique. La seconde porte de rêver est, par sa nature même, l'entrée dans le monde des êtres inorganiques, et rêver est la clé qui ouvre cette porte.

« Un rêveur peut-il isoler un éclaireur directement, sans passer par l'exercice du changement de rêve ? demandai-je.

– Non, en aucun cas. L'exercice est indispensable. La question qui se pose est de savoir si c'est le seul exercice qui existe. Ou bien un rêveur peut-il suivre un autre exercice ? »

D'un air narquois, don Juan me dévisagea. Il semblait attendre ma réponse.

« Il est certainement très difficile de concevoir un exercice aussi parfait que celui des sorciers d'antan », répondis-je sans savoir pourquoi, mais avec une certitude irréfutable.

Don Juan admit que j'avais en tout point raison et poursuivit en remarquant que les sorciers d'antan avaient conçu une série d'exercices parfaits pour, en traversant les portes de rêver, aller dans les mondes particuliers qui existaient derrière chacune de ces portes. Il répéta que rêver, invention des sorciers d'antan, devait être pratiqué selon leurs règles. Il décrivit la règle de la seconde porte comme une série de trois étapes : la première, par la pratique de l'exercice de changer de rêve les rêveurs découvrent les éclaireurs ; la seconde, en suivant ces éclaireurs ils entrent dans un autre véritable univers ; et la troisième, dans cet univers par leurs actes les rêveurs découvrent eux-mêmes les lois et règlements qui le gouvernent.

Don Juan déclara qu'au cours de mes relations avec les êtres inorganiques, j'avais si bien suivi la règle qu'il craignait des retombées dévastatrices. Il pensait que l'inévitable réaction des êtres inorganiques serait une tentative de me garder dans leur monde.

« Don Juan, ne pensez-vous pas que vous exagérez ce risque ? » lui demandai-je. Je ne pouvais pas arriver à me peindre une image si morne de ma situation.

« Je n'exagère rien, répondit-il d'un ton sec et sérieux. Tu verras. Les êtres inorganiques ne laissent partir personne, en tout cas pas sans un vrai combat.

– Mais qu'est-ce qui vous conduit à penser qu'ils me veulent ?

– Ils t'ont déjà montré trop de choses. Crois-tu vraiment qu'ils se décarcassent autant, simplement pour te distraire ? »

Don Juan rit de sa propre remarque. Je n'appréciai pas son humour. Une curieuse peur m'obligea à lui demander s'il valait mieux que je cesse ma pratique de rêver, sinon l'interrompre.

« Tu dois poursuivre ta pratique de rêver au moins jusqu'à ce que tu aies traversé l'univers derrière la seconde porte, dit-il. Je veux dire que tu dois seul accepter ou refuser le leurre des êtres inorganiques. C'est la raison pour laquelle je demeure distant et que rarement je fais des commentaires sur ta pratique de rêver. »

Je lui avouai n'avoir absolument pas compris pourquoi il pouvait être si généreux pour résoudre d'autres facettes de sa connaissance, et si chiche en ce qui concerne rêver.

« J'avais l'obligation de t'enseigner rêver, uniquement parce que c'est la formule établie par les sorciers d'antan. La voie de rêver est truffée de trappes, et éviter ces trappes ou y tomber est l'affaire personnelle et individuelle de chaque rêveur et, si je puis ajouter ceci : c'est une affaire sans appel.

– Ces trappes résultent-elles du fait de succomber aux louanges ou aux promesses de pouvoir ?

– Pas seulement succomber à ces tentations, mais succomber à tout ce qu'offrent les êtres inorganiques. Pour les sorciers, il n'existe aucune possibilité d'accepter ce qu'ils offrent, enfin à partir d'un certain point.

– Et où se situe ce certain point, don Juan ?

– Ce point dépend de nous, en tant qu'individus. Pour chacun de nous, le défi est de prendre dans ce monde seulement ce dont nous avons besoin, pas une miette de plus. Savoir ce dont il a besoin est la virtuosité du sorcier, mais ne prendre que ce dont il a besoin est son suprême accomplissement. Ne pas comprendre une règle aussi simple est la garantie assurée de dégringoler dans la première trappe.

– Que se passe-t-il alors, pour celui qui tombe ?

– Si tu tombes, tu paies le prix, et le prix dépend des circonstances et de la hauteur de la chute. Mais en fait, il n'y a pas moyen de parler d'une telle éventualité, car ce n'est pas une question de châtiment. Il s'agit ici de courants énergétiques, de courants énergétiques qui créent des circonstances plus terribles que la mort. Sur la voie du sorcier, tout est une question de vie ou de mort, mais sur la voie de rêver cette question se multiplie par cent. »

J'assurai don Juan de la constance de mon extrême précaution au cours de ma pratique de rêver, en plus de ma discipline parfaite et du fait d'être absolument consciencieux.

« Je sais tout cela, dit-il. Mais je te demande d'être encore plus discipliné et de manier avec des gants de soie tout ce qui a trait à rêver. Par-dessus tout, sois vigilant. Je suis incapable de prédire d'où viendra l'attaque.

– Don Juan, en tant que voyant, *voyez*-vous un danger imminent pour moi ?

– J'ai *vu* un danger imminent pour toi depuis le jour où tu as marché dans cette ville mystérieuse, la première fois que je t'ai aidé à rassembler ton corps d'énergie.

– Mais savez-vous exactement ce que je dois faire, ou éviter ?

– Non, je l'ignore. Je sais seulement que l'univers derrière la seconde porte est le plus semblable au nôtre, et que notre univers est plutôt rusé et sans pitié. Donc, ils doivent se ressembler. »

Je persistai. Je voulais savoir ce qui m'attendait. Il insista sur le fait qu'en tant que sorcier, il ressentait une situation générale de danger mais qu'il ne pouvait pas en savoir plus.

« L'univers des êtres inorganiques est toujours prêt à attaquer, poursuivit-il. Mais il en est de même de notre univers. C'est pourquoi tu dois aller dans leur royaume exactement comme si tu t'aventurais sur un champ de bataille.

– Don Juan, voulez-vous dire que les rêveurs doivent en permanence avoir peur de ce monde ?

– Non. Ce n'est pas ça. Une fois que le rêveur traverse l'univers derrière la seconde porte, ou bien une fois qu'il décide que ce n'est pas un choix viable, il n'existe plus un seul problème. »

Don Juan affirma que c'est alors seulement que les rêveurs sont libres de continuer. Je n'étais pas sûr de ce qu'il voulait dire ainsi ; il expliqua que l'univers derrière la seconde porte est tellement puissant et agressif qu'il sert de filtre naturel, ou de terrain d'expérimentation où les faiblesses des rêveurs sont mises à l'épreuve. S'ils survivent, ils peuvent continuer vers la porte suivante ; sinon, ils demeurent prisonniers dans cet univers, pour l'éternité.

Il m'abandonna débordant d'anxiété ; mais en dépit de mes cajoleries, il n'ajouta pas un seul mot. Une fois revenu chez moi, je repris, tout en faisant preuve de la plus grande attention, mes périples au royaume des êtres inorganiques. Mon extrême prudence semblait amplifier ma sensation d'appréciation de ces voyages. J'en arrivais au point où la simple contemplation du monde des êtres inorganiques suffisait à provoquer une exultation impossible à décrire. Je craignais toutefois que mon plaisir ne cesse tôt ou tard, mais ce ne fut pas le cas. Une chose inattendue l'intensifia encore.

Une fois, un éclaireur me guida brutalement au travers d'innombrables tunnels, comme s'il cherchait quelque chose, ou comme s'il tentait de pomper toute mon énergie et, ce faisant, de m'épuiser. Lorsqu'il stoppa enfin, j'avais l'impression d'avoir couru un marathon. Il me semblait avoir atteint la fin de ce monde. Il n'y avait plus de tunnels; autour de moi, tout était obscurité. Puis quelque chose illumina une zone juste devant moi; là, la lumière venait d'une source indirecte. C'était une faible lumière qui faisait que tout était gris ou brun diffus. Une fois accoutumé à cette lumière, je distinguais vaguement des formes sombres et mouvantes. Après un certain temps, il me sembla que le fait de focaliser mon attention de rêver sur ces formes en mouvement les matérialisait. Je remarquai qu'il y en avait de trois sortes : certaines rondes, comme des boules; d'autres telles des cloches; et les autres semblables à de gigantesques et ondulantes flammes de bougie. Toutes étaient, en gros, rondes et de même taille. J'estimais qu'elles avaient de soixante à quatre-vingt-dix centimètres de diamètre. J'en voyais des centaines, peut-être même des milliers.

Je savais que j'avais une vision étrange et sophistiquée, mais ces formes étaient si réelles que je me surpris à réagir avec un véritable haut-le-cœur. J'éprouvais le sentiment écœurant de survoler un nid de bestioles géantes, rondes, brunes et grises. Planer au-dessus d'elles me donnait d'une certaine manière un sentiment de sécurité. Cependant, je rejetai ces considérations dès l'instant où je réalisai combien il était stupide de se sentir en sécurité ou mal à l'aise, dans un rêve, comme s'il était une situation de la vraie vie. Néanmoins, tout en observant ces formes de bestioles se tortiller, l'idée qu'elles allaient sous peu me toucher me perturba énormément.

« Nous sommes l'unité mobile de notre monde, me dit soudain la voix de l'émissaire. N'ayez crainte. Nous sommes de l'énergie et, à coup sûr, nous n'avons aucune intention de vous toucher. De toute façon ce serait impossible. Nous sommes séparés par de réelles frontières. »

Il y eut une longue pause, puis la voix reprit :

« Nous voulons que vous nous rejoigniez. Descendez à notre niveau. Et n'ayez pas la nausée. Vous n'avez pas envie de vomir en compagnie des éclaireurs et avec moi, pas la moindre. Les éclaireurs et moi sommes exactement comme les autres. J'ai une forme de cloche, et les éclaireurs sont comme des flammes de bougie. »

Sans ambiguïté, cette dernière déclaration était une sorte de signal destiné à mon corps d'énergie. À l'entendre, mal au cœur et peur s'évanouirent. Je descendis à leur niveau, et les boules et les cloches et les flammes de bougie m'entourèrent. Elles passaient si proche de moi que si j'avais eu un corps physique, elles m'auraient touché. À l'opposé, nous passions l'un au travers de l'autre, comme des bouffées d'air encapsulées.

À ce moment-là, j'éprouvais une sensation incroyable. Bien qu'incapable de ressentir quelque chose avec ou dans mon corps d'énergie, je ressentais et enregistrais le chatouillement le plus inhabituel quelque part ailleurs ; ces choses douces et comme faites d'air passaient sans le moindre doute au travers de moi, pas dans cet espace même, mais ailleurs. La sensation était vague et fugitive et elle ne me laissait pas le temps de la saisir vraiment dans sa totalité.

Au lieu de concentrer mon attention de rêver sur cette sensation, je m'absorbai entièrement dans la vision de ces bestioles d'énergie anormalement grandes.

Au niveau où nous étions, il me sembla qu'il y avait quelque chose de commun entre ces entités de l'ombre et moi-même : la taille. Peut-être même était-ce parce que je les estimais de la même taille que mon corps d'énergie que je me sentais presque à l'aise en leur compagnie. En les examinant, je conclus qu'elles ne me gênaient en rien. Elles étaient impersonnelles, froides, détachées, ce que j'appréciai immensément. Pendant un instant, je me demandai si ma répugnance à un moment et ma sympathie à un autre étaient une conséquence naturelle de rêver ou le produit d'une quelconque influence énergétique que ces entités exerceraient sur moi.

« Elles sont vraiment agréables », dis-je à l'émissaire au moment même où je fus submergé par une vague d'amitié ou même d'affection profonde pour elles.

À peine avais-je exprimé ma pensée que, tels de maladroits cochons d'Inde, les formes sombres décampèrent, m'abandonnant seul dans cette semi-obscurité.

« Vous avez projeté trop de sentiment et vous les avez effrayées, me confia la voix de l'émissaire. Pour elles, le sentiment, c'est trop fort et, d'ailleurs, pour moi aussi. »

Et l'émissaire rit timidement.

Ma session de rêver prit fin à ce moment-là. Dès mon réveil, je fis mes bagages, prêt à partir pour le Mexique voir don Juan. Toutefois, en dépit de mes frénétiques préparations, un fait inattendu dans ma vie personnelle m'interdit tout voyage. L'anxiété qui résulta de ce revers stoppa ma pratique de rêver. Ce n'est pas que consciemment j'eusse désiré cette interruption ; involontairement, j'avais donné tant d'importance à ce rêve particulier que je savais clairement qu'il n'y avait aucune raison, si je ne pouvais pas aller voir don Juan, de continuer ma pratique de rêver.

Suite à cette pause qui dura plus de six mois, je devins de plus en plus perplexe quant à ce qui avait eu lieu. Je n'avais jamais pensé que mes sentiments puissent seuls me conduire à stopper ma pratique de rêver. Je me demandais alors si le désir serait suffisant pour les reprendre. Sans aucun doute ! Dès que j'eus formulé ma pensée de revenir à rêver, ma pratique reprit comme si jamais elle n'avait été interrompue. L'éclaireur débuta là où nous nous étions quittés et me guida immédiatement à la vision de ma dernière session.

« Voici le monde des ombres, me confia l'émissaire dès notre arrivée. Mais, même si nous sommes des ombres, nous émettons de la lumière. Non seulement nous avons la mobilité, mais nous sommes la lumière des tunnels. Nous sommes une autre sorte d'êtres inorganiques qui existe ici. Il y en a de trois sortes : une est comme un tunnel immobile, l'autre est comme une ombre animée. Nous sommes les ombres animées. Les tunnels nous donnent leur énergie, et nous faisons leurs enchères. »

L'émissaire cessa de parler. Je pensais qu'il était risqué de s'enquérir de la troisième sorte d'êtres inorganiques. Je sentis aussi que, si je ne le demandais pas, l'émissaire n'en parlerait pas.

« Quelle est la troisième sorte d'êtres inorganiques ? »

L'émissaire toussa et gloussa de rire ; comme s'il se délectait de cette question, me sembla-t-il.

« Oh, c'est notre aspect le plus mystérieux, dit-il. La troisième sorte n'est révélée à nos visiteurs que lorsqu'ils choisissent de rester en notre compagnie.

– Et pourquoi donc ?

– Parce qu'il faut une énorme quantité d'énergie pour les voir. Et nous devrions fournir cette énergie. »

Je savais que l'émissaire disait la vérité. Je savais aussi que rôdait un effroyable danger. Néanmoins, j'étais dévoré par une curiosité sans limites. Je voulais voir cette troisième sorte d'êtres inorganiques.

L'émissaire semblait parfaitement conscient de mon comportement :

« Voudriez-vous les voir ? demanda-t-il avec désinvolture.

– Très certainement.

– Tout ce qu'il vous faut faire est d'exprimer à haute voix votre désir de rester avec nous, répondit-il d'un ton nonchalant.

– Mais si je le fais, je devrais rester, n'est-ce pas ?

– Naturellement, dit la voix de l'émissaire d'un ton exprimant une conviction absolue. Dans ce monde, tout ce que vous dites à haute voix est pour de bon. »

Je ne pouvais pas m'empêcher de penser que si l'émissaire avait vraiment voulu me piéger, il lui aurait suffi de me mentir. J'aurais été incapable de faire la part du vrai et du faux.

« Je ne peux pas vous mentir, dit l'émissaire en interrompant mes pensées. Je ne puis vous dire que ce qui existe. Dans mon monde seule existe l'intention ; derrière un mensonge il n'y a pas d'intention ; par conséquent, il n'existe pas. »

Je voulais arguer du fait que derrière un mensonge il y a une intention, mais avant même que je ne puisse verbaliser mon argument, l'émissaire déclara que derrière le mensonge il y a un but, mais que ce but n'est pas une intention.

Je n'arrivais pas à concentrer mon attention de rêver sur l'argument que lançait l'émissaire. Elle se porta sur les êtres d'ombre. Soudain, je me rendis compte qu'ils avaient l'air d'un troupeau d'animaux étranges et enfantins. La voix de l'émissaire me signala de contenir mes émotions, car mes brusques jaillissements de sentiments avaient la vertu de les disperser, comme un vol d'oiseaux.

« Que voulez-vous que je fasse ? demandai-je.

– Descendez à nos côtés et essayez de nous pousser ou de nous tirer, me pressa la voix de l'émissaire. Plus tôt vous apprendrez à le faire, plus rapidement vous serez capable de déplacer les choses qui vous entourent dans votre monde, simplement en les regardant. »

Mon esprit de marchand s'excita, fou d'anticipation. En un instant je fus parmi eux, tentant désespérément de les pousser ou de les tirer. Rapidement, je me trouvai à court d'énergie. J'eus alors l'impression que je venais de tenter quelque chose qui équivaudrait à lever une maison à la force des poignets

J'eus aussi cette autre impression : plus je m'épuisais, plus le nombre des ombres augmentait. Comme s'il en venait de partout pour m'observer, ou me grignoter et se nourrir. Dès l'instant où j'eus cette pensée, les ombres s'enfuirent.

« Nous ne nous alimentons pas à vos dépens, dit l'émissaire. Nous venons tous ressentir votre énergie, tout comme vous recherchez le rayonnement solaire par un jour de froid. »

L'émissaire insista pour que je m'ouvre à eux en balayant mes pensées méfiantes. J'entendis la voix et, tout en écoutant ce qu'elle disait, je me rendis compte que j'entendais, que je ressentais et que je pensais exactement comme dans mon monde de tous les jours. En prenant pour référence la clarté de ma perception, j'en conclus que j'étais dans un monde réel.

La voix de l'émissaire résonna dans mes oreilles. Elle disait que, pour moi, la seule différence entre percevoir mon monde et percevoir le leur était que leur monde se présentait et disparaissait en un clin d'œil. Quand je percevais le mien, ce n'était pas le cas, car ma conscience – avec la conscience d'un immense nombre d'êtres comme moi qui maintenaient avec leur intention mon monde en place – était fixée sur mon monde. L'émissaire ajouta que, pour les êtres inorganiques, percevoir mon monde commençait et s'achevait de la même façon, en un clin d'œil. Mais lorsqu'ils percevaient le leur ce n'était pas le cas, parce qu'il existait un grand nombre d'entre eux le maintenant en place par leur intention.

À cet instant, la scène commença à se dissoudre. J'étais comme un plongeur, et je me réveillai de ce rêve tel un nageur qui remonte à la surface de l'eau.

Dans la session suivante, l'émissaire commença son dialogue en répétant qu'une relation interactive et coordonnée existait entre les ombres mobiles et les tunnels stationnaires. Il termina sa déclaration en précisant :

« Nous ne pouvons pas exister l'un sans l'autre.

– Je comprends bien ce que vous voulez dire »,
laissai-je aller.

Dans la voix de l'émissaire, il y eut comme une
touche de mépris quand il rétorqua qu'il était
impossible que je puisse comprendre ce que signifiait une relation de cette nature qui, en fait, impliquait infiniment plus que d'être dépendant. J'eus
l'intention de demander à l'émissaire ce qu'il voulait dire par là mais, l'instant suivant, j'étais à
l'intérieur de ce que je peux décrire comme le tissu
même du tunnel. Je vis alors des protubérances,
telles des glandes assemblées grotesquement, qui
émettaient une lumière opaque. Une pensée me
traversa : il s'agissait des mêmes protubérances qui
m'avaient donné l'impression de caractères braille.
Vu qu'elles étaient des amas d'énergie de un mètre
à un mètre vingt de diamètre, je commençais à me
demander quelle était la taille actuelle de ces tunnels.

« Ici, la taille n'a rien à voir avec la taille dans
votre monde, me dit l'émissaire. L'énergie de ce
monde est une sorte différente d'énergie ; ses
caractéristiques ne coïncident pas avec celles de
l'énergie de votre monde, mais ce monde est aussi
réel que le vôtre. »

L'émissaire poursuivit en précisant qu'il m'avait
tout dit concernant les êtres de l'ombre quand il
m'avait décrit et expliqué les protubérances des
parois des tunnels. Je répliquai que j'avais bien
entendu ses explications, mais que je ne les avais
pas retenues parce que j'avais cru qu'elles n'appartenaient pas directement à rêver.

« Tout ici, dans ce royaume, se rapporte directement à rêver », déclara l'émissaire.

Je désirais réfléchir sur les raisons de ma mauvaise évaluation, mais ma pensée cessa de fonctionner. Mon attention de rêver s'amenuisait.
J'avais de la peine à me concentrer sur le monde
qui m'environnait. Je m'efforçais de me réveiller.

L'émissaire reprit la parole, et le son de sa voix me fit sursauter. Mon attention de rêver se ragaillardissait considérablement.

« Rêver est le véhicule qui amène les rêveurs dans ce monde, dit l'émissaire, et tout ce que les sorciers savent de rêver, nous le leur avons enseigné. Notre monde est relié au vôtre par une porte nommée rêves. Nous savons comment franchir cette porte ; les hommes, non. Il faut qu'ils apprennent à le faire. »

La voix de l'émissaire reprit les explications déjà données auparavant.

« Les protubérances sur les parois des tunnels sont des êtres d'ombre. Je suis l'un d'eux. Nous nous déplaçons dans les tunnels, sur leurs parois, en nous chargeant de l'énergie des tunnels, qui est notre énergie. »

Une pensée futile me traversa l'esprit : j'étais vraiment incapable de concevoir une relation symbiotique telle que celle que je voyais.

« Si vous restiez avec nous, vous apprendriez certainement à ressentir ce qu'est une connexion comme celle qui nous relie. »

L'émissaire semblait attendre ma réponse. J'avais l'impression que tout ce qu'il désirait vraiment était de m'entendre dire que j'avais décidé de rester.

« Combien d'êtres d'ombre y a-t-il dans chaque tunnel ? » demandai-je pour briser le silence. Et je le regrettai immédiatement, car l'émissaire commença à me fournir un compte détaillé des nombres et des fonctions des êtres d'ombre dans chaque tunnel. Il me précisa que chaque tunnel avait un nombre spécifique d'entités dépendantes, lesquelles accomplissaient des fonctions précises en relation avec les besoins et les attentes du tunnel qui les portait.

Je ne voulais pas que l'émissaire entre dans de plus amples détails. Je réfléchis que, moins j'en saurais à propos des tunnels et des êtres d'ombre, mieux je me porterais. À l'instant où je formulais cette pensée, l'émissaire cessa de parler et mon corps sursauta comme s'il avait été tiré par un câble. Une seconde plus tard, j'étais dans mon lit, parfaitement réveillé.

À partir de ce jour-là, je ne connus plus de peur qui eût pu interrompre ma pratique. Une autre idée avait commencé à s'imposer : l'idée que j'avais trouvé une source d'exaltation sans pareille. Chaque jour, j'étais saisi de l'impatience de commencer à rêver, d'être conduit par l'éclaireur dans le monde des ombres. Pour ajouter du piquant, ma vision du monde des ombres devint, comme jamais encore, plus vraie que la vie. En jugeant selon les critères subjectifs de pensées ordonnées, d'impulsions sensorielles auditives et visuelles ordonnées, de mes réponses ordonnées, mes expériences, pour aussi longtemps qu'elles durèrent, furent aussi réelles que n'importe quelle situation de notre monde de tous les jours. Je n'avais jamais eu des expériences de perception dans lesquelles la seule différence entre mes visions et mon monde de tous les jours était la vitesse avec laquelle mes visions se terminaient. À un instant donné, j'étais dans un monde réel et étrange, et l'instant suivant, j'étais dans mon lit.

J'éprouvais l'extrême besoin des commentaires et des explications de don Juan, mais j'étais toujours bloqué à Los Angeles. Plus j'examinais ma situation, plus s'accroissait mon anxiété ; j'en arrivais même à sentir que dans le monde des êtres inorganiques quelque chose se concoctait à une vitesse incroyable.

Avec l'amplification graduelle de mon anxiété, mon corps s'installa dans un état d'intense frayeur, alors que mes pensées ne cessaient de s'extasier dans la contemplation du monde des ombres. Pour ajouter de l'huile sur le feu, la voix de l'émissaire s'infiltra dans ma conscience quotidienne. Un jour, alors que je participais à un cours à l'université, j'entendis la voix me répéter, maintes et maintes fois, que toute tentative de ma part de cesser ma pratique de rêver serait néfaste à la totalité de mes entreprises. Elle argua du fait que les guerriers ne fuient pas devant un défi et que, d'autre part, je n'avais pas de raison valable d'interrompre ma pratique. Je ne pus qu'agréer avec l'émissaire. Je n'avais pas la moindre intention de stopper quoi que ce soit, et la voix ne faisait que renforcer ce que je ressentais.

Non seulement l'émissaire changea d'attitude, mais un nouvel éclaireur se présenta. Une fois, avant même que je n'eusse commencé mon observation des éléments de mon rêve, un éclaireur sauta littéralement devant moi et, d'une manière agressive, retint toute mon attention de rêver. La caractéristique notable de cet éclaireur est qu'il n'avait pas eu à subir de métamorphose énergétique ; dès le premier instant, il était un amas de lumière. En un clin d'œil, l'éclaireur me transporta, sans que j'eusse à exprimer verbalement mon intention d'aller avec lui, dans une autre région du monde des êtres inorganiques : le monde des smilodons, les tigres préhistoriques aux dents de sabre.

Dans mes autres livres, j'ai rapporté quelques aperçus de ces visions. Je dis aperçus, parce que alors je ne disposais pas d'assez d'énergie pour rendre ces mondes compréhensibles dans ma pensée linéaire.

Mes visions nocturnes des smilodons se produisirent régulièrement pendant longtemps, jusqu'à cette nuit où l'éclaireur agressif qui m'avait le premier conduit dans ce monde réapparut soudainement. Sans attendre mon accord, il me transporta dans les tunnels.

J'entendis la voix de l'émissaire. Il se lança dans le plus convaincant et plus poignant baratin de vendeur que j'eusse jamais entendu jusqu'alors. Il me vanta les extraordinaires avantages du monde des êtres inorganiques. Il s'étendit sur l'acquisition d'une connaissance qui, sans le moindre doute, serait stupéfiante pour mon esprit, et comment l'obtenir par l'acte le plus facile qui soit : rester dans ces merveilleux tunnels. Il évoqua cette incroyable mobilité, l'éternité disponible pour découvrir toutes choses et, par-dessus tout, la possibilité d'être choyé par des serviteurs cosmiques qui se mettraient en quatre pour satisfaire la moindre de mes fantaisies.

« Des êtres conscients appartenant aux plus incroyables coins de l'univers demeurent chez nous, dit l'émissaire en terminant son speech. Et ils adorent rester en notre compagnie. Pour tout dire, pas un seul ne veut partir. »

À cet instant, la pensée qui me traversa l'esprit fut que la servitude m'était antithétique. Jamais je ne m'étais senti à mon aise avec des serviteurs, ou même avec le simple fait d'être servi.

L'éclaireur prit les choses en main et me fit planer le long de bien des tunnels. Il s'arrêta dans l'un d'eux qui me paraissait considérablement plus large que les autres. Mon attention de rêver ne parvenait pas à se détacher de la taille et de la configuration de ce tunnel, et je serais resté cloué là s'il ne m'avait obligé à un demi-tour. Mon attention de rêver se focalisa sur un amas d'énergie un peu plus grand que les entités d'ombre. Il était bleu, comme le bleu du milieu d'une flamme de bougie. Je savais que cette entité n'était pas une entité d'ombre et qu'elle n'était pas de ce monde.

La ressentir m'absorba entièrement. L'éclaireur me signala qu'il fallait partir, mais quelque chose me fermait à ses sollicitations. Mal à l'aise, je ne bougeais pas d'un centimètre. Toutefois, les signaux de l'éclaireur brisèrent ma concentration, et je perdis de vue la forme bleue.

Tout à coup, une force considérable me fit tournoyer et me planta directement en face de la forme bleue. Pendant que je la fixais, elle se transforma en l'image d'une personne : très petite, svelte, délicate, presque transparente. Je tentais désespérément de voir si c'était un homme ou une femme, mais en dépit de tous mes efforts, je n'y parvins pas.

Mes tentatives pour questionner l'émissaire furent vaines. Il avait soudainement disparu en me laissant en suspension dans ce tunnel, faisant maintenant face à une personne inconnue. Je m'efforçais de lui parler à la manière dont je communiquais avec l'émissaire, sans réponse. Ne pas arriver à briser la barrière qui nous séparait me causa une intense frustration. Puis, je fus assailli par la peur d'être seul, avec quelqu'un qui pourrait être un ennemi.

La présence de cet étranger déclencha en moi une multitude de réactions. Je ressentis même une exultation à la pensée qu'enfin l'éclaireur m'avait montré un autre être humain pris dans ce monde. Ce qui me désespérait était la possibilité que nous ne puissions pas communiquer, peut-être parce que l'étranger était un sorcier de l'antiquité, donc d'une époque différente de la mienne.

Plus ma curiosité et mon exultation s'intensifiaient, plus lourd je me sentais, jusqu'au moment où je fus si massif que je revins dans mon corps, et dans mon monde habituel. Je me trouvai dans le parc de l'université de Californie, à Los Angeles, au milieu d'une file de gens qui jouaient au golf.

Juste devant moi, une personne se matérialisa à la même allure que moi. Nous nous dévisageâmes le temps d'un éclair. C'était une fillette de six ou sept ans. Je savais que je la connaissais. Le fait de la voir fit monter mon exultation et ma curiosité à un tel niveau qu'elles enclenchèrent un effet réversible. Je perdis ma masse à une telle rapidité qu'à l'instant suivant, je fus de nouveau un amas d'énergie dans le royaume des êtres inorganiques. L'éclaireur fit son apparition et, sans plus attendre, me tira de là.

Je me réveillai dans un sursaut de frayeur. Au cours du processus de retour à la surface de mon monde de tous les jours quelque chose avait laissé se glisser un message. Mes pensées tentèrent frénétiquement de rassembler les pièces du puzzle que je connaissais, ou croyais connaître. Pendant plus des quarante-huit heures qui suivirent, je tentais de repêcher cette sensation enfouie ou cette connaissance cachée qui s'était collée à moi. Le seul résultat fut de sentir une force – que j'imaginais être au-dehors de mon corps et de mon esprit – qui me disait de ne plus faire confiance à mon aptitude à rêver.

Quelques jours plus tard, une certitude sombre et mystérieuse commença à m'envahir, une certitude qui s'accrut par degrés jusqu'à ce que je n'eusse plus aucun doute quant à son authenticité : l'amas d'énergie bleu était un prisonnier dans le monde des êtres inorganiques.

Plus que jamais, j'avais besoin des conseils de don Juan. Je savais que je jetais par la fenêtre des années de travail et que je ne pouvais rien contre. Je laissai tout ce que je faisais en plan, et me précipitai au Mexique.

« Que veux-tu donc vraiment ? » m'interrompit don Juan, pour endiguer mon bredouillement hystérique.

Je n'arrivais pas à lui expliquer ce que je désirais, car je l'ignorais moi-même.

« Pour que tu te précipites ici de cette façon, ton problème doit être très sérieux, commenta don Juan avec une expression pensive.

– Il l'est, et ce en dépit du fait que je ne peux même pas me figurer en quoi consiste ce problème. »

Il me demanda de lui décrire ma pratique de rêver en mentionnant tous les détails pertinents. Je lui parlais de la vision de la fillette et comment elle m'avait émotionnellement touché. Immédiatement, il me conseilla d'ignorer cet événement et de le considérer comme une tentative flagrante des êtres inorganiques de satisfaire mes fantasmes. Il me fit remarquer que si rêver est surévalué, il devient ce qu'il fut pour les sorciers d'antan : une source inépuisable de complaisance.

Pour une inexplicable raison, je n'avais pas l'intention de parler à don Juan du monde des ombres. Mais une fois qu'il eut mis de côté ma vision de la fillette, je fus dans l'obligation de lui décrire mes visites dans ce royaume. Il garda le silence pendant longtemps, comme s'il était bouleversé. Enfin, il parla :

« Tu es encore plus seul que je ne le pensais, car je ne peux pas discuter ta pratique de rêver. Tu es dans la position des sorciers d'antan. Tout ce que je peux faire est de te répéter que tu dois mettre en œuvre toute la vigilance dont tu peux disposer.

– Pourquoi dites-vous que je suis dans la position des sorciers d'antan ?

– Je t'ai, maintes et maintes fois, répété que ton comportement est dangereusement semblable à celui des sorciers d'antan. Ils étaient des êtres d'une grande ressource ; leur talon d'Achille fut de considérer le monde des êtres inorganiques comme les poissons considèrent leur élément : l'eau. Tu es dans la même barque. En ce qui te concerne, tu connais des choses qu'aucun de nous ne peut concevoir. Par exemple, j'ignorais tout du monde des ombres ; de même le nagual Julian, ou le nagual Elias qui pourtant demeura longtemps dans le monde des êtres inorganiques.

– Mais quelle différence ce monde des ombres apporte-t-il ?

– Une différence considérable. Les êtres inorganiques n'y conduisent les rêveurs que lorsqu'ils sont certains que ces rêveurs vont y rester. C'est ce que nous rapportent les histoires des sorciers d'antan.

– Don Juan, je vous assure que je n'ai pas la moindre intention de rester là-bas. Vous parlez comme si j'étais sur le point de succomber au piège des promesses de service ou des garanties de pouvoir. Je ne suis intéressé par aucune, un point c'est tout.

– À ce niveau, ce n'est plus aussi simple. Tu t'es aventuré au-delà du point où tu pourrais simplement t'en aller. En outre, tu as le malheur d'avoir été repéré par un être inorganique d'eau. Souviens-toi comment vous avez roulé sur le sable tous les deux. Et comment tu as ressenti son énergie. Dès lors, je t'ai dit que les êtres inorganiques d'eau sont les plus embêtants. Ils sont dépendants et possessifs, et une fois qu'ils ont réussi à ficher leurs harpons, ils ne lâchent jamais.

– Et dans mon cas, qu'est-ce que cela signifie, don Juan ?

– Cela signifie des ennuis. L'être inorganique particulier qui dirige tout est celui qu'en ce jour funeste tu as plaqué au sol. Avec les années, il s'est habitué à toi. Il te connaît intimement. »

Je fis remarquer à don Juan que la simple idée d'un être inorganique me connaissant intimement me causait la nausée.

« Lorsque les rêveurs se rendent compte que les êtres inorganiques n'ont aucun attrait, c'est en général trop tard, car les êtres inorganiques les ont déjà dans la poche. »

Au tréfonds de moi-même, je sentais qu'il parlait de manière abstraite de dangers qui, en théorie, peuvent se présenter, mais jamais en pratique. Secrètement, je restais convaincu qu'il n'existait aucune sorte de danger.

« Je ne laisserai pas les êtres inorganiques me séduire de quelque façon que ce soit, si c'est ce que vous envisagez.

– J'envisage qu'ils vont te jouer un tour. Tout comme ils en avaient joué un au nagual Rosendo. Ils vont te piéger, et tu ne verras ni ne suspecteras le piège. Ce sont des manipulateurs chevronnés. Et maintenant, ils ont inventé une fillette !

– Mais dans mon esprit, son existence ne fait pas le moindre doute, insistai-je.

– Il n'y a pas de fillette, dit-il sèchement. Cet amas d'énergie bleuâtre est un éclaireur. Un explorateur prisonnier dans le royaume des êtres inorganiques. Je t'avais dit que les êtres inorganiques sont comme des pêcheurs ; ils attirent et attrapent la conscience. »

Don Juan précisa qu'il croyait, sans la moindre hésitation, que l'amas d'énergie bleuâtre venait d'une dimension entièrement différente de la nôtre, qu'il était un éclaireur, retenu et englué telle une mouche dans une toile d'araignée.

Son image me répugna. Elle me gêna au point de me mettre mal à l'aise. Je lui en fis part, et il me signala que mon inquiétude au sujet de l'éclaireur prisonnier le tourmentait jusqu'au désespoir.

« Mais pourquoi vous faire tant de souci ? lui demandai-je.

– Quelque chose mijote dans ce sacré monde, et je ne peux pas imaginer quoi. »

Pendant tout le temps que je passais avec don Juan et ses compagnons, je ne rêvais pas une seule fois du monde des êtres inorganiques. Comme à mon habitude, je focalisais mon attention de rêver sur les éléments de mes rêves et je changeais aussi de rêve. En remède à mes inquiétudes, don Juan me fit regarder fixement les nuages et les sommets des montagnes lointaines. Il en résulta une sensation immédiate d'être à la hauteur des nuages, ou bien sur les sommets des montagnes lointaines.

« Je suis très satisfait, mais cependant très inquiet, me dit don Juan en commentant mon application. On t'apprend des merveilles et tu ne le sais même pas. Et je ne parle pas de ce que je t'apprends.

– Vous parlez des êtres inorganiques, n'est-ce pas ?

– Oui, les êtres inorganiques. Je te recommande de ne fixer ton regard sur rien ; regarder fixement était une technique des sorciers d'antan. Ils avaient la possibilité d'atteindre leurs corps d'énergie en un clin d'œil, seulement en regardant fixement des objets de leur prédilection. Une technique très remarquable, mais sans intérêt pour un sorcier moderne. Elle n'amène rien qui puisse accroître notre sobriété et notre aptitude à rechercher la liberté. Tout ce à quoi elle conduit est de nous clouer au concret, une situation vraiment peu souhaitable. »

Don Juan souligna qu'au moment où je fusionnerais mon attention de rêver avec mon attention de tous les jours, je deviendrais un homme insupportable, sauf si je me contrôlais parfaitement. Il existait, me dit-il, un fossé inquiétant entre ma mobilité dans la seconde attention et mon immobilité dans ma conscience du monde de tous les jours. Il fit remarquer que le fossé était si béant que dans ma vie quotidienne, j'étais presque un idiot, alors que dans la seconde attention, j'étais un dément.

Avant de revenir chez moi, en dépit du fait que don Juan m'ait conseillé de n'en parler à personne, je pris la liberté de discuter de mes visions de rêver dans le monde des ombres avec Carol Tiggs. Elle marqua sa compréhension et un intéressement manifeste car elle était, en tout point, ma contrepartie. Lorsqu'il apprit que je lui avais confié mes ennuis, don Juan montra clairement son agacement. Je me sentis plus morveux que jamais. Mon apitoiement sur moi-même me submergea, et je me mis à me plaindre de toujours faire ce qu'il ne fallait pas.

« Tu n'as rien fait, pas encore, répliqua sèchement don Juan. Ça, au moins, je le sais. »

Il avait bien raison ! Au cours de ma session suivante de rêver, une fois de retour chez moi, les portes de l'enfer s'ouvrirent. Comme bien d'autres fois, j'avais atteint le monde des ombres ; la seule différence fut la présence immédiate de la forme

160

d'énergie bleue. Elle était parmi les autres êtres d'ombre. Il me sembla possible que son amas eût auparavant été présent, auquel cas je ne l'avais pas remarqué. Aussitôt que je le localisai mon attention de rêver fut, d'une façon inéluctable, attirée par cet amas d'énergie. En quelques secondes, je le côtoyai. Comme à l'accoutumée, les autres ombres vinrent vers moi, cependant je ne leur accordai pas la moindre attention.

Tout à coup, la forme ronde et bleue se transforma en la fillette que j'avais déjà vue. Elle tendit son fin, délicat et long cou d'un côté, et dit dans un murmure à peine perceptible : « Aidez-moi ! » L'avait-elle vraiment dit ? Ou m'imaginais-je qu'elle l'avait dit ? Le résultat fut le même : je restais figé sur place mis en alerte par une véritable inquiétude. Je ressentis un frisson, mais pas dans ma masse d'énergie. Je ressentis un frisson dans une autre partie de moi-même. Pour la première fois, j'étais parfaitement conscient que mon expérience existait entièrement séparée de mes perceptions sensorielles. Je faisais l'expérience du monde des ombres, et ce avec tout ce qu'implique ce que je considère normalement comme étant faire l'expérience : j'étais capable de penser, d'évaluer, de prendre des décisions ; j'avais une continuité psychologique. En d'autres mots, j'étais moi-même. La seule partie de moi-même qui manquait était mon moi sensoriel. Je n'avais plus de sensations corporelles. Toute mon information m'atteignait par la vue et l'ouïe. Ma rationalité dut alors faire face à un étrange dilemme : voir et entendre, étaient-ce des facultés physiques ou des qualités de la vision que je vivais ?

« Vous voyez et entendez réellement, me dit la voix de l'émissaire qui surgit dans mes pensées. C'est la magnificence de ce lieu. Avec voir et entendre, vous pouvez faire l'expérience de toutes choses, sans même respirer. Ce n'est pas rien, ça ! Vous n'avez pas besoin de respirer ! Vous pouvez aller partout dans l'univers sans respirer. »

Une très inquiétante vague d'émotion me traversa et, une fois de plus, je ne la ressentais pas là, dans le monde des ombres. Je la ressentais dans un autre endroit. L'évidente et cependant diffuse constatation qu'il y avait une connexion vitale entre le moi qui vivait l'expérience et une source d'énergie, une source de perceptions sensorielles située ailleurs, créa en moi une profonde agitation. Il me vint à l'idée que cet ailleurs était mon corps physique, endormi dans mon lit.

Dès cette pensée, les êtres d'ombre se dispersèrent, et de nouveau la fillette resta seule dans mon champ de vision. Je la regardai et je fus convaincu que je la connaissais. Elle semblait être sur le point de chanceler, comme si elle allait s'évanouir. Une vague d'affection sans bornes pour elle me submergea.

J'essayai de lui parler, mais j'étais incapable d'émettre des sons. Ainsi, je compris clairement que tous mes dialogues avec l'émissaire avaient été déclenchés et menés grâce à l'énergie de l'émissaire. Abandonné à mes propres moyens, j'étais impuissant. Alors je tentai de communiquer mes pensées à la fillette. Sans le moindre succès. Nous étions séparés par une membrane d'énergie que je ne pouvais pas percer.

La fillette semblait comprendre mon désespoir et communiqua vraiment avec moi, directement dans mes pensées. Elle m'exprima, essentiellement, ce que don Juan m'avait déjà affirmé : qu'elle était un éclaireur pris dans les filets de ce monde. Puis elle ajouta qu'elle avait adopté la forme d'une petite fille parce que cette forme m'était, ainsi qu'à elle, familière, et qu'elle avait besoin de mon aide, tout autant que moi de la sienne. Elle me confia cela dans une bouffée de sentiments énergétiques qui furent comme des mots qui me parvinrent tous instantanément. Bien que ce fût la première fois qu'une chose de la sorte m'avait été destinée, je n'éprouvais aucune difficulté pour la comprendre.

En revanche, je ne savais que faire. Je tentai de lui transmettre mon sentiment de désarroi. Elle sembla me comprendre instantanément. D'un regard brûlant, elle m'implora silencieusement. Elle m'adressa un sourire, comme pour me faire savoir qu'elle me chargeait du soin de la libérer de ses chaînes. Quand, par une pensée, je rétorquai que je n'en avais pas la moindre possibilité, elle me donna l'impression d'une enfant hystérique dans les affres du désespoir.

Frénétiquement, je m'efforçai de lui parler. La fillette pleurait, comme pleure une enfant de son âge. Un tel désespoir et une telle peur m'étaient insupportables. Je me précipitai vers elle, mais sans aucun effet. Ma masse énergétique passa à travers elle. Mon but était de la soulever et de l'emporter avec moi.

Maintes et maintes fois, j'essayai de nouveau ; au point de m'épuiser totalement. Je m'arrêtai pour envisager comment poursuivre mon projet. J'avais peur de tarir mon attention de rêver car, alors, j'aurais perdu toute vision d'elle. Je pensais que les êtres inorganiques ne me reconduiraient plus jamais en ce lieu particulier de leur royaume. Il me semblait aussi que c'était ma dernière visite : une visite qui comptait.

À ce moment-là, je fis quelque chose d'impensable. Avant que ne se dissipe mon attention de rêver, je hurlai clairement et distinctement mon intention de fusionner mon énergie avec celle de cet éclaireur prisonnier, et de le libérer.

7

L'ÉCLAIREUR BLEU

Je rêvais un rêve absolument absurde. Carol Tiggs était à mes côtés. Elle me parlait, bien que je ne puisse pas saisir le moindre sens dans ses propos. Don Juan était, lui aussi, dans mon rêve, comme d'ailleurs tous les membres de son groupe. Il me semblait qu'ils tentaient de me tirer d'un monde de brouillard jaunâtre.

Après de très sérieux efforts, au cours desquels je les perdis et repris de vue à plusieurs reprises, ils réussirent à m'extraire de ce lieu. Puisque je ne pouvais pas comprendre la raison de toute cette expédition, j'en conclus que j'avais un rêve normal, incohérent.

Quand je me réveillai, je fus foudroyé de surprise. J'étais dans un lit, dans la maison de don Juan, incapable de bouger, vide d'énergie. Bien qu'immédiatement conscient de la gravité de ma situation, je ne savais quoi en penser. J'avais la vague sensation d'avoir perdu mon énergie, suite à une fatigue provoquée par ma pratique de rêver.

Les compagnons de don Juan semblaient très touchés par ce qui m'arrivait. Ils ne cessaient de venir dans ma chambre, l'un après l'autre. Chacun ne restait là qu'un moment, dans un silence total, jusqu'à ce que vienne le suivant. Il me semblait qu'ils prenaient des tours de garde. J'étais bien

164

trop faible pour les questionner sur leur comportement.

Au cours des jours qui suivirent, je commençais à me sentir mieux, et ils amorcèrent quelques approches pour me parler de mon rêve. Au début, j'ignorais ce qu'ils voulaient de moi. Puis, vu leurs questions, il me vint à l'esprit qu'ils étaient obsédés par les êtres d'ombre. Tous paraissaient indiscutablement effrayés, et ils me tenaient approximativement le même discours. Ils insistaient sur le fait que jamais ils n'avaient été dans le monde des ombres. Certains avouèrent même qu'ils ignoraient jusqu'à son existence. Leurs déclarations et leurs réactions amplifiaient ma sensation de perplexité et ma crainte.

Les questions que tous posaient étaient :

« Qui t'a conduit dans ce monde ? Comment as-tu pu savoir comment y aller ? »

Lorsque je déclarai que les éclaireurs m'avaient montré ce monde, ils ne voulurent pas me croire. De toute évidence, ils supposaient que j'avais été là-bas, mais puisqu'il leur était impossible de prendre leur propre expérience comme référence, ils restaient incapables de sonder le mystère de mon récit. Malgré tout, ils désiraient savoir tout ce que je pourrais leur raconter sur les êtres d'ombre et leur royaume. Je cédai à leurs désirs. Excepté don Juan, ils s'asseyaient tous sur mon lit, suspendus à mes lèvres. Néanmoins, chaque fois que je les questionnais sur ma situation, ils s'enfuyaient, exactement comme les êtres d'ombre.

Ils évitaient à tout prix le contact physique avec moi, ce qui ne s'était jamais produit auparavant. Et cette réaction me perturba. Ils restaient à distance, comme si j'avais la peste. Leur attitude m'inquiétait tant que je me sentis obligé d'exiger une explication. Ils dénièrent agir ainsi, semblèrent insultés et allèrent même jusqu'à me prouver qu'il n'en était rien. La situation tendue qui en découla me fit, malgré tout, rire de bon cœur. En dépit de tous leurs efforts, chaque fois qu'ils voulaient m'embrasser leurs corps se raidissaient.

Florinda, dans le groupe la plus proche de don Juan, était la seule qui me prodiguait physiquement son attention et qui tenta de m'expliquer ce qui se passait. Elle me raconta que dans le monde des êtres inorganiques, j'avais été déchargé de mon énergie, puis rechargé à nouveau, mais que ma nouvelle charge énergétique était un tant soit peu gênante pour la plupart des autres.

Tous les soirs, Florinda me bordait comme si j'étais un invalide. Elle me parlait même comme à un bébé, ce qui déclenchait les crises de rire des autres. Mais peu importe comment elle se moquait de moi, j'appréciais ses attentions car elles semblaient sincères.

J'ai déjà rapporté ma rencontre avec Florinda. Elle est, de très loin, la plus belle femme que j'aie rencontrée. Une fois je lui confiai, sincèrement, qu'elle aurait pu être mannequin dans les journaux de mode.

« D'un journal de 1910 », rétorqua-t-elle.

Bien que d'un âge mûr, Florinda n'avait rien d'une personne âgée. Elle rayonnait et vibrait de jeunesse. Lorsque je questionnai don Juan sur cette inhabituelle vigueur, il répliqua que la sorcellerie l'avait conservée dans un état vivifiant. L'énergie des sorciers, fit-il remarquer, est perçue par l'œil comme jeunesse et vigueur.

Une fois satisfaite leur première curiosité à propos du monde des ombres, les compagnons de don Juan cessèrent de venir dans ma chambre et leurs conversations s'en tenaient aux banales questions sur ma santé. Toutefois, chaque fois que je voulais me lever, il y avait toujours quelqu'un pour me remettre gentiment au lit. Je ne désirais pas leurs soins, mais il semblait que j'en avais besoin ; j'étais faible. J'acceptais ce fait. Cependant, ce qui vraiment me préoccupait était que personne ne m'expliquait ce que je faisais au Mexique, alors que je m'étais couché à Los Angeles. À ma question lancinante, ils répondaient tous :

« Demande au nagual. Il est le seul à pouvoir te l'expliquer. »

Enfin, Florinda brisa l'étau.

« Tu as été attiré dans un piège, voilà ce qui t'est arrivé.

— Où fus-je piégé ?

— Dans le monde des êtres inorganiques, pour sûr. C'est bien le monde avec lequel tu étais en relation, depuis des années. N'est-ce pas ?

— Assurément, Florinda. Mais pouvez-vous me dire quelle sorte de piège ce fut ?

— Pas vraiment. Tout ce que je peux te dire est que là-bas tu perdis toute ton énergie. Mais ton combat fut sans reproche.

— Pourquoi suis-je malade ?

— Tu n'es pas malade d'une maladie ; tu as été énergétiquement blessé. Très sérieusement ; mais maintenant tu n'es plus que gravement blessé.

— Comment cela survint-il ?

— Tu es entré en combat mortel avec les êtres inorganiques, et tu as été vaincu.

— Florinda, je ne me souviens pas de m'être battu avec qui que ce soit.

— Que tu t'en souviennes ou non est immatériel. Tu combattis et tu fus surpassé. Contre ces maîtres manipulateurs, tu n'avais pas la moindre chance.

— Me suis-je battu avec les êtres inorganiques ?

— Oui. Tu as eu avec eux une confrontation fatale. J'ignore comment tu as pu survivre à leur assaut mortel. »

Elle refusa de m'en dire plus et laissa entendre que le nagual allait me rendre visite d'un jour à l'autre.

Le matin suivant, don Juan arriva. Il rayonnait de jovialité et fut très encourageant. Il annonça qu'il me rendait visite en sa capacité de docteur en énergie. Il m'examina en me fixant du regard de la tête aux pieds.

« Tu es presque guéri, conclut-il.

– Don Juan, que m'est-il arrivé ?

– Tu tombas dans le piège tendu à ton intention par les êtres inorganiques, répondit-il.

– Comment ai-je atterri ici ?

– Là réside un grand mystère, c'est certain, dit-il. »

Et il sourit joyeusement, tentant manifestement d'amenuiser le sérieux de l'affaire.

« Les êtres inorganiques se sont emparés de toi, de ton corps et du reste. En premier lieu, lorsque tu suivis un de leurs éclaireurs dans leur royaume, ils se saisirent de ton corps d'énergie, et ensuite ils allèrent chercher ton corps physique. »

Les compagnons de don Juan furent manifestement bouleversés par cette révélation. L'un d'eux demanda à don Juan si les êtres inorganiques pourraient enlever n'importe qui. Il répondit que, sans le moindre doute, ils pourraient le faire. Il nous rappela que le nagual Elias avait été pris dans cet univers, alors qu'il n'avait aucune intention d'y aller.

D'un hochement de tête, tous acquiescèrent. Don Juan continua de leur parler, en faisant toujours référence à moi à la troisième personne. Il indiqua que la conscience combinée d'un groupe d'êtres inorganiques avait tout d'abord épuisé mon corps d'énergie en m'obligeant à une explosion d'émotion : le désir de libérer l'éclaireur bleu. Puis la conscience combinée du même groupe avait tiré mon inerte masse physique dans leur monde. Don Juan spécifia que sans le corps d'énergie, l'on est rien moins qu'une motte de matière organique qui peut très facilement être manipulée par la conscience.

« Les êtres inorganiques sont assemblés comme les cellules de notre corps, poursuivit don Juan. Quand ils associent leurs consciences, ils sont imbattables. Nous arracher à nos amarres et nous plonger dans leur monde n'est alors pour eux

168

qu'une bagatelle. Particulièrement si quelqu'un se met bien en évidence et se rend disponible, ce qu'il fit. »

Soupirs et hoquets de surprise firent écho sur les murs. Tous semblaient sincèrement effrayés et inquiets.

Je voulus me plaindre et blâmer don Juan de ne m'avoir pas stoppé à temps, mais je me souvins qu'il s'était efforcé de me prévenir, de me faire changer de cap, maintes et maintes fois, sans succès. Don Juan était manifestement et parfaitement au courant de mes pensées. Il m'adressa un sourire de connivence.

« Ce qui te fait penser que tu es malade, poursuivit-il en s'adressant à moi, est que les êtres inorganiques déchargèrent ton énergie et la remplacèrent par la leur. C'est suffisant pour achever n'importe qui. En tant que nagual, tu possèdes un surcroît d'énergie ; par conséquent, tu survécus... de bien peu. »

Je signalai à don Juan que je me souvenais de moments, ici et là, dans un rêve incohérent au cours duquel j'étais dans un monde de brouillard jaune, et lui, Carol Tiggs, et les autres, me tiraient de là.

« Le royaume des êtres inorganiques apparaît à l'œil comme un brouillard jaune, dit-il. Lorsque tu pensas que tu avais un rêve incohérent, pour la première fois tu regardais avec tes yeux physiques l'univers des êtres inorganiques. Et, aussi surprenant que cela puisse te paraître, pour nous aussi ce fut la première fois. Du brouillard, nous n'avions connaissance que par les histoires de sorciers, nous n'en avions jamais fait l'expérience. »

Rien de ce qu'il disait n'avait pour moi le moindre sens. Don Juan me certifia que, vu mon manque d'énergie, une explication plus complète s'avérait impossible. Il fallait que je me satisfasse, précisa-t-il, de ce qu'il venait de me dire et de comment je le comprenais.

« Je n'y comprends rien du tout, insistai-je.

– Alors, tu n'as rien perdu, dit-il. Quand tu seras plus fort, tu répondras de toi-même à tes questions. »

Je signalai à don Juan que j'avais des accès de fièvre. Ma température montait brusquement et, pendant que j'étais brûlant et en sueur, j'avais d'extraordinaires et perturbants aperçus de ma situation.

De son regard fixe, don Juan parcourut l'intégralité de mon corps. Il en conclut que j'étais sous le coup d'un choc énergétique. La perte d'énergie m'affectait temporairement, et ce que j'interprétais comme des accès de fièvre étaient, intrinsèquement, des explosions d'énergie au cours desquelles je reprenais momentanément contrôle de mon corps d'énergie et savais alors tout ce qui m'était arrivé.

« Fais un effort, et dis toi-même ce qui t'arriva dans le monde des êtres inorganiques », m'ordonna-t-il.

Je lui confiai que, de temps à autre, j'éprouvais la claire impression que lui et ses compagnons avaient été dans ce monde avec leurs corps physiques et m'avaient arraché de l'étreinte des êtres inorganiques.

« C'est exact ! s'exclama-t-il. Tu vas mieux. Maintenant, transforme cette impression en la vision de ce qui se passa. »

Quels que fussent mes efforts, j'étais incapable de faire ce qu'il me demandait. Cet échec me causa une fatigue inhabituelle, qui semblait dessécher l'intérieur de mon corps. Avant que don Juan ne quitte la pièce, je lui fis remarquer combien me pesait mon état d'anxiété.

« Ça ne veut rien dire, répondit-il sans y attacher la moindre importance. Regagne ton énergie, et cesse de te tourmenter avec ces absurdités. »

Plus de deux semaines s'écoulèrent avant que, graduellement, je fasse mon plein d'énergie. Néanmoins, je continuais à m'inquiéter de tout, principalement de ne plus me connaître moi-même. En effet, j'avais remarqué une touche de froideur nouvelle chez moi, un détachement que j'avais attribué à mon sévère manque d'énergie. Mais alors, je me rendis compte qu'il s'agissait d'une nouvelle facette de mon être, une caractéristique qui me faisait en permanence perdre mon synchronisme. Pour enfin parvenir à faire resurgir les sentiments qui me sont propres, il me fallut les invoquer et en fait attendre le moment qu'ils réapparaissent dans mon esprit.

Une autre caractéristique de mon être était cette étrange nostalgie qui m'envahissait de temps à autre ; il s'agissait d'un sentiment si puissant et si épuisant que, lorsqu'il s'imposait, je déambulais sans cesse dans la pièce pour le dissiper. Cette nostalgie persista jusqu'à ce que je fasse usage d'un autre nouveau venu dans ma vie : un strict contrôle de moi-même, si neuf et si fort qu'il ajoutait de l'huile sur le feu de mon inquiétude.

Vers la fin de la quatrième semaine, tout le monde me proclama enfin guéri. Ils espacèrent sérieusement leurs visites, et je passais la plupart de mon temps seul, à dormir. Le repos et le calme furent tels que mon niveau d'énergie monta notablement. Je me sentais de nouveau moi-même. Je recommençai à faire des exercices physiques.

Un jour, vers midi, après un déjeuner léger, je regagnai ma chambre pour une sieste. Juste avant de sombrer dans un sommeil profond, je m'agitais dans mon lit à la recherche d'une position confortable, quand une étrange pression sur mes tempes me fit rouvrir les yeux. La fillette du monde des êtres inorganiques était là, immobile, au pied de mon lit, me scrutant de ses yeux froids et bleu acier.

Je sautai de mon lit et hurlai si fort que trois des compagnons de don Juan entrèrent dans la pièce avant même que je n'achève mon hurlement. Ils étaient sidérés. Terrifiés, ils observaient la fillette qui s'avançait vers moi arrêtée seulement par les limites de mon être physique lumineux. Nous nous dévisageâmes pendant une éternité. Elle me disait quelque chose qu'en premier lieu je ne pouvais pas saisir mais qui, l'instant suivant, devint aussi clair que le son d'une cloche. Elle me dit que pour comprendre ce qu'elle disait, je devais transférer ma conscience de mon corps physique à mon corps d'énergie.

À ce moment-là, don Juan arriva. La fillette et don Juan se dévisagèrent, puis, sans un mot, don Juan fit demi-tour et sortit de la pièce. La fillette le suivit et passa la porte dans les frous-frous de sa robe.

Le choc que cette scène avait déclenché parmi les compagnons de don Juan était indescriptible. Ils avaient perdu leur sang-froid. Sans le moindre doute, ils avaient tous vu la fillette sortir de la pièce à la suite du nagual.

Moi-même, j'étais sur le point d'exploser. Je me sentis m'évanouir et je dus m'asseoir. La présence de la fillette m'avait comme donné un coup au plexus solaire. Elle ressemblait étonnamment à mon père. Des vagues d'émotion me submergèrent. Je me demandai la signification de cette scène jusqu'à en avoir la nausée.

Lorsque don Juan revint dans ma chambre, j'avais repris un brin de contrôle sur moi-même. L'attente de savoir ce qu'il allait dire à propos de la fillette me donnait le souffle court. Tous étaient aussi énervés que moi. Ils parlaient tous ensemble à don Juan, et tout à coup s'esclaffèrent en se rendant compte de la situation. Leur souci dominant était de savoir s'il existait quelque chose de commun dans la façon dont chacun avait perçu l'image de l'éclaireur. Ils en conclurent qu'ils avaient vu une fillette de six ou sept ans, très mince, avec de splendides traits angulaires. Ils avaient aussi tous remarqué ses yeux bleu acier, brûlants de silencieuse émotion qui, selon eux, exprimaient gratitude et loyauté.

En ce qui concerne la fillette, je pouvais corroborer chacun des détails qu'ils décrivaient. Ses yeux étaient si intenses et si renversants qu'ils avaient provoqué en moi comme une douleur. J'avais ressenti le poids de son regard sur ma poitrine.

La sérieuse question que tout comme moi se posaient les compagnons de don Juan visait les implications de cet événement. Tous furent d'accord sur le fait que l'éclaireur était une quantité d'énergie étrangère qui s'était infiltrée au travers des murs séparant la seconde attention de l'attention du monde quotidien. Ils affirmèrent que, puisqu'ils ne rêvaient pas et que, malgré cela, ils avaient tous vu l'énergie étrangère projetée sous la forme d'une enfant d'homme, cette enfant devait exister.

Ils arguèrent qu'il était certain qu'il devait y avoir eu des centaines, sinon des milliers, de cas au cours desquels de l'énergie étrangère s'était glissée, sans être remarquée, au travers des barrières naturelles de notre monde d'hommes, mais que, dans l'histoire de leur lignée, n'existait pas une seule mention concernant un événement de cette nature. En prenant conscience que pas une seule histoire de sorcier ne rapportait ce thème, leur inquiétude s'amplifia.

L'un d'eux questionna don Juan :

« Est-ce la première fois dans l'histoire de l'humanité que cela s'est produit ?

— Je pense que ça survient tout le temps, répondit-il, mais jamais d'une façon aussi manifeste, aussi volontaire.

— Que cela signifie-t-il pour nous ? demanda un autre.

— Rien pour nous, mais tout pour lui », dit-il en me désignant du doigt.

Un silence gênant gagna toute l'assemblée. Pendant un moment don Juan fit les cent pas, puis il stoppa en face de moi et me perça du regard tout en donnant l'impression de quelqu'un qui ne parvient pas à trouver ses mots pour exprimer l'importance de ce qu'il vient de réaliser.

« Je ne peux même pas évaluer la portée de ce que tu as fait, me dit enfin don Juan d'un ton perplexe. Tu tombas dans un piège, mais pas dans le genre de piège qui m'inquiétait. Ce piège fut conçu uniquement pour toi, et il était plus fatal que tout ce que j'aurais pu envisager. Je m'inquiétais de la possibilité que tu succombes à la flatterie ou au plaisir d'être servi. Ce que je n'avais jamais prévu, c'est que les êtres inorganiques te tendraient un piège basé sur ton inhérente aversion à toutes chaînes. »

Une fois, il y avait déjà quelque temps, don Juan avait comparé ses réactions et les miennes aux choses qui dans le monde des sorciers nous contraignaient le plus. Il m'avait dit, sans le moindre apitoiement sur lui-même, que, bien qu'il en eût le profond désir et s'y fût efforcé, il n'avait jamais été capable d'inspirer le genre d'affection que son maître, le nagual Julian, suscitait chez les gens.

« Ma franche réaction, et je la déballe pour que tu l'examines, est d'être capable de dire et de parfaitement comprendre que ce n'est pas mon destin de susciter une affection totale et aveugle. Ainsi soit-il !

« Ta franche réaction est que tu ne supportes pas le moindre enchaînement, et tu paierais de ta vie pour le briser. »

En toute sincérité, je lui avais fait part de mon désaccord et du sentiment qu'il exagérait quelque peu. Ma position n'était pas aussi tranchée que ça.

« Ne te fais pas de souci, avait-il repris en riant, la sorcellerie c'est agir. Lorsque le moment viendra, tu mettras en œuvre ta passion tout comme moi je le fais avec la mienne. La mienne est d'accepter mon destin, non pas passivement, comme un idiot, mais activement, comme un guerrier. La tienne est de sauter sans toquade ni préméditation pour briser les chaînes de l'autre. »

Don Juan expliqua qu'en fusionnant mon énergie avec celle de l'éclaireur, j'avais réellement cessé d'exister. Toute ma réalité physique avait été transportée dans le royaume des êtres inorganiques et, sans l'éclaireur qui guida don Juan et ses compagnons jusque-là où j'étais, soit je serais mort, soit je serais resté dans ce monde, inextricablement perdu.

« Pourquoi l'éclaireur vous a-t-il guidé jusqu'à moi ?

— Cet éclaireur est un être venu d'une autre dimension, mais il est capable de sentiments. Actuellement, c'est une fillette et, en tant que telle, elle me confia qu'afin d'acquérir l'énergie indispensable pour briser la barrière qui l'avait piégée dans le monde des êtres inorganiques, elle avait dû prendre toute la tienne. C'est maintenant sa partie humaine. Quelque chose semblable à de la gratitude la conduisit vers moi. Dès que je l'ai aperçue, j'ai su que c'en était fait de toi.

— Qu'avez-vous fait alors ?

— J'ai appelé tous ceux que j'ai pu contacter, spécialement Carol Tiggs, et sur-le-champ, nous sommes allés dans le royaume des êtres inorganiques.

— Pourquoi Carol Tiggs ?

— Tout d'abord parce qu'elle a une énergie inépuisable, et ensuite, parce qu'elle devait se familiariser avec l'éclaireur. Nous avons tous gagné quelque chose d'inestimable dans cette expérience. Carol Tiggs et toi, vous avez eu l'éclaireur. Et le reste d'entre nous, nous avons eu une raison de rassembler nos réalités physiques et de les placer sur nos corps d'énergie : nous devînmes énergie.

— Comment avez-vous, tous ensemble, réussi ça, don Juan ?

– À l'unisson, nous avons déplacé nos points d'assemblage. Notre impeccable intention de te sauver le permit. En un clin d'œil, l'éclaireur nous amena là où tu gisais, à moitié mort, et Carol Tiggs t'en sortit. »

Son récit n'avait pour moi aucun sens. Lorsque je tentai de signifier ma position, don Juan éclata de rire.

« Comment peux-tu vouloir comprendre ça, alors que tu n'as même pas assez d'énergie pour sortir de ton lit », rétorqua-t-il ?

Je lui fis part de ma certitude d'en savoir beaucoup plus que je ne voulais, en toute rationalité, bien admettre, mais que quelque chose bloquait totalement ma mémoire.

« Le manque d'énergie, c'est ce qui bloque ta mémoire, dit-il. Quand tu auras assez d'énergie, ta mémoire fonctionnera parfaitement.

– Voulez-vous dire que, si je le désirais, je pourrais me souvenir de tout ?

– Pas vraiment. Tu peux désirer tant que tu veux, mais si ton niveau d'énergie n'est pas ajusté à l'importance de ce que tu sais, tu peux tout aussi bien dire adieu à ta connaissance : jamais plus elle ne te sera disponible.

– Alors, que dois-je faire, don Juan ?

– L'énergie a tendance à se cumuler ; si tu suis impeccablement la voie du guerrier, à un moment donné ta mémoire s'ouvrira. »

J'avouai que ce qu'il venait de dire créait en moi l'absurde sensation que je me complaisais dans un apitoiement sur moi-même, alors que tout allait bien.

« Ce n'est pas uniquement de la complaisance, dit-il. Il y a quatre semaines, tu étais énergétiquement mort. Aujourd'hui, tu es simplement assommé. Ce qui te fait cacher ta connaissance, c'est d'être assommé et de manquer d'énergie. Tu connais probablement le monde des êtres inorganiques mieux que n'importe lequel d'entre nous.

Ce monde était l'affaire exclusive des sorciers d'antan. Nous t'avons tous dit que nous ne connaissons ce monde que par les histoires de sorciers. Très sincèrement, je dois dire qu'il est extraordinairement étrange pour moi que tu sois devenu, de ton propre chef, une autre source d'histoires de sorciers. »

Je répétai qu'il m'était impossible de croire que j'eusse fait une chose qu'il n'eût pas lui-même accomplie. Mais, en même temps, je n'arrivais pas à croire qu'il ne se moquait pas de moi.

« Je ne te flatte ni me moque de toi, dit-il visiblement agacé. Je ne fais que déclarer un fait de sorcellerie. En savoir plus sur ce monde que n'importe lequel d'entre nous ne devrait pas être une raison de satisfaction. Cette connaissance ne procure aucun avantage. En fait, en dépit de tout ce que tu sais, tu n'aurais pas pu te sauver toi-même. Nous t'avons sauvé parce que nous t'avons trouvé. Mais sans l'aide de l'éclaireur, il aurait été futile de chercher à te retrouver. Tu étais perdu si loin dans l'infinité de ce monde, que j'en tremble rien que d'y penser. »

Vu mon état d'esprit, je ne trouvais pas du tout étrange de percevoir une vague d'émotion gagner tous les compagnons et les apprentis de don Juan. Seule Carol Tiggs demeurait impassible. Elle semblait avoir accepté son rôle. Elle faisait un avec moi.

« Tu libéras l'éclaireur, continua don Juan, mais tu donnas ta vie. Ou pire encore, tu donnas ta liberté. Les êtres inorganiques laissèrent partir l'éclaireur et te gardèrent en échange.

— Je n'arrive pas à y croire, don Juan. Non que je ne vous fasse pas confiance, comprenez-moi, mais vous décrivez une manœuvre si sournoise que j'en suis abasourdi.

— Ne la considère pas comme sournoise, car ainsi faisant tu mettrais simplement le tout dans une boîte, et n'en parlons plus ! Les êtres inorganiques sont en permanence en quête de conscience et d'énergie. Si tu leur amènes les deux, que veux-tu qu'ils fassent ? Te souffler des baisers du trottoir d'en face ! »

Je savais que don Juan avait raison. Toutefois, je ne pouvais pas m'en tenir à cette certitude trop longtemps ; la clarté persistait à me filer entre les doigts.

Les compagnons de don Juan continuèrent à lui poser des questions. Ils désiraient connaître s'il savait que faire avec l'éclaireur.

« Oui, j'y ai pensé. C'est un problème très sérieux, un problème que le nagual ici présent doit résoudre, dit-il en me pointant du doigt. Carol Tiggs et lui sont les seuls à pouvoir libérer l'éclaireur qui, lui aussi, le sait. »

Naturellement, je lui posai la seule question possible :

« Et comment pouvons-nous le libérer ?

– Plutôt que je te dise comment faire, une meilleure et bien plus exacte façon de le découvrir existe, dit don Juan avec un large sourire.

« Demande à l'émissaire. Les êtres inorganiques ne peuvent pas mentir, tu le sais. »

8

LA TROISIÈME PORTE DE RÊVER

« La troisième porte de rêver est atteinte lorsque tu t'aperçois que tu es dans un rêve, en train de regarder quelqu'un endormi, dit don Juan. Et tu découvres que ce quelqu'un, c'est toi. »

Mon niveau d'énergie était alors soumis à une telle tension que, bien qu'il ne m'eût fourni aucune autre information à ce sujet, j'abordai sur-le-champ cette troisième tâche. Dans ma pratique de rêver, la première chose que je remarquai fut qu'une impulsion d'énergie réorganisa immédiatement la concentration de mon attention de rêver. Maintenant, je pouvais la focaliser sur mon réveil dans un rêve, avec pour objectif de me voir moi-même endormi. Aller dans le monde des êtres inorganiques n'avait plus de raison d'être.

Peu de temps après, je me trouvais dans un rêve me regardant dormir. Immédiatement, car le rêve avait eu lieu alors que j'étais chez lui, j'en fis part à don Juan.

« Pour chaque porte de rêver, il y a deux phases, dit-il. Comme tu le sais, la première consiste à atteindre cette porte ; la seconde, à la traverser. En rêvant ce que tu viens de rêver, te voir endormi, tu es arrivé à la troisième porte. La seconde phase consiste à te déplacer, une fois que tu t'es vu endormi.

« À la troisième porte de rêver, tu commences

volontairement à fusionner la réalité de rêver avec la réalité du monde quotidien. Voilà l'exercice, ce que les sorciers nomment : compléter le corps d'énergie. La fusion des deux réalités doit être si parfaite qu'il te faut encore plus de fluidité que jamais. À la troisième porte, observe tout avec le plus grand soin et la plus intense curiosité. »

Je lui fis remarquer que ses recommandations étaient trop énigmatiques et n'avaient pas la moindre signification pour moi :

« Que voulez-vous dire par le plus grand soin et la plus intense curiosité ?

– À la troisième porte, nous avons tendance à nous perdre dans les détails, répliqua-t-il. Voir les choses avec le plus grand soin et la plus intense curiosité signifie résister à la tentation quasiment irrésistible de plonger dans les détails.

« À la troisième porte, l'exercice donné est, comme je l'ai dit, de consolider le corps d'énergie. Les rêveurs commencent à forger le corps d'énergie en accomplissant les exercices des première et seconde portes. Lorsqu'ils atteignent la troisième porte, le corps d'énergie est prêt à naître, ou disons d'une façon plus appropriée, qu'il est prêt à agir. Malheureusement, cela veut aussi dire qu'il est prêt à être hypnotisé par les détails.

– Que veut dire être hypnotisé par les détails ?

– Le corps d'énergie est tel un enfant qui aurait été emprisonné sa vie durant. Dès l'instant où il est libre, il s'imprègne de tout ce qu'il peut trouver, et je dis bien, tout. Chaque détail insignifiant, minuscule, absorbe entièrement le corps d'énergie. »

Un silence gênant s'instaura. Je ne savais que dire. Je l'avais bien compris, mais rien dans mon expérience ne me permettait d'avoir une idée de ce que cela signifiait.

« Pour le corps d'énergie, le plus stupide des détails devient un monde, expliqua don Juan. L'effort que les rêveurs doivent fournir pour diriger le corps d'énergie est stupéfiant. Je sais combien te semble étrange l'injonction d'observer les choses avec le plus de soin et de curiosité, cependant, c'est la meilleure façon de décrire ce que tu devras accomplir. À la troisième porte, les rêveurs doivent éviter l'impulsion presque irrésistible de plonger dans tout, et ils l'évitent en étant si curieux, si désespérés d'entrer dans chaque chose, qu'ils ne se laissent emprisonner par rien en particulier. »

Don Juan précisa que ses recommandations, qu'il savait absurdes pour l'esprit, s'adressaient directement à mon corps d'énergie. Il insista, maintes et maintes fois, sur le fait que mon corps d'énergie devait rassembler toutes ses ressources pour agir.

« Mais mon corps d'énergie n'a-t-il pas été actif depuis toujours ?

– Une partie seulement, sinon tu n'aurais pas pu explorer le royaume des êtres inorganiques, répliqua-t-il. Maintenant, pour accomplir l'exercice de la troisième porte, l'intégralité de ton corps d'énergie doit être mise en œuvre. Par conséquent, en vue de faciliter les choses pour ton corps d'énergie, tu dois tenir en laisse ta rationalité.

– J'ai bien peur que vous ne cogniez à la mauvaise porte, dis-je. Après toutes les expériences que vous avez introduites dans ma vie, il ne me reste que bien peu de rationalité.

– N'ajoute rien. À la troisième porte, la rationalité est responsable de l'insistance avec laquelle nos corps d'énergie sont obsédés par d'inutiles détails. Donc, pour contrecarrer cette insistance, à la troisième porte nous avons besoin de fluidité irrationnelle, d'abandon irrationnel. »

Déclarer, comme don Juan, que chaque porte constitue un obstacle ne pourrait être plus exact. Pour accomplir l'exercice de la troisième porte, je dus travailler encore plus que pour les deux autres tâches combinées. Don Juan exerça sur moi une pression formidable. En outre, quelque chose d'autre s'était ajouté à ma vie : une réelle sensation de peur. Toute ma vie, j'avais été normalement et parfois exagérément effrayé d'une chose ou d'une autre, mais ce n'était rien comparé à la peur que j'éprouvais depuis mon combat avec les êtres inorganiques. Cependant, toute la richesse de l'expérience demeurait encore enfouie dans ma mémoire ordinaire. Ce n'était qu'en présence de don Juan que ces souvenirs revenaient à ma disposition.

Un jour, alors que nous étions dans le Musée national d'anthropologie et d'histoire de Mexico, je fis mention de cette étrange situation. Ce qui déclencha ma question fut qu'au moment même, je vivais l'étonnante faculté de pouvoir me souvenir de tout ce qui m'était arrivé au cours de mon association avec don Juan. Et cet état me rendait si libre, si audacieux et si léger que je dansais presque.

« Il se trouve que la présence du nagual induit un changement du point d'assemblage », dit-il.

Il me conduisit dans une des salles d'exposition du musée et me confia que ma question arrivait fort à propos, vu ce qu'il avait prévu de me dire.

« J'avais l'intention de t'expliquer que la position du point d'assemblage est tel un coffre où les sorciers conservent leurs archives. Lorsque ton corps d'énergie détecta mon intention et que tu posas ta question, j'en ai presque rougi. Le corps d'énergie a accès à la richesse de l'immensité. Laisse-moi te montrer l'étendue de sa connaissance. »

Il me demanda de réaliser un silence parfait. Il me rappela aussi que j'étais dans un état particulier de conscience puisqu'il avait, par sa présence, changé mon point d'assemblage. Il m'assura que mon silence parfait allait permettre aux sculptures de cette salle de me faire voir et entendre des choses inconcevables. Apparemment pour augmenter ma confusion, il ajouta que certaines des pièces archéologiques de cette salle avaient la faculté de produire, d'elles-mêmes, un changement du point d'assemblage, et que si je parvenais à un parfait état de silence, je serais témoin de scènes vécues par ceux qui avaient réalisé ces pièces.

Il conduisit alors la plus étrange visite d'un musée que j'aie faite. Il déambula autour de la salle en décrivant et en interprétant les stupéfiants détails de chacune des plus imposantes pièces. Selon lui, dans cette salle chaque pièce archéologique constituait des archives volontairement enregistrées par les gens de l'antiquité, des archives que don Juan, en tant que sorcier, pouvait me lire comme on lirait un livre.

« Ici, chaque pièce est conçue pour changer ton point d'assemblage, poursuivit-il. Fixe du regard n'importe laquelle, fais taire tes pensées, et découvre si oui ou non ton point d'assemblage peut être changé.

– Et comment saurais-je qu'il a changé ?

– Parce que tu verras et ressentiras des choses qui sont au-delà de ton habituelle portée. »

Je fixai les sculptures, et vis et entendis des choses que je ne suis pas en mesure d'expliquer. Avant cette expérience, j'avais avec le parti pris de l'anthropologue déjà examiné ces pièces, c'est-à-dire en ayant toujours à l'esprit les descriptions des érudits en la matière. Pour la première fois, leurs descriptions du rôle de ces pièces m'apparurent comme totalement marquées de préjugés, sinon complètement stupides. Ce que don Juan raconta à propos de ces pièces, et ce que je vis et entendis en les fixant du regard, étaient aux antipodes de tout ce que j'avais lu les concernant.

Je fus pris d'un tel malaise que je me sentis obligé de faire des excuses à don Juan pour ce que je croyais être ma suggestibilité. Il n'éclata pas de rire ni ne se moqua de moi. Patiemment, il expliqua que les sorciers furent capables de laisser des documents précis concernant leurs découvertes sur le point d'assemblage. Il soutint qu'afin d'extraire l'essence d'un récit écrit, il nous faut faire usage de notre sympathie, ou de notre participation par l'imagination pour, au-delà de la simple page, atteindre l'expérience elle-même. Cependant, puisque dans le monde des sorciers il n'y a pas de pages écrites, des archives complètes que l'on peut revivre au lieu de les lire sont inscrites dans la position du point d'assemblage.

Afin d'illustrer sa déclaration, don Juan parla des enseignements de la seconde attention par les sorciers. Ces enseignements, précisa-t-il, sont donnés quand le point d'assemblage de l'apprenti est ailleurs qu'à son emplacement normal. Ainsi, la position du point d'assemblage devient l'enregistrement de l'expérience. S'il désire jouer à nouveau cette expérience, l'apprenti doit revenir à la position occupée par le point d'assemblage au moment où fut donnée la leçon. En conclusion à cette remarque, don Juan rappela que revenir à toutes les positions qui ont été occupées par le point d'assemblage constitue un accomplissement des plus remarquables.

Pendant presque une année entière, don Juan ne me posa pas la moindre question sur ma troisième tâche de rêver. Puis un jour, à brûle-pourpoint, il voulut que je lui décrive toutes les variations de ma pratique de rêver.

La première chose que je mentionnai était une récurrence déconcertante. Pendant quelques mois, j'avais eu des rêves où je me trouvais en train de me regarder endormi sur mon lit. Le point curieux était la régularité de ces rêves ; ils se produisaient, comme réglés sur un calendrier, tous les quatre jours. Au cours des trois autres jours, rêver était tel qu'il avait été jusqu'alors : j'examinais tous les éléments possibles dans mes rêves, je changeais de rêves et, à l'occasion, comme poussé par une curiosité suicidaire, mais avec un sentiment de culpabilité, je suivais les éclaireurs. J'expliquais ce besoin comme une secrète accoutumance à une drogue. Je ne pouvais pas résister à la qualité de réalité de ce monde.

Au fond de moi-même, je me sentais lavé de toute responsabilité puisque don Juan m'avait suggéré de son propre chef de questionner l'émissaire de rêver pour savoir comment libérer l'éclaireur bleu cloué parmi nous. Il avait en tête que ma question devait être posée dans ma pratique de tous les jours, mais je détournai sa proposition afin qu'elle implique qu'il me faudrait questionner l'émissaire lorsque je serais dans son monde. En fait, la question qui me brûlait les lèvres était de savoir si les êtres inorganiques avaient bien tendu un piège à mon intention. L'émissaire me confirma non seulement que don Juan avait parfaitement raison, mais me donna toutes les instructions que Carol Tiggs et moi-même devions suivre pour libérer l'éclaireur.

« La régularité de tes rêves est une chose à laquelle je m'attendais, remarqua don Juan après m'avoir écouté.

— Pourquoi attendiez-vous une telle chose ?

— À cause de ta relation avec les êtres inorganiques.

— Ça, c'est un passé déjà oublié, don Juan. »

Je mentais avec l'espoir qu'il ne fouillerait plus ce sujet.

« Tu dis ça pour me faire plaisir, n'est-ce pas ? C'est inutile, je connais la vérité. Crois-moi, une fois que tu commences à jouer avec eux tu es " accro ". Ils seront toujours à tes trousses. Ou, pire encore, tu seras toujours aux leurs. »

Il me fixa du regard, et ma culpabilité devait être si apparente qu'il éclata de rire.

« La seule explication plausible de cette régularité est que les êtres inorganiques sont de nouveau à tes petits soins », dit-il d'un ton très sérieux.

Précipitamment, je changeai de sujet et lui racontai qu'un autre aspect notable de ma pratique de rêver était ma réaction lorsque je me voyais endormi. Cette vision me stupéfiait toujours tant qu'elle me clouait sur place jusqu'à ce que le rêve change, ou sinon elle m'effrayait à un tel point que je me réveillais, hurlant à m'en déchirer les tympans. Les jours où je savais que j'allais avoir ce rêve, j'avais peur de m'endormir.

« Tu n'es pas encore prêt pour une parfaite fusion de ta réalité de rêver avec ta réalité de tous les jours, conclut-il. Il te faut récapituler ta vie plus profondément.

– Mais j'ai récapitulé tout ce qui était possible, protestai-je. J'ai récapitulé pendant des années. Il n'y a plus rien de ma vie que je puisse me remémorer.

– Il doit y avoir beaucoup plus, déclara-t-il d'un ton inflexible, sinon, tu ne te réveillerais pas en hurlant. »

Je détestais l'idée de reprendre cette récapitulation. Je l'avais faite, et je croyais l'avoir faite à la perfection, donc j'estimais ne jamais avoir à la reprendre.

« La récapitulation de notre vie ne cesse jamais, peu importe la perfection avec laquelle nous l'avons accomplie auparavant, reprit don Juan. La raison pour laquelle la moyenne des gens manque de volonté dans leurs rêves est qu'ils n'ont jamais récapitulé, et que leurs vies sont pleines à ras bords d'émotions lourdement chargées, telles que souvenirs, espoirs, peurs, etc.

« Au contraire, suite à leur récapitulation, les sorciers sont relativement libres d'émotions pesantes et contraignantes. Et si quelque chose les bloque, comme tu es bloqué maintenant, ils présument qu'il y a encore une chose en eux qui n'est toujours pas assez claire.

– Récapituler est trop impliquant, don Juan. N'y a-t-il pas autre chose que je puisse faire à la place ?

– Non. Il n'y a rien. Récapituler et rêver vont main dans la main. Au fur et à mesure que nous régurgitons nos vies, nous devenons de plus en plus aériens. »

Don Juan m'avait fourni des instructions détaillées et parfaitement explicites pour conduire la récapitulation. Il s'agissait de revivre la totalité des expériences de notre vie personnelle en se souvenant du moindre détail. Il considérait la récapitulation comme le facteur essentiel de la redéfinition d'un rêveur et du redéploiement de son énergie. Il déclarait :

« La récapitulation libère l'énergie emprisonnée en nous, et sans la libération de cette énergie rêver n'est pas possible. »

Des années auparavant, don Juan m'avait fait établir une liste de tous les gens que j'avais rencontrés dans ma vie, en partant du présent. Il m'avait aidé à ordonner ma liste, en la divisant en domaines d'activités, tels les emplois que j'avais tenus, les écoles que j'avais fréquentées. Puis, il m'incita à aller de la première personne de la liste à la dernière, sans aucune exclusion, pour revivre chacune de mes interactions avec elles.

Il m'expliqua que récapituler un événement commence en arrangeant par la pensée tout ce qui est pertinent à ce qui est récapitulé. Arranger signifie reconstruire l'événement, pièce par pièce, en commençant par réunir tous les détails physiques de son environnement, puis en passant à la personne avec laquelle on a partagé une relation, et ensuite en revenant sur soi-même pour y examiner ses propres sentiments.

Don Juan m'enseigna que la récapitulation s'opère de pair avec une respiration naturelle et rythmique. De longues expirations sont faites pendant que la tête va doucement et délicatement de droite à gauche, et de longues inspirations alternent quand la tête va de gauche à droite. Il nommait cette action de déplacement de la tête d'un côté à l'autre : « éventer l'événement ». La pensée examine l'événement de son début à sa fin pendant que le corps évente, sans cesse, tout ce sur quoi se concentre la pensée.

Don Juan précisait que les sorciers de l'anti-quité, les inventeurs de la récapitulation, considé-raient la respiration comme un acte magique, donneur de vie et, par conséquent, ils en faisaient usage comme véhicule magique ; l'expiration pour rejeter l'énergie étrangère demeurée en eux depuis l'interaction avec l'être récapitulé, et l'inspiration pour retirer l'énergie qu'ils avaient eux-mêmes laissée derrière eux au cours de la relation.

Suite à ma formation académique, je pris la récapitulation pour un processus d'auto-analyse. Mais don Juan insista sur le fait qu'elle impliquait beaucoup plus qu'une psychanalyse intellectuelle. Il définissait la récapitulation comme un strata-gème de sorcier pour déclencher un infime mais ferme déplacement du point d'assemblage. Il expli-quait que, sous l'impact de la revue des actes et des sentiments, le point d'assemblage alterne entre sa position présente et celle occupée lorsque l'événe-ment récapitulé avait eu lieu.

Don Juan précisa que le raisonnement des sor-ciers d'antan fondant la récapitulation était leur conviction qu'il existe dans l'univers une inconce-vable force de dissolution qui fait vivre les orga-nismes en leur prêtant la conscience. Cette force fait aussi mourir les organismes, de manière à en extraire cette conscience prêtée enrichie des expé-riences de leurs vies. Don Juan expliqua le rai-sonnement des sorciers d'antan : ils croyaient que puisque cette force convoite l'expérience de notre vie, il était d'une suprême importance qu'elle puisse se satisfaire d'un fac-similé de l'expérience de notre vie : la récapitulation. Gratifiée par ce qu'elle recherche, la force de dissolution laisse les sorciers aller, libres d'élargir leur faculté de perce-voir et, en l'utilisant, d'atteindre les confins du temps et de l'espace.

Dès l'instant où je recommençai à récapituler, à mon extrême surprise ma pratique de rêver cessa automatiquement. Je questionnai don Juan sur cet entracte non désiré.

« Rêver réclame notre moindre miette d'énergie, répliqua-t-il. S'il existe dans notre vie une préoccupation importante, il n'est pas possible de rêver.

– Mais j'ai déjà été profondément préoccupé, dis-je, et jamais ma pratique ne cessa.

– Cela vient sans doute du fait que chaque fois que tu pensais être préoccupé, tu n'étais qu'un égomaniaque perturbé, dit-il en riant. Pour les sorciers, être préoccupé signifie que toutes les ressources d'énergie sont prises. C'est la première fois que tu as engagé la totalité de tes ressources. Les autres fois, même lorsque tu récapitulais, tu n'étais pas complètement absorbé. »

Cette fois-ci, don Juan me fournit un schéma nouveau de récapitulation. En récapitulant j'étais supposé construire, sans aucun ordre apparent, un puzzle des divers événements de ma vie.

« Mais alors, ce sera une vraie pagaille, protestai-je.

– Non, en aucune manière, m'assura-t-il. Ce sera la pagaille si tu laisses ton insignifiance choisir les événements dont tu vas effectuer la récapitulation. Laisse plutôt l'esprit choisir. Sois silencieux, et va vers les événements que te signale l'esprit. »

Les résultats de cette procédure de récapitulation me choquèrent à bien des niveaux. Je fus très impressionné de découvrir que lorsque je réduisais mes pensées au silence, une force en apparence indépendante de ma volonté plongeait dans les moindres détails d'une mémoire d'un événement de ma vie. Mais encore plus impressionnante était la configuration très ordonnée qui en résulta. Ce que j'avais cru devoir sombrer dans le chaos s'avéra être extrêmement efficace.

Je voulus savoir pourquoi don Juan ne m'avait pas fait récapituler ainsi la première fois. Il répliqua que la récapitulation comporte deux manches essentielles : la première se nomme formalité et rigidité, et la seconde fluidité.

Je n'avais pas la moindre idée de la différence que cette récapitulation allait avoir avec la première. Mon aptitude à me concentrer, acquise au cours de ma pratique de rêver, me permit d'examiner ma vie à une profondeur que jamais je n'aurais imaginée possible. Il me fallut plus d'une année pour voir et revoir tout ce qu'il me fut possible de retrouver concernant mon expérience de vie. À la fin, je dus reconnaître, comme l'avait annoncé don Juan, qu'il y avait eu une foule d'émotions lourdement chargées, cachées profondément en moi jusqu'à être virtuellement inaccessibles.

De cette seconde récapitulation découla une attitude nouvelle, plus détendue. Le jour même où je repris ma pratique de rêver, je rêvais que je me voyais endormi. Je fis demi-tour et, audacieusement, je sortis de ma chambre puis descendis allégrement l'escalier qui menait à la rue.

J'étais tellement transporté de joie par ma réussite, que j'en fis part à don Juan. J'en fus quitte pour un désappointement colossal, car il signifia qu'il ne considérait pas ce rêve comme partie prenante de ma pratique de rêver. Son argument fut que je n'étais pas sorti dans la rue avec mon corps d'énergie car, si cela avait été le cas, j'aurais éprouvé une sensation autre que celle de descendre allégrement des escaliers.

« De quel genre de sensation parlez-vous, don Juan ? demandai-je saisi d'une sincère curiosité.

– Afin de savoir si tu vois vraiment ton corps endormi dans ton lit, tu dois établir une procédure de validation, dit-il au lieu de répondre à ma question.

« Souviens-toi, tu dois être dans ta vraie chambre, en train de voir ton vrai corps. Autrement, ce que tu as n'est qu'un rêve ordinaire. Si c'est le cas, contrôle ce rêve soit en observant ses détails, soit en le transformant. »

J'insistai, je voulais qu'il me parle de cette procédure de validation, mais il me coupa court :

« Trouve toi-même une manière de valider le fait que tu te regardes.

– Mais n'avez-vous rien à suggérer quant à ce que peut être une procédure de validation ?

– Exerce ta propre jugeote. Nous arrivons au terme de notre temps ensemble. Dans un proche avenir, tu seras livré à toi-même. »

Et il changea de sujet, ce qui me laissa avec l'évidente amertume de mon inaptitude. J'étais incapable de comprendre ce qu'il désirait ou ce qu'il signifiait par une procédure de validation.

C'est alors que survint un rêve où je me vis endormi. Au lieu de quitter la chambre en descendant l'escalier, ou de me réveiller en hurlant, je restai cloué sur place pendant longtemps, là où je me regardais. Sans me faire de mauvais sang et sans désespérer, j'observai les détails de mon rêve. Je remarquai alors que je m'étais endormi avec un tee-shirt blanc déchiré à l'épaule. Je tentai de m'approcher pour examiner l'accroc, mais je fus incapable de me déplacer. Je ressentais une extrême pesanteur qui semblait faire partie intégrante de mon être. En fait, je n'étais qu'une masse. Ne sachant que faire, je fus instantanément gagné par une foudroyante confusion. Je m'efforçai de changer de rêve, mais une force inaccoutumée me figeait dans l'observation de mon corps endormi.

Dans les affres de ma confusion, j'entendis l'émissaire de rêver me dire que si le fait de ne pouvoir contrôler ma mobilité m'effrayait à ce point, il faudrait que j'entame une autre récapitulation. La voix de l'émissaire, et ce qu'elle disait, ne me surprirent en rien. Jamais, je n'avais vécu d'une manière si claire et si terrifiante mon incapacité de me déplacer. Néanmoins, je ne m'abandonnai pas à cette terreur. Je l'examinai et découvris que ce n'était pas une terreur psychologique mais une sensation physique d'impuissance, de désespoir, et de contrariété. Ne pas être capable de déplacer mes jambes m'ennuyait d'une façon inexprimable. Ma contrariété augmentait au fur et à mesure que je constatais qu'une chose, extérieure à moi-même, m'avait brutalement cloué sur place. L'effort à fournir pour déplacer mes jambes ou mes bras s'avérait être si intense et unidirectionnel, qu'à un moment donné je vis une jambe de mon corps, endormi sur le lit, se détendre vraiment, comme pour lancer un coup de pied.

Ma conscience fut alors tirée dans mon corps inerte et endormi, et je me réveillai avec une telle brutalité qu'il me fallut plus d'une demi-heure pour me calmer. Mon cœur battait irrégulièrement la chamade. Je tremblais, et certains muscles de mes jambes se contractaient de façon incontrôlable. J'avais tant perdu de chaleur corporelle, que j'eus besoin de couvertures et de bouillottes pour retrouver ma température normale.

Évidemment, je partis pour le Mexique quérir l'avis de don Juan à propos de cette sensation de paralysie, et aussi sur le fait que j'avais réellement porté ce jour-là un tee-shirt déchiré, donc que je m'étais bien vu endormi. En plus, j'avais une peur bleue de l'hypothermie. Il se refusa à parler de ma fâcheuse situation. Tout ce que je tirai de lui fut cette remarque caustique :

« Tu adores le drame, dit-il en me flattant. Bien sûr, tu t'es vu endormi. Le problème est que tu t'es énervé, parce que jamais auparavant ton corps d'énergie n'avait été conscient d'un seul bloc. Si tu t'énerves à nouveau, ou te refroidis, accroche-toi à ta bitte. Ça remontera ta température en moins de rien, et sans chichis. »

Sa grossièreté m'offusqua quelque peu. Néanmoins, son conseil prouva son efficacité. La fois suivante où je fus gagné par la frayeur, je me détendis et, en suivant sa prescription, je revins à mon état normal en quelques minutes. De cette façon, je découvris que si je ne me laissais pas gagner par la peur et si je contrôlais ma contrariété, je ne paniquais plus. Être en contrôle ne m'aida pas à me déplacer, mais me procura une profonde sensation de paix et de sérénité.

Après des mois de vaines tentatives de marcher, une fois de plus j'allais à la quête des commentaires de don Juan, non pas pour avoir son avis, mais bien décidé à baisser les bras.

Je faisais face à une barrière infranchissable, et je savais avec une certitude indiscutable que j'avais échoué.

« Les rêveurs doivent faire preuve d'imagination, commenta don Juan avec une grimace malicieuse. L'imagination, ça te manque. Je ne t'ai pas prévenu d'avoir à faire usage de ton imagination pour déplacer ton corps d'énergie, car je voulais savoir si tu arriverais à résoudre seul la devinette. Tu n'y es pas arrivé et, en plus, tes amis ne sont pas venus t'aider. »

Autrefois, lorsqu'il m'accusait de manquer d'imagination, je m'étais souvent défendu vicieusement. Je pensais bouillonner d'imagination, mais le fait d'avoir don Juan pour maître m'apprit, de dure façon, que je n'en avais pas du tout. Et puisque je n'allais pas gaspiller mon énergie dans une défense futile de moi-même, je lui demandai plutôt :

« Quelle est cette devinette que vous avez mentionnée, don Juan ?

– La devinette sur le comment il est impossible et cependant si facile de déplacer le corps d'énergie. Tu tentes de le déplacer comme si tu étais dans le monde de tous les jours. Nous avons tous eu besoin d'un temps tellement considérable, et dépensé bien des efforts pour apprendre à marcher, que nous croyons que nos corps de rêver devraient aussi marcher. Il n'y a pas une seule raison pour qu'il en soit ainsi, si ce n'est que marcher s'impose en premier lieu à nos pensées. »

La simplicité de la solution m'émerveilla. Sur-le-champ, je savais que don Juan avait raison. Je m'étais embourbé une fois de plus au niveau de mon interprétation. Il m'avait dit que je devrais me déplacer une fois la troisième porte de rêver atteinte et, pour moi, se déplacer signifiait marcher. Je lui dis avoir saisi son point.

« Ce n'est pas mon point, répondit-il courtoisement. C'est le point des sorciers. Les sorciers disent qu'à la troisième porte de rêver le corps d'énergie peut se déplacer exactement comme bouge l'énergie : rapidement et directement. Ton corps d'énergie sait exactement comment se déplacer. Il peut se déplacer comme il se déplace dans le monde des êtres inorganiques.

« Ce qui nous conduit maintenant à l'autre question, dit don Juan d'un air pensif. Pourquoi tes amis les êtres inorganiques ne sont-ils pas venus à ton aide ?

— Pourquoi dites-vous, mes amis, don Juan ?

— Ils sont comme ces amis habituels qui ne sont pas vraiment attentionnés ou gentils avec nous, mais qui ne sont pas méchants non plus. Ces amis qui attendent qu'on leur tourne le dos pour y planter leur poignard. »

Je le comprenais et acquiesçai à cent pour cent.

« Qu'est-ce qui me pousse à y aller ? Est-ce une tendance suicidaire ? demandai-je, avec un ton d'éloquence peu convaincant.

— Tu n'as pas la moindre tendance suicidaire. Ce que tu as est cette incrédulité totale du fait que tu sois passé à un cheveu de la mort. Parce que tu n'éprouvais pas de douleur physique, tu n'arrives pas à te convaincre que tu as été en danger de mort. »

Son argumentation me semblait raisonnable, excepté que j'étais persuadé que depuis ce combat avec les êtres inorganiques une peur profonde, mais inconnue, avait régi ma vie. Pendant que je lui décrivais mon embarrassante situation, don Juan m'écouta en silence. Malgré tout ce que je savais, je ne pouvais ni abandonner ni expliquer ma forte envie d'aller dans le monde des êtres inorganiques.

« Je passe par une phase de démence, concluai-je. Ce que je fais n'a pas le moindre sens.

– Bien sûr que cela a un sens. Les êtres inorganiques te moulinent toujours, tu es comme un poisson pris à l'hameçon, dit-il. De temps à autre, ils te jettent un appât sans intérêt, juste pour t'inciter à avancer. S'arranger pour fixer immuablement tes rêves tous les quatre jours est un appât sans valeur. Mais en tout cas, ils ne t'ont pas appris à déplacer ton corps d'énergie.

– Et pourquoi donc, à votre avis ?

– Parce que dès l'instant où ton corps d'énergie apprendra à se déplacer par lui-même, tu seras vraiment hors de leur portée. Il était prématuré de ma part de croire que tu étais libre de leur influence. Tu es presque libre, mais pas complètement. Ils continuent à porter leurs enchères sur ta conscience. »

Un frisson me parcourut le dos. Il venait de toucher un point douloureux.

« Don Juan, dites-moi ce que je dois faire, et je le ferai.

– Sois impeccable. Je te l'ai dit des dizaines de fois. Être impeccable signifie placer ta vie en première ligne, de façon à défendre tes décisions, puis de faire bien plus que le meilleur de toi-même pour mener à bien ces décisions. Lorsque tu ne décides rien, en fait tu joues ta vie à la roulette, à tout va. »

Don Juan termina notre conversation en me pressant de bien réfléchir à ses paroles.

À la première occasion qui se présenta, je testai la suggestion de don Juan quant à déplacer mon corps d'énergie. Dès l'instant où je fus en train de regarder mon corps endormi, au lieu de m'efforcer de marcher vers lui, j'exprimai simplement ma volonté de m'approcher du lit. En un éclair, je touchai presque mon corps. Je vis mon visage. En fait, je pouvais examiner chaque pore de ma peau. Je ne peux pas dire que j'appréciais ce que je voyais.

Ma vision de mon corps était bien trop détaillée pour être esthétiquement plaisante. Puis, quelque chose comme un vent pénétra dans la chambre, balaya tout, et effaça ma vision.

Au cours des rêves qui suivirent, je vérifiais qu'assurément la seule façon pour le corps d'énergie de se déplacer était de planer ou de glisser dans les airs. J'en parlai à don Juan. Il sembla inhabituellement satisfait de ma réussite, et cela me surprit car j'avais pris pour monnaie sonnante son attitude de froideur quant à tout ce qui touchait ma pratique de rêver.

« Ton corps d'énergie est habitué à se déplacer seulement lorsque quelque chose le remorque, dit-il. Les êtres inorganiques ont manœuvré ton corps d'énergie à hue et à dia et, jusqu'à présent, tu ne l'avais jamais déplacé de ton propre gré. Il semble qu'en te déplaçant comme tu le fis, tu n'as pas accompli grand-chose, mais je t'assure que j'avais sérieusement envisagé l'arrêt de ta pratique. Pendant un temps, j'étais persuadé que tu n'allais pas réussir à apprendre à progresser par toi-même.

– Aviez-vous envisagé l'arrêt de ma pratique de rêver parce que je suis lent ?

– Tu n'es pas lent. Pour certains sorciers, il faut une éternité avant d'apprendre à déplacer leurs corps d'énergie. J'envisageais d'interrompre ta pratique parce que je ne dispose plus de temps. Il existe d'autres sujets, plus urgents que rêver, pour lesquels tu peux utiliser ton énergie.

– Maintenant que j'ai appris à déplacer mon corps d'énergie par moi-même, que dois-je faire d'autre, don Juan ?

– Continue à te déplacer. Le déplacement de ton corps d'énergie ouvre pour toi une nouvelle zone, une zone d'exploration extraordinaire. »

Il me pressa, à nouveau, de trouver une idée pour valider la fidélité de mes rêves ; sa requête ne me sembla pas aussi surprenante que la première fois.

« Comme tu le sais, être transporté par un éclaireur est la vraie tâche de rêver de la seconde porte, expliqua-t-il. C'est une chose très sérieuse, mais pas autant que de forger et de déplacer son corps d'énergie. Par conséquent, tu dois t'assurer, par un moyen que tu dois concevoir, si tu es vraiment en train de te voir endormi ou si tu es simplement en train de rêver que tu te vois endormi. Ta nouvelle et extraordinaire exploration s'articule sur cette certitude de véritablement te voir endormi. »

Après mûres réflexions et expectatives, je crus avoir conçu le bon plan. Avoir aperçu mon tee-shirt déchiré m'avait suggéré une idée de procédure de validation. Je partis de la supposition que si j'observais vraiment mon corps endormi, je pourrais aussi vérifier si je portais les mêmes habits que lorsque je m'étais couché, des habits que je choisirais radicalement différents tous les quatre jours. J'étais persuadé que je n'aurais aucune difficulté dans mes rêves à me souvenir de ce que je portais en allant me coucher; la discipline que j'avais acquise au cours de ma pratique de rêver m'assurait de mon aptitude à enregistrer des choses comme ça dans ma tête, pour m'en souvenir dans mes rêves.

Je m'efforçais au mieux de suivre cette procédure, mais les résultats furent bien moindres que je ne l'avais espéré. Je manquais de contrôle sur mon attention de rêver, et je ne parvenais pas vraiment à me souvenir de ce que je portais en allant me coucher. Cependant, quelque chose s'était amorcé ; quelque part, je savais toujours s'il s'agissait de rêves ordinaires ou non. Le point surprenant de mes rêves qui n'étaient pas ordinaires résidait dans le fait que mon corps restait allongé endormi dans mon lit pendant que ma conscience l'observait.

Une caractéristique remarquable de ces rêves s'avéra être ma chambre. Jamais elle n'était comme ma chambre de tous les jours, mais apparaissait tel un immense couloir vide avec mon lit situé à une de ses extrémités. Il me fallait planer sur une distance considérable pour approcher du lit où gisait mon corps. À l'instant où j'en étais proche, une force tel un vent me faisait planer fixement au-dessus, comme un oiseau-mouche. Parfois, la pièce disparaissait : elle s'effaçait, morceau par morceau, jusqu'à ce que ne demeurent que mon corps et mon lit. D'autres fois, je perdais tout usage de ma volonté. Mon attention de rêver semblait fonctionner indépendamment de moi-même. Ou bien elle s'absorbait complètement dans le premier élément qu'elle saisissait dans la pièce, ou alors elle ne semblait pas savoir que faire. Dans ces cas-là, j'éprouvais la sensation de flotter sans fin, ballotté d'un élément à l'autre.

Une fois, la voix de l'émissaire m'expliqua que tous les éléments des rêves qui n'étaient pas des rêves banals étaient en réalité des configurations d'énergie différentes de celles de notre monde normal. Elle signala que, par exemple, les murs étaient liquides, et elle m'incita à y plonger.

Sans prendre le temps d'y réfléchir à deux fois, je plongeai dans un mur tout comme dans un immense lac. Je ne ressentis pas le mur d'eau ; ce que je ressentis n'était d'ailleurs pas la sensation physique de plonger dans de l'eau. C'était plutôt comme la pensée de plonger, plus une sensation visuelle de traverser une matière liquide. J'évoluais, tête la première, dans quelque chose qui s'ouvrait, comme le fait l'eau, pendant que je poursuivais ma descente.

La sensation de descendre, tête la première, était tellement réelle que je commençais à me demander pendant combien de temps elle durerait et à quelle profondeur j'allais aller. À mon point de vue, cela dura une éternité. Je vis des nuages et des masses semblables à de la matière rocheuse suspendue dans une substance, aqueuse. Il y avait des objets géométriques rayonnant de lumière qui ressemblaient à des cristaux, et des amas aux couleurs primaires d'une intensité que je n'avais jamais connue auparavant. Il y eut aussi des zones d'intense lumière et d'autres de totale obscurité. Tout cela défilait à mes côtés, soit lentement, soit à grande vitesse. J'avais l'impression de voir le cosmos. À l'instant même de cette pensée, ma vitesse s'accéléra à un point tel que tout devint trouble et, tout à coup, je me retrouvai réveillé le nez plaqué contre le mur de ma chambre.

Une peur secrète m'incita à solliciter le conseil de don Juan. Il m'écouta sans perdre le moindre mot.

« Arrivé là, tu as besoin d'effectuer une manœuvre radicale, dit-il. Ce n'est pas le boulot de l'émissaire de rêver de s'introduire dans ta pratique de rêver. Ou plutôt, tu ne devrais, en aucune circonstance, lui permettre de le faire.

– Comment l'en empêcher ?

– Accomplis une simple, mais difficile manœuvre. En entrant dans ton rêve, crie de toutes tes forces ton désir de ne plus jamais avoir besoin de l'émissaire de rêver.

– Cela signifie-t-il que je ne l'entendrai plus jamais ?

– Positif. Tu en seras débarrassé pour toujours.

– Mais, est-il raisonnable de s'en débarrasser pour toujours ?

– C'est plus que certain, en ce moment en tout cas. »

Par ces mots, don Juan me plongea dans un troublant dilemme. Je ne désirais pas cesser ma relation avec l'émissaire, mais, en même temps, je voulais suivre le conseil de don Juan. Il remarqua mon hésitation.

« Je sais que c'est une affaire très délicate, concéda-t-il, mais si tu ne le fais pas, les êtres inorganiques t'auront toujours au bout de leur ligne. Si tu veux éviter ça, fais ce que je te dis, et fais-le sans plus attendre. »

Au cours de ma session de rêver suivante, alors

que je me préparais à émettre mon intention, la voix de l'émissaire s'interposa. Elle dit :

« Si vous vous retenez d'exprimer votre requête, je promets de ne jamais interférer avec votre pratique de rêver et de ne parler que si vous me questionnez manifestement. »

Sans hésiter, j'acceptai cette proposition et j'eus sincèrement l'impression que c'était une très bonne affaire. J'étais soulagé de m'en être tiré à si bon compte. Toutefois, je craignais le désappointement de don Juan.

« Ce fut une bonne manœuvre, remarqua-t-il, puis il éclata de rire. Tu fus sincère : tu eus vraiment l'intention d'exprimer ta requête. La seule exigence était : être sincère. Fondamentalement, il n'était pas besoin d'éliminer l'émissaire. Ce que tu voulais, c'était l'obliger à proposer une option qui te convenait plus. Je suis certain que l'émissaire n'interviendra plus de son propre chef. »

Il avait raison. Je poursuivis ma pratique de rêver sans la moindre intervention de l'émissaire. L'effet le plus remarquable fut que j'avais des rêves dans lesquels mes chambres rêvées étaient la chambre de mon monde ordinaire, à une exception près : dans les rêves, ma chambre se présentait toujours inclinée, avec une telle distorsion qu'elle ressemblait à une gigantesque toile cubiste ; à la place des habituels angles droits que font murs, plafond et plancher, les angles aigus et obtus dominaient. Dans cette chambre de guingois, le biais même créé par ces angles obtus et aigus constituait une astuce pour mettre en évidence des détails superfétatoires, absurdes, mais néanmoins réels ; par exemple, les lignes compliquées du plancher de bois dur, ou les décolorations dues à l'humidité de la peinture murale, ou les taches poussiéreuses du plafond, ou enfin les marques de doigts au bord de la porte.

Au cours de ces rêves, je me perdais inévitablement dans ces univers de détails, aqueux en quelque sorte, mis en évidence par cet effet de biseau. Pendant toute cette pratique de rêver, l'abondance des détails de ma chambre fut prodigieuse et son attraction tellement intense que, sans la moindre attente, je plongeais dedans.

Dès que j'eus un moment de liberté, j'allai chez don Juan pour lui demander conseil.

« Je ne parviens pas à maîtriser ma chambre, dis-je après lui avoir fourni tous les détails sur ma pratique de rêver.

– Qu'est-ce qui te donne l'idée qu'il faut la maîtriser ? demanda-t-il tout en grimaçant.

– Je sens qu'il me faut m'en aller au-delà de cette chambre, don Juan.

– Mais tu vas au-delà de ta chambre. Peut-être devrais-tu te demander si tu n'es pas encore pris au piège de tes interprétations. Dans ce cas précis, que signifie pour toi s'en aller ? »

J'avouai que sortir de ma chambre en marchant jusqu'à la rue avait été un rêve tellement obsédant, que je ressentais un profond besoin de le refaire.

« Mais tu accomplis des choses bien plus importantes que ça, protesta-t-il. Tu accèdes à des régions incroyables. Que veux-tu de plus ? »

Je tentai de lui faire comprendre que je ressentais un besoin physique de sortir du piège des détails. Mon incapacité à me soustraire à ce qui capturait mon attention me perturbait énormément. Avoir au moins un soupçon de volonté, c'est tout ce que je désirais.

Un très long silence suivit mes lamentations. J'espérais en apprendre plus sur le piège des détails. Après tout, il m'avait prévenu de ce danger.

« Tout va bien, dit-il enfin. Il faut beaucoup de temps pour qu'un rêveur perfectionne son corps d'énergie. Et c'est l'enjeu de la situation : perfectionner le corps d'énergie. »

Don Juan expliqua que la raison qui poussait mon corps d'énergie à sombrer dans l'examen des détails et à s'y empêtrer de manière inextricable venait de son manque d'expérience, de sa nature incomplète. Il précisa que les sorciers vouent leurs vies entières à consolider leurs corps d'énergie, en le laissant s'imprégner de tout ce qui est disponible.

« Tant que le corps d'énergie n'est pas complet et mûr, il absorbe tout de lui-même, poursuivit-il. Il ne parvient pas à se libérer de ce besoin de se noyer dans toute chose. Mais celui qui prend cette situation en considération, au lieu de combattre le corps d'énergie, ainsi que tu le fais maintenant, lui donne un coup de main.

– Comment puis-je y arriver, don Juan ?

– En dirigeant son comportement, c'est-à-dire en le traquant. »

Il expliqua que, puisque tout ce qui concerne le corps d'énergie dépend de la position appropriée du point d'assemblage, et puisque rêver n'est rien d'autre que le moyen de le déplacer, traquer est, par conséquent, la façon d'obliger le point d'assemblage à s'immobiliser à la parfaite position, dans ce cas la position où le corps d'énergie peut se consolider et finalement émerger.

Don Juan ajouta que dès l'instant où le corps d'énergie peut se déplacer de lui-même, les sorciers présument que la position optimale du point d'assemblage a été atteinte. L'étape suivante est de le traquer, c'est-à-dire de le fixer sur cette position de façon à compléter le corps d'énergie. Il signala que la procédure était la simplicité même : on a l'intention de le traquer.

Un silence et des regards pleins d'attente suivirent cette déclaration. J'espérais qu'il en dirait plus, et il espérait que j'avais compris. Ce n'était pas le cas.

« Laisse ton corps d'énergie avoir l'intention d'atteindre la position optimale de rêver, reprit-il. Puis, laisse ton corps d'énergie avoir l'intention de demeurer à cette position, et ainsi tu traqueras. »

Il fit une pause et, de ses yeux, insista pour que je prenne en considération sa déclaration.

« Avoir l'intention, là réside le secret, mais tu le sais déjà. En ayant l'intention, les sorciers déplacent leurs points d'assemblage, et c'est aussi en ayant l'intention qu'ils les fixent. Et pour avoir l'intention, il n'existe pas une seule technique. On a l'intention en pratiquant. »

À ce moment-là, il devenait inévitable que je me lance dans une de mes folles suppositions sur ma valeur en tant que sorcier. J'avais une confiance sans limites dans le fait que quelque chose me mettrait sur le droit chemin d'avoir l'intention de fixer mon point d'assemblage sur son endroit idéal. Dans le passé, j'avais réussi bien des manœuvres sans trop savoir comment. Don Juan lui-même s'était émerveillé de mon aptitude, ou de ma chance, et j'avais la conviction qu'il allait en être de même. Je faisais totalement fausse route. Peu importe comment je m'y prenais, ou combien de temps j'attendais, je ne réussis pas le moins du monde à fixer mon point d'assemblage sur quelque endroit que ce soit, encore moins sur l'endroit idéal.

Suite à des mois de démêlés infructueux, je donnai ma langue au chat :

« Je pensais que j'étais capable de le faire, avouai-je à don Juan dès que j'entrai chez lui. Je crains d'être devenu encore plus égomaniaque que jamais.

– Pas vraiment, dit-il avec un sourire. Ce qui t'arrive est que tu es pris dans une autre de tes fausses et routinières interprétations de ce qui t'est dit. Tu veux trouver l'endroit idéal, exactement comme tu trouverais les clés perdues de ta voiture. Puis tu veux attacher ton point d'assemblage, comme tu attacherais tes lacets. L'endroit idéal et la fixation du point d'assemblage sont des métaphores. Elles n'ont rien à voir avec les mots utilisés pour les définir. »

Il me demanda de lui décrire tous les derniers événements de ma pratique de rêver. En premier lieu, je lui signalai que ma propension à être absorbé par les détails s'était notablement dissipée. Je précisai que puisque je me déplaçais dans mes rêves, sans cesse et compulsivement, le mouvement pourrait bien être ce qui parvenait à me stopper juste avant que je ne plonge dans les détails où je me perdais. Être ainsi stoppé me fournissait la chance d'observer l'acte d'être absorbé par les détails. J'en étais arrivé à conclure que la matière inanimée possède vraiment une force immobilisatrice, et que je la percevais tel un rayon de faible lumière qui me clouait sur place. Par exemple, très souvent des marques infimes sur les murs ou dans les nervures du bois du plancher émettaient une ligne de lumière qui me figeait. À partir du moment où mon attention de rêver se concentrait sur cette lumière, l'intégralité du rêve tournait autour de cet infime détail. Je le voyais agrandi au moins à la taille du cosmos. Cette vision se prolongeait jusqu'à ce que je me réveille, la plupart du temps le nez plaqué contre le mur ou le plancher. Une observation postérieure me permettait de m'assurer que le détail existait vraiment, et qu'il semblait bien que je l'avais observé tout en dormant.

Don Juan eut un sourire et dit :

« Tout cela t'arrive parce que forger ton corps d'énergie s'acheva dès l'instant où il se déplaça de lui-même. Je ne te l'ai pas dit, mais je te l'ai laissé entendre. Je voulais savoir si tu étais capable ou non de le trouver seul, et bien entendu, c'est ce que tu fis. »

Je ne comprenais pas ce qu'il disait. Don Juan m'examina de sa manière habituelle : son regard pénétrant parcourut mon corps.

« Qu'ai-je exactement trouvé par moi-même ?

— Tu as trouvé que ton corps d'énergie avait été complété, répondit-il.

— Je n'ai rien trouvé de la sorte, je vous le certifie.

— Si, tu le fis. Cela commença il y a quelque temps, lorsque tu ne parvenais pas à trouver une procédure de validation de la réalité de tes rêves. Puis quelque chose se mit au travail pour toi, et te fit savoir si tu avais ou non un rêve ordinaire. Ce quelque chose était ton corps d'énergie. Maintenant, tu te désespères car tu ne découvres pas l'endroit idéal où fixer le point d'assemblage. Je te dis que tu l'as fixé. La preuve est qu'en se déplaçant ton corps d'énergie abrège son obsession pour les détails. »

J'étais désemparé. Je n'arrivais même plus à énoncer une de mes médiocres questions.

« Ce qui se présente maintenant est une perle de sorcier, poursuivit don Juan. Tu vas pratiquer *voir* l'énergie dans tes rêves. Tu as accompli l'exercice de la troisième porte de rêver : déplacer ton corps d'énergie de lui-même. Maintenant tu vas entreprendre la tâche réelle : *voir* l'énergie avec ton corps d'énergie.

« Tu as vu l'énergie auparavant, en fait bien des fois. Mais à chacune d'elles, *voir* fut un coup de chance. Maintenant, tu vas le faire délibérément.

« Les rêveurs ont une règle empirique, poursuivit-il. Si leur corps d'énergie est complet, ils *voient* l'énergie chaque fois qu'ils fixent du regard un élément de leur monde quotidien. Dans les rêves, s'ils *voient* l'énergie d'un élément, ils savent qu'ils ont affaire avec un monde réel, peu importe la distorsion avec laquelle ce monde peut apparaître à leur attention de rêver. S'ils ne parviennent pas à *voir* l'énergie d'un élément, ils sont dans un rêve ordinaire et non dans un monde réel.

– Qu'est-ce qu'un monde réel, don Juan ?

– Un monde qui produit de l'énergie ; l'inverse est un monde fantomatique de projections où rien ne produit de l'énergie ; ainsi sont la plupart de nos rêves, où rien n'a d'effet énergétique. »

Don Juan me fournit une autre définition de rêver : un processus par lequel les rêveurs isolent des conditions de rêve dans lesquelles ils trouvent des éléments générateurs d'énergie. Il dut remarquer ma stupéfaction. Il éclata de rire et se lança dans une autre définition encore plus tarabiscotée : rêver est le processus par lequel nous avons l'intention de découvrir les positions adéquates du point d'assemblage, positions qui nous permettent de percevoir les éléments générateurs d'énergie dans des états « semblables-au-rêve ».

Il précisa que le corps d'énergie est, de plus, capable de percevoir de l'énergie très différente de celle de notre monde, par exemple dans le cas des éléments du royaume des êtres inorganiques que le corps d'énergie perçoit comme une énergie grésillante. Il ajouta que dans notre monde rien ne grésille ; tout tremblote.

« À partir de maintenant, expliqua-t-il, l'objet de ta pratique de rêver va être de déterminer si les éléments sur lesquels tu concentres ton attention de rêver sont producteurs d'énergie, de simples projections fantomatiques, ou des générateurs d'énergie étrangère. »

Don Juan avoua qu'il avait espéré que j'aurais émis l'idée de *voir* l'énergie comme indicateur pour déterminer si oui ou non j'observais mon vrai corps endormi. Il évoqua en riant mon curieux dispositif consistant à mettre des habits soigneusement choisis tous les quatre jours. Il déclara que j'avais alors, droit devant mes yeux, toute l'information indispensable pour en déduire ce qu'était vraiment la tâche de la troisième porte de rêver et en dégager une idée adéquate, mais que mon système d'interprétation m'avait forcé à rechercher des solutions biscornues qui manquaient de la simplicité et de la droiture propres à la sorcellerie.

9

LA NOUVELLE ZONE
D'EXPLORATION

Don Juan me dit que pour *voir* dans rêver, non seulement je devais avoir l'intention de *voir*, mais qu'il me fallait exprimer mon intention à haute voix. Il insista sur le fait de parler, mais refusa de m'expliquer pourquoi. Il admit qu'il existait d'autres moyens pour parvenir au même résultat et il affirma que la façon la plus simple et la plus directe était de formuler son intention de vive voix.

La première fois que j'exprimai verbalement mon intention de *voir*, je rêvais d'une vente de charité paroissiale. Il y avait tant d'articles exposés que je ne parvenais pas à choisir celui sur lequel fixer mon regard. Un vase géant et de couleurs criardes placé dans un coin s'imposa à ma pensée. Je le regardais et exprimai oralement mon intention de *voir*. Le vase demeura dans mon champ de vision un instant, puis il se transforma en un autre objet.

Je fixais du regard autant d'objets que je pus dans ce rêve. Une fois mon intention de *voir* énoncée de vive voix, chacun d'eux disparut ou se transforma en quelque chose d'autre, comme cela s'était produit tout au long de ma pratique de rêver. Finalement, mon attention de rêver fut épuisée et je me réveillai extrêmement frustré, presque en colère.

Pendant des mois d'affilée, je fixais des centaines d'éléments dans mes rêves en exprimant à haute voix mon intention de *voir*, mais rien ne se produisit. Fatigué d'attendre, je dus faire appel à don Juan.

« Il te faut faire preuve de patience. Tu es en train d'apprendre quelque chose d'extraordinaire, remarqua-t-il. Tu apprends à avoir l'intention de *voir* dans tes rêves. Un jour viendra où tu n'auras pas besoin de formuler à haute voix ton intention ; tu n'auras besoin que de la vouloir, silencieusement.

– Je pense que je n'ai pas compris la fonction de ce que je fais, quoi que ce soit, dis-je. Rien ne se produit lorsque je hurle mon intention de *voir*. Qu'est-ce que ça signifie ?

– Ça signifie que jusqu'à présent, tes rêves ont été des rêves ordinaires ; ils furent des projections fantomatiques ; des images qui n'ont de vie que dans ton attention de rêver. »

Il voulut savoir exactement ce qu'il était advenu des éléments sur lesquels j'avais concentré mon regard. Je lui répondis qu'ils avaient disparu ou changé de forme et parfois même créé des tourbillons qui éventuellement changèrent mes rêves.

« C'est ce qui s'est produit tout au long de ma pratique de rêver, dis-je. La seule chose qui sorte de l'ordinaire est que j'apprends à hurler dans mes rêves, comme un fou. »

La dernière partie de ma complainte déclencha chez don Juan un véritable rire, gros et franc, que je jugeais déconcertant. Je ne trouvais rien de risible dans ma déclaration, ni la moindre raison à une telle réaction.

« Un jour viendra où tu apprécieras tout l'humour de cela, dit-il en réponse à ma protestation silencieuse. En attendant, ne baisse pas les bras et ne te décourage pas. Poursuis tes tentatives. Tôt ou tard, tu chanteras la bonne note. »

Comme à l'accoutumée, il avait encore raison.

Quelques mois plus tard, je décrochais la timbale. J'eus un rêve des plus inhabituels. Il débuta avec l'arrivée d'un éclaireur du monde des êtres inorganiques. Les éclaireurs avaient été curieusement absents de mes rêves. Ils ne m'avaient pas manqué et je n'avais pas réfléchi à la raison de leur disparition. En fait, je me sentais tellement à l'aise sans eux, que j'avais même oublié de questionner don Juan sur leur absence.

Dans ce rêve, un éclaireur se présenta au début telle une gigantesque topaze jaune que j'avais trouvée coincée derrière un tiroir. À l'instant où je manifestai verbalement mon intention de *voir*, la topaze se transforma en un amas d'énergie grésillante. J'eus peur d'être contraint de le suivre, donc je déplaçai mon regard de l'éclaireur et le concentrai sur un aquarium de poissons tropicaux. J'exprimai à haute voix mon intention de *voir* et j'eus une surprise stupéfiante. L'aquarium émit un faible rayonnement verdâtre et se transforma en un immense portrait surréaliste d'une femme couverte de bijoux. Lorsque je dis mon intention de *voir*, le portrait émit le même rayonnement verdâtre.

Pendant que je fixais ce rayonnement, le rêve entier changea. Je marchais dans la rue d'une ville qui me semblait familière ; peut-être Tucson. Je fixai du regard une vitrine de vêtements pour femmes et, à haute voix, je dis mon intention de *voir*. Sur-le-champ, un mannequin noir, bien en évidence, commença à rayonner. Je regardai la femme qui entra dans la vitrine pour la réorganiser. Elle me dévisagea. Une fois mon intention mentionnée de vive voix, je la *vis* rayonner. Le résultat fut tellement stupéfiant que j'eus vraiment peur que certains détails de son splendide rayonnement ne me piègent, mais elle retourna vers le magasin avant même que je puisse concentrer mon entière attention sur elle. J'avais certainement l'intention de la suivre à l'intérieur, mais mon attention de rêver fut captée par un rayonnement en mouvement. Bouillonnant de haine, il me chargeait. Il émanait de lui un caractère répugnant et vicieux. Je sautai en arrière. Le rayonnement stoppa sa charge, une substance noire m'engloba, et je me réveillai.

Ces images avaient eu une telle vivacité que j'étais certain d'avoir *vu* de l'énergie et que mon rêve avait été une de ces conditions que don Juan avait nommées « semblables-au-rêve », un générateur d'énergie. L'idée que les rêves peuvent prendre place dans la réalité consensuelle de notre monde de tous les jours m'intriguait, tout autant que m'avaient intrigué les images rêvées du royaume des êtres inorganiques.

« Cette fois-ci, non seulement tu *vis* l'énergie, mais tu franchis une dangereuse frontière », déclara don Juan suite à mon récit.

Il répéta que l'exercice de la troisième porte de rêver est de faire déplacer le corps d'énergie de lui-même. Au cours de ma dernière session j'avais, dit-il, involontairement supplanté l'effet de cet exercice et j'étais passé dans un autre monde.

« Ton corps d'énergie s'est déplacé. Il s'en alla de lui-même. Ce genre de voyage est au-delà de tes possibilités actuelles, et quelque chose t'attaqua.

– Que pensez-vous que ce soit ?

– C'est un univers prédateur. Ce pourrait être une parmi des milliers de choses qui existent là-bas.

– À votre avis, pourquoi m'a-t-il attaqué ?

– Pour la même raison que les êtres inorganiques. Tu t'es rendu disponible.

– Est-ce aussi évident que ça, don Juan ?

– Certainement. C'est aussi évident que ce que tu ferais si une araignée à l'allure étrange traversait ton bureau pendant que tu écrivais. Plutôt que de l'admirer ou de l'observer, par peur, tu l'écraserais. »

Décontenancé, je cherchais mes mots pour poser

la bonne question. Je voulais savoir où s'était déroulé mon rêve, ou dans quel monde étais-je dans ce rêve ? Mais de telles questions paraissaient sans la moindre signification ; je n'arrivais pas à rassembler mes forces. Don Juan comprit bien la situation.

« Tu veux savoir où se concentrait ton attention de rêver, n'est-ce pas ? » me demanda-t-il en grimaçant.

C'était exactement la question que j'aurais voulu formuler. Mon raisonnement était que dans le rêve en question, j'avais dû voir au moins un objet réel. Exactement comme cela se produisait quand je voyais dans mes rêves ces infimes détails du plancher, ou des murs, ou de la porte de ma chambre, des détails dont je pus ensuite corroborer l'existence.

Don Juan déclara que dans les rêves particuliers, comme celui que j'avais eu, notre attention de rêver se focalise sur le monde de tous les jours et, qu'en un instant, elle va d'un objet réel à un autre dans le monde. Ce qui rend ce mouvement possible est que le point d'assemblage est à la position adéquate pour rêver. À partir de cette position, le point d'assemblage procure une telle fluidité à l'attention de rêver, qu'en un éclair elle peut se déplacer à des distances incroyables et, ce faisant, elle produit une perception si rapide, si éphémère, qu'un tel état ressemble à un rêve ordinaire.

Il expliqua ensuite que dans mon rêve, j'avais *vu* un vrai vase et qu'alors mon attention de rêver était allée très loin pour *voir* le vrai tableau surréaliste d'une femme couverte de bijoux. Si je n'avais pas *vu* l'énergie, le reste aurait été presque comme un rêve ordinaire dans lequel les éléments, lorsqu'on les fixe du regard, se transforment rapidement en quelque chose d'autre.

« Je sais combien cela est troublant, poursuivit-il très conscient de ma confusion. Pour une raison pertinente seulement pour la pensée, *voir* l'énergie en rêvant perturbe plus que tout autre chose. »

Je lui fis remarquer que j'avais *vu* de l'énergie auparavant, mais que jamais ça ne m'avait tant affecté.

« Maintenant ton corps d'énergie est complet et opérant. Par conséquent, *voir* l'énergie dans ton rêve implique qu'au travers du voile de rêver, tu perçois un monde réel. Là réside l'importance du voyage que tu viens d'accomplir. Il était réel. Il incluait ces éléments générateurs d'énergie qui mirent presque fin à ta vie.

– Don Juan, cela fut-il aussi sérieux ?

– Tu parles ! La créature qui t'a attaqué était faite de pure conscience, et elle était aussi meurtrière qu'il est possible de l'être. Tu *vis* son énergie. Je suis certain que tu te rends compte, maintenant, que si dans rêver on ne *voit* pas, il nous est impossible de distinguer une chose réelle, génératrice d'énergie, d'une projection fantomatique. Donc, même si tu te battis avec les êtres inorganiques et *vis* vraiment les éclaireurs et les tunnels, ton corps d'énergie ne sait pas, indiscutablement, s'ils étaient réels, c'est-à-dire générateurs d'énergie. Tu n'es qu'à quatre-vingt-dix-neuf et non à cent pour cent certain. »

Don Juan insista pour que nous parlions de ce voyage. Pour des raisons inexplicables, aborder ce sujet me répugnait. Ce qu'il disait provoquait en moi une réaction immédiate. J'eus alors à faire face à une peur étrange et profonde ; elle était obscure et obsessionnelle d'une façon persistante et viscérale.

« Sans l'ombre d'un doute, tu allas dans une autre couche de l'oignon, dit don Juan, en terminant une déclaration à laquelle je n'avais pas prêté la moindre attention.

– Qu'est donc cette autre couche de l'oignon, don Juan ?

– Le monde est comme un oignon, il a plusieurs peaux. Le monde que nous connaissons n'est que l'une d'entre elles. Parfois, nous traversons les limites d'une peau et pénétrons dans une autre : un autre monde, très semblable à celui-ci, mais pas le même. Et tu es entré dans un de ces mondes, par toi-même.

– Comment un voyage comme celui dont vous parlez est-il possible ?

– Cette question n'a aucun sens parce que personne ne peut y répondre. Selon le point de vue des sorciers, l'univers est construit en couches que le corps d'énergie peut traverser. Sais-tu où, encore de nos jours, vivent les sorciers d'antan ? Dans une autre couche, dans une autre peau de l'oignon.

– Pour moi, l'idée d'un voyage réel, pragmatique, effectué dans les rêves, est très difficile à comprendre ou à accepter, don Juan.

– Nous avons parlé du sujet jusqu'à plus soif. J'étais persuadé que tu avais compris que le voyage du corps d'énergie dépend uniquement de la position du point d'assemblage.

– Vous me l'avez dit. Et je l'ai ruminé dans tous les sens ; malgré tout, dire que le voyage est dans la position du point d'assemblage ne m'apporte rien.

– Ton vrai problème est ton cynisme. J'étais exactement comme toi. Le cynisme nous interdit de faire des revirements dramatiques de notre compréhension du monde. Il nous force aussi à penser que nous avons toujours raison. »

Je comprenais son point de vue parfaitement, mais je lui rappelai combien je combattais cette attitude.

« Je propose que tu fasses une chose absurde qui pourrait faire changer la marée, dit-il. Répète-toi sans cesse : " Le pivot de la sorcellerie est le mystère du point d'assemblage. " Si tu répètes cette phrase assez longtemps, des forces invisibles prendront le dessus et entreprendront en toi les changements appropriés. »

Il n'y avait rien en don Juan qui puisse m'indiquer qu'il plaisantait. Je savais qu'il pensait vraiment ce qu'il disait, et jusqu'au moindre mot. Ce qui me gênait était son insistance à vouloir que je ressasse sans cesse cette formule. Je me surpris à penser que tout ça était vraiment stupide.

« Coupe court à ton cynisme, dit-il sèchement. Ressasse-la en toute bonne foi.

« En sorcellerie, le mystère du point d'assemblage est tout, continua-t-il sans m'adresser de regard. Ou plutôt, tout en sorcellerie repose sur la manipulation du point d'assemblage. Tu le sais, mais il faut que tu le répètes. »

En écoutant ses remarques, je crus, pendant un instant, que j'allais périr d'angoisse. Une incroyable sensation de tristesse me déchira la poitrine et me fit hurler de douleur. Mon estomac et mon diaphragme semblaient pousser vers le haut, comme pour monter dans ma poitrine. Cette pression était telle que ma conscience changea de niveau, puis je revins à mon état normal. Tout ce dont nous avions parlé devint une pensée vague concernant quelque chose qui aurait pu se produire, mais n'avait pas eu lieu, tout au moins selon le banal raisonnement de ma conscience de ma vie de tous les jours.

La fois suivante où don Juan engagea notre conversation sur rêver, nous parlions des raisons pour lesquelles j'avais été incapable de reprendre ma pratique de rêver pendant des mois d'affilée. Don Juan me prévint que pour expliquer ma situation, il lui fallait passer par un chemin détourné. Premièrement, il fit remarquer qu'il existe une énorme différence entre les pensées et les actes des gens de l'antiquité et ceux des hommes modernes. Puis, il insista sur le fait que les hommes des temps anciens avaient une conception très réaliste de la perception et de la conscience, car leur conception découlait de leurs observations de l'univers environnant. À l'opposé, les hommes modernes ont une conception absurdement irréaliste de la perception et de la conscience, car leur conception découle de leurs observations de l'ordre social et de leurs démêlés avec lui.

« Pourquoi me dites-vous cela ?

– Parce que tu es un homme moderne impliqué dans les conceptions et les observations des hommes de l'antiquité, répliqua-t-il. Et pas une seule de ces conceptions ou de ces observations ne t'est familière. Maintenant, plus que jamais tu as besoin de sobriété et d'aplomb. J'essaie de construire un pont solide, un pont sur lequel tu puisses t'avancer entre les conceptions des hommes des temps anciens et celles des hommes modernes. »

Il me signala que, parmi toutes les observations transcendantales des hommes des temps anciens, la seule qui me fût familière, parce qu'elle avait persisté jusqu'à nos jours, était l'idée de vendre son âme au diable en échange de l'immortalité, ce qui, admettait-il, lui semblait être quelque chose qui venait droit de la relation que les sorciers d'antan entretenaient avec les êtres inorganiques. Il me rappela combien l'émissaire de rêver avait tenté de me persuader de rester dans son royaume, en m'offrant la possibilité de conserver mon individualité et ma propre conscience pendant presque une éternité.

« Comme tu le sais bien, succomber au piège des êtres inorganiques n'est pas seulement une idée ; c'est très réel, poursuivit don Juan. Cependant, tu n'as pas encore entièrement saisi ce qu'implique cette réalité. De la même manière, rêver est réel ; c'est une condition génératrice d'énergie. Tu entends mes déclarations et tu comprends certainement ce que je veux dire, mais ta conscience n'a pas encore absorbé la totalité de leurs conséquences. »

Don Juan dit que ma rationalité connaissait la signification d'un projet de cette nature et, au cours de notre dernière discussion, elle avait forcé ma conscience à changer de niveau. Je regagnai ma conscience normale avant même que je puisse m'occuper des nuances de mon rêve. Ma rationalité s'était protégée plus encore en interrompant ma pratique de rêver.

« Je vous certifie que je suis parfaitement clair sur ce que signifie une condition génératrice d'énergie, dis-je.

– Et je te certifie que tu ne l'es pas, rétorqua-t-il. Si tu l'étais, tu jaugerais rêver avec beaucoup plus d'attention et de réflexion. Puisque tu crois que tu ne fais que rêver, tu prends des risques à l'aveuglette. Ton raisonnement erroné te dit que, peu importe ce qui se passe, à un moment donné le rêve s'évanouira et tu te réveilleras. »

Il avait raison. En dépit de tout ce dont j'avais été témoin dans ma pratique de rêver, d'une certaine manière je m'en tenais à ma sensation générale que tout cela n'avait été qu'un rêve.

« Je parle des conceptions des hommes de l'antiquité et des conceptions des hommes modernes, poursuivit don Juan, parce que ta conscience, qui est conscience d'homme moderne, préfère traiter avec un concept étranger comme s'il s'agissait d'une idéalisation parfaitement vide.

« Si je t'avais laissé seul, tu considérerais rêver comme une simple idée. Bien sûr, je sais que tu prends très au sérieux ta pratique de rêver, mais tu n'arrives pas à vraiment croire à la réalité de rêver.

– Je comprends ce que vous dites, don Juan, mais je ne comprends pas pourquoi vous le dites.

– Je le dis parce que tu es, pour la première fois, dans la position appropriée pour comprendre que rêver est une condition génératrice d'énergie. Pour la première fois, tu peux comprendre que les rêves ordinaires sont des dispositifs d'ajustage utilisés pour entraîner le point d'assemblage à atteindre la position qui crée cette condition génératrice d'énergie que nous nommons rêver. »

Il me prévint que les rêveurs, puisque, en contact avec des mondes aux effets totalement accaparants qu'ils ont la faculté de pénétrer, doivent être dans un état permanent d'extrême et de constante vigilance ; tout écart à cette totale vigilance place le rêveur devant un danger à bien des égards plus qu'épouvantable.

À ce moment-là, je ressentis de nouveau un mouvement dans ma poitrine, exactement celui que j'avais éprouvé le jour où ma conscience changea de niveau d'elle-même. Don Juan me secoua par le bras de toutes ses forces.

« Considère rêver comme quelque chose d'extrêmement dangereux ! me commanda-t-il. Et illico presto ! Ne commence pas une de tes bizarres manœuvres. »

Le ton de sa voix était si pressant que je cessai ce qu'inconsciemment j'avais entamé.

« Don Juan, que m'arrive-t-il ?

— Ce qui t'arrive est que tu peux déplacer ton point d'assemblage rapidement et facilement. Toutefois, cette aisance a tendance à causer un déplacement erratique. Contrôle ta facilité. Et ne t'accorde même pas une fraction de millimètre de dérive. »

Il m'aurait été facile d'arguer que j'ignorais ce dont il parlait, mais je le savais. Je savais aussi que je ne disposais que de quelques secondes pour rassembler mon énergie et changer d'attitude, et je le fis.

Ainsi s'acheva ce jour-là notre conversation. Je pris la route pour rentrer chez moi, et pendant presque une année, tous les jours je répétais fidèlement ce que don Juan m'avait indiqué. Les effets de ma litanie quasi incantatoire furent incroyables. J'étais intimement convaincu qu'elle avait le même effet sur ma conscience que la gymnastique sur les muscles du corps. Mon point d'assemblage acquit de l'agilité, ce qui signifiait que *voir* l'énergie en rêvant devint le but exclusif de ma pratique. Mon habileté à avoir l'intention de *voir* s'accrut au fur et à mesure de mes efforts. Il arriva un moment où je fus capable de simplement avoir l'intention de *voir*, sans énoncer le moindre mot, tout en obtenant le même résultat que lorsque j'exprimais à haute voix mon intention de *voir*.

Don Juan me félicita de cette réussite. Et, naturellement, je crus qu'il se moquait de moi. Il m'assura qu'il était sincère, mais me supplia de continuer à hurler, au moins lorsque rien n'allait plus. Sa requête ne me surprit pas. D'ailleurs, dans mes rêves, chaque fois que je l'avais jugé nécessaire, je hurlai à tue-tête.

Je découvris que l'énergie de notre monde vacille. Elle scintille. Non seulement les êtres vivants, mais chaque chose dans notre monde luit d'une lumière intérieure qui lui est propre. Don Juan m'expliqua que l'énergie de notre monde se compose de couches de teintes chatoyantes. La couche supérieure est blanchâtre, celle au-dessous, immédiatement adjacente, est chartreuse, et la plus basse, mais plus espacée, est ambre.

Je découvris toutes ces teintes, ou plutôt je *vis* leurs chatoiements lorsque les éléments que j'avais rencontrés dans mes états semblables-au-rêve changeaient de forme. Toutefois, lorsque je *voyais* une chose qui générait de l'énergie, le rayonnement blanchâtre se manifestait en tout premier lieu.

« N'existe-t-il que trois teintes, don Juan ?

– Il en existe une infinité, mais dans la perspective d'un début d'ordre, tu devrais ne t'intéresser qu'à ces trois. Plus tard, tu pourras devenir aussi raffiné que tu le désires et en distinguer des dizaines, si tu en es capable.

« La couche blanchâtre est la teinte de la position présente du point d'assemblage de l'humanité. Disons que c'est une teinte moderne. Les sorciers croient que tout ce que tout homme fait aujourd'hui est coloré de ce rayonnement blanchâtre. À une autre époque, la position du point d'assemblage de l'humanité colorait l'énergie dominante dans le monde d'une teinte chartreuse et, dans les temps plus anciens encore, elle était ambre. La couleur de l'énergie des sorciers est ambre, ce qui signifie qu'ils sont énergétiquement associés avec les hommes qui existèrent dans un passé lointain.

– Pensez-vous, don Juan, que la teinte blanchâtre actuelle changera un jour ?

– Si l'homme est capable d'évoluer. Le grand œuvre des sorciers est de promouvoir l'idée que, pour évoluer, l'homme doit en premier lieu libérer sa conscience de ses attaches avec l'ordre social. Une fois que la conscience est libre, l'intention la dirigera dans une voie d'évolution nouvelle.

– Pensez-vous que les sorciers réussiront cette œuvre ?

– Ils l'ont déjà réussie. Eux-mêmes en sont la preuve. Parvenir à convaincre les autres de la valeur et de l'importance d'évoluer, c'est une autre histoire. »

L'autre type d'énergie que je localisai dans notre monde était une énergie étrangère, celle des éclaireurs, que don Juan caractérisait comme grésillante. Je trouvais dans mes rêves des tas d'éléments qui, une fois que je les *voyais*, se transformaient en amas d'énergie qui semblaient frire, bouillonnant d'une activité intérieure quasi calorifique.

« Souviens-toi que les éclaireurs que tu vas trouver n'appartiennent pas tous au monde des êtres inorganiques, me fit remarquer don Juan. Chaque éclaireur que tu as rencontré, à la seule exception de l'éclaireur bleu, était de ce royaume, mais cela venait du fait que les êtres inorganiques étaient aux petits soins avec toi. Ils orchestraient le spectacle. Maintenant, tu dois te débrouiller seul. Parmi les éclaireurs que tu vas rencontrer, certains ne viendront pas du royaume des êtres inorganiques, mais d'autres niveaux plus lointains de conscience.

– Les éclaireurs ont-ils conscience d'eux-mêmes ?

– Très certainement.

– Alors pourquoi ne nous contactent-ils pas lorsque nous sommes réveillés ?

– Ils nous contactent. Mais notre grand malheur est d'avoir une conscience tellement occupée que nous ne prenons même pas le temps d'y prêter attention. Au cours de notre sommeil, l'écoutille à deux voies s'ouvre : nous rêvons. Et dans nos rêves, nous établissons le contact.

– Y a-t-il une façon pour savoir si les éclaireurs sont d'un autre niveau que celui des êtres inorganiques ?

– Plus leur grésillement est intense, plus ils viennent de loin. Ça paraît un peu simpliste, mais il faut que tu laisses ton corps d'énergie te dire ce qui est quoi. Je te garantis que lorsqu'il fera face à de l'énergie étrangère, il sera capable de distinctions très subtiles et de jugements infaillibles. »

Il avait toujours raison. Sans plus de façon, mon corps d'énergie distingua deux types principaux d'énergie étrangère. Le premier était les éclaireurs du royaume des êtres inorganiques. Leur énergie grésillait faiblement. Ils n'émettaient pas de son, mais ils avaient toute l'apparence d'une effervescence, ou d'une eau prête à bouillir.

L'énergie du second type principal d'éclaireurs me donna une impression de puissance bien plus considérable. Ces éclaireurs semblaient sur le point de brûler. Ils vibraient intérieurement comme s'ils étaient remplis de gaz sous pression.

Mes rencontres avec l'énergie étrangère étaient toujours éphémères, car je suivais attentivement les recommandations de don Juan.

Il m'avait dit :

« À moins que tu ne saches exactement ce que tu fais et ce que tu veux de l'énergie étrangère, satisfais-toi d'un bref coup d'œil. Tout ce qui est plus qu'un coup d'œil est aussi dangereux et stupide que de caresser un serpent à sonnettes.

– Pourquoi est-ce si dangereux ?

– Les éclaireurs sont toujours très agressifs et extrêmement audacieux, dit-il. Ils doivent l'être, de façon à prédominer dans leurs explorations. Maintenir sur eux notre attention de rêver équivaut à solliciter la focalisation de leur conscience sur nous. Une fois qu'ils ont concentré leur attention sur nous, nous sommes contraints de les suivre. Et là, bien entendu, réside le danger. Nous pourrions nous trouver dans des mondes au-delà de nos possibilités énergétiques. »

Don Juan m'expliqua qu'il existait bien d'autres types d'éclaireurs que les deux que j'avais identifiés, mais vu mon niveau d'énergie je ne pouvais en focaliser que trois. Les deux premiers types, il les présenta comme faciles à isoler. Dans nos rêves, leurs déguisements sont tellement bizarres qu'ils retiennent immédiatement notre attention. Quant aux éclaireurs du troisième type ils sont, selon lui, les plus dangereux à cause de leur agressivité et de leur puissance, mais aussi parce qu'ils se cachent sous de subtils déguisements.

« Une des choses les plus étranges que découvrent les rêveurs, et tu vas maintenant faire cette découverte, poursuivit don Juan, est l'éclaireur du troisième type. Jusqu'à ce jour, tu n'as décelé que des exemples des deux premiers types, mais c'est parce que tu n'as pas regardé au bon endroit.

– Et quel est le bon endroit ?

– À nouveau tu t'es empêtré dans les mots ; cette fois, le mot coupable est " élément ", que tu as compris uniquement dans son sens de chose, objet. Eh bien, dans nos rêves les éclaireurs les plus féroces se cachent derrière les gens. Dans ma pratique de rêver, alors que je focalisai mon regard sur l'image rêvée de ma mère, se trouva stockée une formidable surprise. Une fois mon intention de *voir* exprimée de vive voix, elle se transforma en une féroce, effrayante, et grésillante bulle d'énergie. »

Don Juan fit une pause, de manière à donner une chance à ses déclarations de percer ma carcasse. Je me sentais stupide, car j'étais perturbé par la possibilité de trouver un éclaireur derrière l'image rêvée de ma mère.

« Il est assez ennuyeux de s'apercevoir qu'ils sont toujours associés avec l'image rêvée de nos parents ou de nos meilleurs amis, reprit-il. Peut-être qu'ainsi s'explique notre malaise lorsque nous rêvons d'eux. »

Sa grimace me donna l'impression que mon trouble l'amusait.

« Pour les rêveurs, la règle empirique est d'assumer qu'il y a présence d'éclaireur du troisième type chaque fois que, dans un rêve, ils se sentent mal à l'aise face à leurs parents ou amis. Un bon conseil, évite ces images. Elles sont du pur poison.

– Et où se situe l'éclaireur bleu ?

– L'énergie bleue ne grésille pas, répliqua-t-il. Elle est comme la nôtre ; elle vacille, mais elle est bleue et non blanche. Dans notre monde l'énergie bleue n'existe pas à l'état naturel.

« Ce qui nous conduit à quelque chose dont nous n'avons jamais parlé. De quelle couleur étaient les éclaireurs que tu as *vus* jusqu'à présent ? »

Avant ce moment-là, je n'avais jamais pensé à leur couleur. Je lui dis que les éclaireurs que j'avais *vus* étaient soit roses, soit rougeâtres. Il ajouta que les éclaireurs du troisième type étaient orange vif.

Je découvris, moi-même, combien ce troisième type d'éclaireurs est effrayant. Chaque fois que j'en distinguais un, il se cachait derrière l'image rêvée de mes parents, particulièrement celle de ma mère. En *voir* un me rappelait toujours cet amas d'énergie qui m'avait attaqué au cours de ma première tentative délibérée de *voir* dans le rêve. Chaque fois que j'en trouvais un, cette énergie étrangère exploratrice semblait prête à sauter sur moi. D'ailleurs, avant même que je ne le *voie*, mon corps d'énergie réagissait avec horreur.

Au cours de la discussion suivante concernant rêver, je m'enquis auprès de don Juan de l'absence des êtres inorganiques dans ma pratique de rêver.

« Pourquoi ne se montrent-ils plus ?

— Ils ne se montrent qu'au tout début, expliqua-t-il. Une fois que leurs éclaireurs nous ont conduits dans leur monde, les projections des êtres inorganiques n'ont plus de raison d'être. Si nous désirons *voir* les êtres inorganiques, un éclaireur nous amène là-bas. Car personne, et je dis bien personne, ne peut aller de lui-même dans leur royaume.

— Et pourquoi donc, don Juan ?

— Leur monde est clos. Personne ne peut entrer ou sortir sans l'approbation des êtres inorganiques. La seule chose que tu puisses faire toi-même une fois chez eux est, naturellement, de manifester verbalement ton intention de rester. L'exprimer à haute voix signifie déclencher d'irréversibles mouvements de courants d'énergie. Aux temps des anciens, les mots étaient incroyablement puissants. Aujourd'hui, ils ne le sont plus. En revanche, dans le royaume des êtres inorganiques, ils n'ont pas perdu leur puissance. »

Don Juan éclata de rire et déclara que, vraiment, ce n'était pas son affaire de parler du monde des êtres inorganiques, car j'en savais beaucoup plus que lui et ses compagnons réunis.

« Néanmoins, il demeure un dernier sujet concernant ce monde que nous n'avons pas abordé », reprit-il.

Il fit une longue pause, comme pour chercher les mots appropriés.

« Tout bien considéré, mon aversion pour les activités des sorciers d'antan est personnelle. En tant que nagual, je déteste ce qu'ils firent. Par pure lâcheté, ils trouvèrent refuge dans le monde des êtres inorganiques. Ils affirmèrent que dans un univers prédateur, prêt à bondir pour nous mettre en pièces, le seul refuge pour les rêveurs est ce royaume.

– Pourquoi en vinrent-ils à cette conviction ?

– Parce qu'elle est exacte. Puisque les êtres inorganiques ne peuvent pas mentir, les boniments de camelot de l'émissaire de rêver sont pure vérité. Ce monde peut nous fournir un abri, et prolonger notre conscience pour presque l'éternité.

– Les boniments de camelot de l'émissaire, même s'ils sont pure vérité, n'ont pour moi aucun attrait, dis-je.

– Veux-tu dire que tu es prêt à tenter ta chance sur une voie qui peut te déchirer en mille morceaux ? » demanda-t-il avec stupéfaction.

J'assurai don Juan du fait que je ne voulais rien du monde des êtres inorganiques ; peu importe les avantages qu'il offrait. Ma déclaration eut pour effet de l'enchanter sans réserve aucune.

« Alors, tu es prêt pour une déclaration finale concernant ce monde. La déclaration la plus effrayante que je puisse faire », dit-il tout en esquissant un sourire peu convaincant.

De son regard don Juan fouilla dans mes yeux, pour y percevoir un scintillement d'accord ou de compréhension, je suppose. Pendant un moment, il garda le silence.

« L'énergie nécessaire pour déplacer le point d'assemblage des sorciers vient du royaume des êtres inorganiques », dit-il comme pressé d'en finir.

Mon cœur cessa presque de battre. Je fus pris de vertige, et je dus frapper le sol des pieds pour ne pas m'évanouir.

« C'est la vérité, poursuivit don Juan, et aussi notre héritage des sorciers d'antan. Jusqu'à ce jour, ils nous ont cloués dans cette situation. C'est la raison pour laquelle je ne les aime pas. Ne pouvoir puiser qu'à une seule source m'indigne. Personnellement, je m'y refuse. Et j'ai tenté de t'en détourner. Mais sans succès, car quelque chose, tel un aimant, t'attire vers ce monde. »

Je compris don Juan bien mieux que je n'aurais pu le penser. Aller dans ce monde avait toujours signifié pour moi, à un niveau énergétique, une poussée d'énergie obscure. J'y avais même déjà pensé, bien avant que don Juan ne fasse sa déclaration.

« Que pouvons-nous faire, demandai-je.

– Nous ne devons pas traiter avec eux et, cependant, nous ne pouvons pas les ignorer. Ma solution a consisté à prendre leur énergie, mais à ne jamais tomber sous leur influence. C'est ce que nous nommons : l'ultime art de traquer. Il s'accomplit en maintenant une inflexible intention de liberté, même si pas un seul sorcier ne sait ce qu'est, réellement, la liberté.

– Don Juan, pouvez-vous m'expliquer pourquoi les sorciers doivent prendre leur énergie dans le royaume des êtres inorganiques ?

– Pour les sorciers, il n'existe pas d'autre énergie viable. Afin de manœuvrer le point d'assemblage de la manière dont ils le font, les sorciers ont besoin d'une quantité démesurée d'énergie. »

Je lui remis en mémoire sa déclaration : pour rêver, un redéploiement d'énergie est indispensable.

« C'est exact, répliqua-t-il. Afin de commencer à rêver, les sorciers ont besoin de redéfinir leurs prémisses et d'économiser leur énergie ; mais cette redéfinition n'est valable que pour disposer de l'énergie nécessaire pour mettre en œuvre rêver. Pour s'envoler dans d'autres royaumes, pour voir l'énergie, pour forger le corps d'énergie, etc., c'est une autre affaire. Pour ces manœuvres, les sorciers ont besoin d'énormément d'énergie obscure, étrangère.

– Mais comment l'extraient-ils du monde des êtres inorganiques ?

– Par le simple acte d'aller dans ce monde. Tous les sorciers de notre lignée doivent le faire. Néanmoins, aucun d'entre nous n'est assez stupide pour faire ce que tu fis. Mais ça vient aussi du fait que pas un de nous n'a tes penchants. »

Don Juan m'ordonna de rentrer chez moi, pour ruminer ce qu'il venait de me révéler. Pourtant, j'avais une infinité de questions à lui poser. Mais il refusa d'en entendre une seule.

« Toutes tes questions, tu peux y répondre toi-même. »

Et, d'un geste de la main, il salua mon départ.

10

TRAQUER LES TRAQUEURS

Chez moi, je me rendis rapidement compte qu'il m'était impossible de répondre à une seule de mes questions. En fait, je ne parvenais même plus à les formuler. Peut-être cette situation provenait-elle du fait que la frontière de la seconde attention s'effondrait pour la première fois sur moi. En effet, c'est alors que je rencontrai Florinda Donner et Carol Tiggs dans le monde de la vie de tous les jours. La confusion entre, d'une part, n'absolument pas les connaître et, d'autre part, les connaître si intimement que sans la moindre hésitation j'aurais donné ma vie pour elles, eut sur moi un effet des plus néfastes. Quelques années auparavant, j'avais rencontré Taisha Abelar et je commençais à peine à m'habituer au curieux sentiment de la connaître, toujours sans avoir la moindre idée de comment nous nous étions connus. Ajouter deux personnes à mon système déjà surchargé s'avéra être trop pour moi. Épuisé, je me sentais malade et je dus avoir recours à don Juan. J'allais dans la ville du sud du Mexique où il vivait avec ses compagnons.

Dès la simple mention de mes émois, don Juan et ses collègues sorciers éclatèrent franchement de rire. Don Juan m'expliqua qu'ils ne se moquaient pas de moi, mais d'eux-mêmes. Mes problèmes de reconnaissance leur rappelaient les leurs, au moment où la frontière de la seconde attention s'était effondrée sur eux, comme elle venait de le faire sur moi. Leur conscience, pas plus que la mienne, n'avait été préparée pour faire face à ça.

« Chaque sorcier vit la même agonie, poursuivit-il. La conscience est pour les sorciers et pour les hommes en général, une zone infinie d'exploration. Pour parvenir à développer la conscience, il n'y a pas de risque que nous ne devions pas courir, pas de moyens que nous ne devions refuser. Toutefois, mets bien ça dans ta tête, ce n'est que dans un esprit sain que la conscience peut se développer. »

Don Juan insista une fois de plus sur le fait que son temps approchait de sa fin, et que je devais faire bon usage de mes propres ressources de façon à parcourir le plus de terrain possible avant son départ. Auparavant, ce genre de déclaration me plongeait dans un état de profonde dépression. Mais avec l'approche du moment de son départ, je commençais à me résigner. Je n'étais plus déprimé, mais je m'affolais encore.

Ensuite, rien d'autre ne fut exprimé. À sa requête, le jour suivant, je le conduisis avec ma voiture à Mexico. Nous arrivâmes vers midi et allâmes directement là où il logeait habituellement lorsqu'il venait dans la capitale, à l'hôtel del Prado, sur le Paseo Alameda. Don Juan avait rendez-vous avec un avocat le jour même, à quatre heures de l'après-midi. Comme nous disposions de pas mal de temps, nous allâmes déjeuner au célèbre Café Tacuba, un restaurant au cœur du centre de la ville où, selon la rumeur, on servait de vrais repas.

Don Juan n'avait pas faim. Il commanda seulement deux tamales sucrés pendant que je dévorais un somptueux menu. Tout en faisant des gestes désespérés à propos de mon immense appétit, il se moqua de moi.

« Je vais te proposer une ligne d'action, dit-il d'un ton cassant une fois notre déjeuner terminé. C'est la tâche de la troisième porte de rêver, et elle consiste à traquer les traqueurs, une manœuvre très mystérieuse. Traquer les traqueurs signifie extraire délibérément de l'énergie du royaume des êtres inorganiques dans le but d'accomplir un exploit de sorcellerie.

– Quelle sorte d'exploit de sorcellerie, don Juan ?

– Un voyage, un voyage qui utilise la conscience comme une caractéristique de l'environnement, expliqua-t-il. Dans le monde de la vie de tous les jours, l'eau est une caractéristique de l'environnement dont nous faisons usage pour nous déplacer. Imagine la conscience comme une caractéristique similaire qui peut servir aussi à voyager. Par le milieu qu'est la conscience, les éclaireurs de tous les coins de l'univers viennent nous rencontrer, et vice versa ; via la conscience, les sorciers vont aux confins de l'univers. »

Parmi tous les concepts auxquels don Juan m'avait ouvert au cours de ses enseignements, il y en avait certains qui, sans la moindre cajolerie, stimulèrent tout mon intérêt. Celui-ci en faisait partie.

« L'idée que la conscience est une caractéristique physique est révolutionnaire, dis-je avec émerveillement.

– Je n'ai pas dit une caractéristique physique, me corrigea-t-il. C'est une caractéristique énergétique. Il faut que tu fasses cette distinction. Pour les sorciers qui *voient*, la conscience est un rayonnement. Ils peuvent accrocher leur corps d'énergie à ce rayonnement, et partir avec lui.

– Quelle différence y a-t-il entre une caractéristique physique et une caractéristique énergétique ?

– La différence est que les caractéristiques physiques font partie de notre système d'interprétation, mais pas les caractéristiques énergétiques. Les caractéristiques énergétiques, telle la conscience, existent dans notre univers. Mais nous, gens très moyens, ne percevons que les caractéristiques physiques parce qu'on nous a enseigné à faire ainsi. Les sorciers perçoivent les caractéristiques énergétiques pour la même raison : on leur a appris à le faire. »

Don Juan expliqua que l'utilisation de la conscience comme caractéristique énergétique de notre environnement est l'essence de la sorcellerie. Quant à ce qui concerne sa mise en pratique, la trajectoire du sorcier est, au premier abord, de libérer l'énergie existante en soi en suivant impeccablement la voie du sorcier et, en second lieu, d'utiliser cette énergie pour développer le corps d'énergie par la pratique de rêver et, enfin, d'utiliser la conscience comme une caractéristique de l'environnement de façon à entrer avec notre corps d'énergie et toute notre réalité physique dans d'autres mondes.

« Il existe deux genres de voyages énergétiques dans d'autres mondes, poursuivit-il. L'un, quand la conscience prend le corps d'énergie du sorcier et le conduit où elle désire, et l'autre, quand le sorcier décide, en toute clarté, de prendre l'avenue de la conscience pour faire son voyage. Tu as fait le premier genre de voyage. Pour accomplir le second, il faut une colossale discipline. »

À la suite long silence, don Juan déclara que dans la vie d'un sorcier il y a des issues qui exigent une maîtrise parfaite, et que traiter avec la conscience, telle une caractéristique énergétique ouverte au corps d'énergie, est la plus importante, la plus vitale et la plus dangereuse de toutes ces issues.

Je n'avais rien à dire. Soudain je marchais sur des œufs, suspendu au moindre de ses mots.

« Seul, tu n'as pas assez d'énergie pour accomplir la tâche de la troisième porte de rêver, poursuivit-il, mais toi et Carol Tiggs, ensemble vous pouvez certainement faire ce que j'ai en tête. »

Il fit une pause, me faisant mijoter délibérément à petit feu avec son silence, pour savoir si j'allais lui demander ce qu'il concoctait. Je le fis. Son rire ne fit qu'alourdir cette atmosphère, à mon avis de mauvais augure.

« Je veux que tous les deux vous brisiez les frontières du monde normal et, en faisant usage de la conscience comme une caractéristique énergétique, entriez dans un autre monde, dit-il. Cette façon de briser et d'entrer revient à traquer les traqueurs. L'utilisation de la conscience comme une caractéristique de l'environnement esquive l'influence des êtres inorganiques, en faisant toutefois usage de leur énergie. »

Il ne voulut pas me fournir plus d'explications, de manière à ne pas m'influencer, précisa-t-il. Il pensait que moins j'en saurais avant, mieux cela vaudrait. Je signalai mon désaccord, mais il me certifia que, si besoin était, mon corps d'énergie serait parfaitement capable de se prendre en charge.

Nous allâmes du restaurant chez l'avocat. Don Juan n'en eut pas pour très longtemps pour régler ses affaires et, sans plus attendre, nous prîmes un taxi pour aller à l'aéroport. Don Juan m'informa que Carol Tiggs arrivait, sur un vol de Los Angeles, dans le seul but d'accomplir cette dernière tâche de rêver en ma compagnie.

« La vallée de Mexico est un endroit splendide pour accomplir l'exploit de sorcellerie après lequel tu cours, commenta-t-il.

– Vous ne m'avez pas encore dit quelles seront les phases exactes à suivre. »

Il ne me répondit pas. La discussion s'arrêta là, mais pendant que nous attendions l'avion, il m'expliqua la procédure à suivre. J'irai dans la chambre de Carol Tiggs à l'hôtel Regis, en face de notre hôtel, et, après avoir atteint un état de parfait silence intérieur, tout en exprimant verbalement notre intention d'aller dans le royaume des êtres inorganiques, nous devrions calmement glisser dans l'état de rêve.

Je l'interrompis pour lui signaler qu'il m'avait

toujours fallu attendre qu'un éclaireur apparaisse avant que je puisse exprimer à haute voix mon intention d'aller dans le monde des êtres inorganiques.

Don Juan gloussa de rire et dit :

« Tu n'as pas encore rêvé avec Carol Tiggs. Tu vas découvrir que c'est un régal. Les sorcières n'ont pas besoin d'accessoires. Elles vont dans ce monde quand elles le désirent ; pour elles, il y a toujours un éclaireur de service. »

Je ne parvenais pas à accepter qu'une sorcière puisse être capable de faire ce qu'il prétendait. Je pensais avoir atteint un certain niveau de compétence dans le maniement du monde des êtres inorganiques. Lorsque je lui fis part de mes pensées, il rétorqua que je n'avais pas la moindre compétence, comparé à ce qu'une sorcière peut faire.

« Pourquoi crois-tu que j'avais amené Carol Tiggs pour tirer ton corps de ce monde ? Penses-tu que c'est parce qu'elle est belle ?

— Pourquoi alors, don Juan ?

— Parce que j'étais incapable de le faire seul ; et pour elle, ce n'était qu'une pichenette. Elle a un truc pour ce monde.

— Est-elle un cas exceptionnel, don Juan ?

— En général, les femmes ont un penchant naturel pour ce monde ; les sorcières sont évidemment des championnes, mais Carol Tiggs est meilleure que toutes celles que je connais car, en tant que nagual, elle possède une énergie somptueuse. »

Je pensai avoir surpris don Juan dans une sérieuse contradiction. Il avait dit que les êtres inorganiques ne portaient pas le moindre intérêt aux femmes. Et maintenant, il affirmait le contraire.

« Non, je n'affirme pas le contraire, remarquat-il. J'ai dit que les êtres inorganiques ne poursuivent pas les femelles ; ils vont après les mâles. Mais je t'ai aussi précisé que les êtres inorganiques sont femelles et que, dans sa plus grande partie, l'univers entier est aussi femelle. Tires-en tes propres conclusions. »

Puisque je ne disposais pas de moyens d'en tirer une seule, don Juan m'expliqua, qu'en théorie au moins, étant donné leur conscience plus élevée et leur féminité, les sorcières vont et viennent dans ce monde selon leur désir.

« En êtes-vous certain ?

– Les femmes de mon groupe ne l'ont jamais fait, confessa-t-il, non pas parce qu'elles en sont incapables, mais parce que je les en ai dissuadées. Par contre, les femmes de ton groupe le font comme elles changent de robes. »

Je ressentis comme un vide dans mon estomac. J'ignorais tout des femmes de mon groupe. Don Juan me consola en disant que ma situation était différente de la sienne, comme l'était aussi mon rôle de nagual. Il me certifia que, même si je faisais le poirier, je ne possédais pas ce qu'il fallait pour dissuader une femme de mon groupe.

Pendant que le taxi nous conduisait à son l'hôtel, Carol nous amusa de ses imitations de personnes que nous connaissions. Je voulus rester sérieux et je l'interrogeai sur notre tâche. Elle murmura quelques excuses concernant son incapacité à me répondre avec tout le sérieux qui m'était dû. À l'entendre imiter mon ton de voix si solennel, don Juan rugit de rire.

Une fois Carol installée dans son hôtel, nous fîmes tous trois une promenade en ville, à la recherche de boutiques de livres d'occasion. Puis nous eûmes un dîner léger au restaurant Sanborn et, vers dix heures du soir, nous rentrâmes à pied à l'hôtel Regis. Nous allâmes directement vers l'ascenseur. Ma peur aiguisait ma capacité de perception des détails. Le bâtiment de l'hôtel était ancien et imposant. Il ne faisait aucun doute que le mobilier du hall avait connu des jours meilleurs. Néanmoins, tout autour de nous quelque chose émanait encore de sa vieille gloire qui demeurait attirante. Je comprenais pourquoi Carol l'aimait tant.

Avant de rentrer dans l'ascenseur, mon anxiété s'accrut tant que je ne pus m'empêcher de demander à don Juan des instructions de dernière minute. Je le suppliai :

« Une fois de plus, dites-moi comment nous allons procéder. »

Don Juan nous tira vers les immenses fauteuils rembourrés du hall et, avec beaucoup de patience, nous expliqua qu'une fois dans le monde des êtres inorganiques, nous devions manifester de vive voix notre intention de transférer notre conscience ordinaire dans nos corps d'énergie. Il suggéra que nous exprimions à l'unisson notre intention, bien que cela n'eût que peu d'importance. Le plus important, précisa-t-il, était que chacun de nous ait l'intention de transférer la totalité de sa conscience de tous les jours dans son corps d'énergie.

« Comment effectuerons-nous ce transfert de conscience, demandai-je ?

– Transférer la conscience est purement une affaire d'exprimer verbalement notre intention et de disposer de la quantité indispensable d'énergie, répondit-il. Carol le sait. Elle l'a déjà fait. Souviens-toi, quand elle te tira physiquement du monde des êtres inorganiques, elle y était entrée physiquement. Son énergie connaît le truc, elle fera pencher la balance.

– Que signifie faire pencher la balance ? Je suis dans les limbes, don Juan. »

Il m'expliqua que faire pencher la balance signifiait ajouter la totalité de sa propre masse physique au corps d'énergie. Il ajouta qu'utiliser la conscience comme véhicule pour aller dans un autre monde ne résulte pas de l'usage d'une technique quelconque, mais est le corollaire d'avoir l'intention plus un niveau suffisant d'énergie. L'ensemble de l'énergie de Carol Tiggs additionnée à la mienne, ou l'ensemble de mon énergie additionnée à celle de Carol, allait faire de nous une seule entité, capable énergétiquement de tirer notre réalité physique et de la placer sur le corps d'énergie afin d'accomplir ce voyage.

« Que devons-nous exactement faire pour entrer dans cet autre monde ? » demanda Carol.

Sa question me fit presque mourir de peur, car je pensais qu'elle connaissait les tenants et aboutissants de notre entreprise.

« La totalité de vos masses physiques doit être additionnée à vos corps d'énergie, répondit don Juan. L'extrême difficulté de cette manœuvre est de discipliner le corps d'énergie, une chose que vous avez déjà accomplie tous les deux. La seule raison qui pourrait vous conduire à louper cet exploit d'ultime pratique de traquer serait un manque de discipline. Parfois, par un coup de chance, une personne ordinaire réussit cet exploit et entre dans un autre monde. Mais alors, on écarte immédiatement le tout en prétextant la folie, ou l'hallucination. »

J'aurais donné n'importe quoi pour que don Juan continue à parler. Mais, en dépit de mes protestations et de mon besoin rationnel d'en savoir plus, il nous poussa dans l'ascenseur qui monta au second étage où se situait la chambre de Carol. Cependant, au fond de moi-même, je n'avais pas besoin d'en savoir plus ; tout bien considéré, ce n'était qu'une question de peur. D'une certaine manière, cette manœuvre de sorcier m'effrayait plus que tout ce que j'avais accompli jusqu'alors.

Les mots d'adieu de don Juan furent :

« Oublie le moi et tu ne craindras rien. »

Sa grimace et son hochement de tête constituaient une invitation à réfléchir à sa déclaration.

Carol se mit à rire en imitant la voix de don Juan donnant ses énigmatiques instructions. Son zézaiement ajoutait bien du charme à ce que don Juan nous avait dit. Parfois, je trouvais son zézaiement adorable, la plupart du temps je le détestais. Heureusement, cette nuit-là, il était à peine perceptible.

Une fois dans sa chambre, nous nous assîmes au bord du lit. Ma dernière pensée claire fut que ce lit était une relique du début du siècle. Avant même que je n'aie eu le temps de prononcer un seul mot, je me trouvais dans un étrange lit. Carol était avec moi. Elle se releva en position à moitié assise en même temps que moi. Nous étions nus, chacun sous une mince couverture.

« Que se passe-t-il ? demanda-t-elle d'une voix affaiblie.

– Es-tu réveillée ? demandai-je stupidement.

– Bien sûr que je suis réveillée, me répondit-elle d'un ton impatient.

– Te souviens-tu où nous étions ? »

Il y eut un long silence car, évidemment, elle réorganisait ses pensées.

« Je pense être bien réelle, mais toi tu ne l'es pas, dit-elle enfin. Je sais où j'étais auparavant. Et tu veux me tendre un piège. »

Je pensais exactement la même chose : elle savait parfaitement ce qui se passait, et elle me testait, ou bien se moquait de moi. Don Juan m'avait confié que ses démons se nommaient, tout comme les miens : cachotterie et méfiance. Il ne s'agissait que d'une de leurs démonstrations.

« Je refuse de faire partie d'une merde que tu contrôles, rugit-elle. »

Elle me jeta un regard chargé de venin.

« C'est à toi que je parle, qui que tu sois. »

Elle prit une des couvertures et la roula autour d'elle.

« Je vais m'allonger ici et revenir là où j'étais, dit-elle d'un air décidé. Toi et le nagual, foutez le camp et allez jouer l'un avec l'autre.

– Arrête ces stupidités, lui dis-je impérativement. Nous sommes dans un autre monde. »

Elle ne m'écouta même pas et me tourna le dos, comme un enfant gâté qui veut marquer sa contra-

236

riété. Je ne voulais pas perdre mon attention de rêver en de futiles discussions sur la réalité des choses. Je me mis à tout observer autour de moi. La seule lumière de la pièce venait des rayons de lune au travers d'une fenêtre qui nous faisait face. Nous étions dans une petite pièce, sur un lit très haut perché. Je remarquai que ce lit était sommairement construit. Quatre gros poteaux avaient été plantés dans le sol, et la couche du lit était constituée d'un treillis fait de longs bâtons fixés aux poteaux. Dessus, il y avait un épais matelas, à vrai dire un matelas plutôt compact, sans aucun drap ni oreiller. Contre les murs s'entassaient des sacs de toile. Deux autres sacs, empilés l'un sur l'autre, gisaient au pied du lit et servaient d'escabeau pour y accéder.

Tout en cherchant un interrupteur, je me rendis compte que le lit était dans un coin, adossé au mur. Nos têtes étaient contre ce mur, moi côté escabeau et Carol du côté de l'autre mur. Lorsque je m'assis sur le bord du lit, je m'aperçus qu'il était à environ un mètre du sol.

Soudain, Carol s'assit et, avec un fort zézaiement, déclara :

« C'est ignoble ! Le nagual ne m'a jamais dit que j'allais finir ainsi.

– À moi non plus, dis-je. »

J'aurais voulu poursuivre, au moins pour maintenir une conversation, mais mon anxiété avait pris des proportions extravagantes.

« Toi, la ferme ! lâcha-t-elle, d'une voix grinçante de colère. Tu n'existes pas. Tu es un fantôme. Disparais ! Disparais ! »

Son zézaiement était vraiment mignon, et il offrait un agréable dérivatif à ma frayeur. Je la secouai par les épaules. Elle cria, non pas tant de peine, que de surprise ou de contrariété.

« Je ne suis pas un fantôme, dis-je. Nous avons fait ce voyage parce que nous avons cumulé nos énergies. »

Dans notre groupe, Carol était célèbre pour sa rapidité d'adaptation à n'importe quelle situation. En peu de temps, elle fut convaincue de la réalité de notre fâcheuse situation et, dans la demi-obscurité, elle se mit à chercher des yeux ses habits. Le fait qu'elle n'eût pas la moindre peur m'émerveillait. Elle s'agita, tout en se demandant à haute voix où elle aurait donc rangé ses affaires si elle s'était couchée dans cette chambre.

« Vois-tu une chaise ? » me demanda-t-elle.

Très confusément, je vis trois sacs empilés qui auraient pu servir de table ou bien de très haut banc. Elle sortit du lit, se dirigea vers eux et y trouva ses habits et les miens, soigneusement pliés, ainsi qu'elle le faisait toujours. Elle me tendit mes habits ; ils étaient à moi, mais n'étaient pas ceux que je portais, quelques minutes avant, dans la chambre de Carol à l'hôtel Regis.

« Ce ne sont pas mes vêtements, zézaya-t-elle. Et cependant, ce sont les miens. Ça alors ! »

Nous nous habillâmes en silence. J'avais envie de lui dire que, en proie à une telle anxiété, j'allais exploser. Je voulais aussi lui faire remarquer la célérité de notre voyage, mais, le temps que je m'habille, la pensée de notre voyage se dissipa. Je parvenais à peine à me souvenir de l'endroit où nous étions juste avant de nous réveiller dans cette pièce, comme si j'avais rêvé cette chambre d'hôtel. Je fis un effort extrême pour me reprendre, pour repousser ce flou qui m'envahissait. Je réussis à dissiper le brouillard, mais ce faisant j'épuisai toute mon énergie. J'étais couvert de sueur et soufflais comme un phoque.

« Quelque chose m'a presque, presque attrapée », dit Carol.

Je la regardai. Tout comme moi, elle ruisselait de sueur.

« Elle t'a presque eu. Que penses-tu de ça ? poursuivit-elle.

— La position du point d'assemblage, affirmai-je avec une inébranlable certitude.

238

Mais elle ne partageait pas mon point de vue.

— Ce sont les êtres inorganiques qui viennent collecter leur dû, dit-elle en tremblant. Le nagual m'avait prévenue que ce serait horrible, mais jamais je n'avais imaginé quelque chose d'aussi horrible. »

Je ne pouvais qu'être d'accord avec elle. C'était un gâchis horrifiant mais, malgré tout, je ne cernais pas l'horreur de la situation. Carol et moi nous n'étions plus des novices ; nous avions vu et fait des choses considérables, dont certaines absolument terrifiantes. Cependant, il y avait quelque chose dans ce rêve qui me faisait froid dans le dos, au-delà du soutenable.

« Nous rêvons, n'est-ce pas ? » demanda Carol.

Sans la moindre hésitation, je certifiai que c'était assurément le cas, bien que j'eusse donné n'importe quoi pour entendre don Juan me rassurer de la même façon.

« Alors, pourquoi ai-je tellement peur ? » dit-elle, comme si j'étais capable d'expliquer sa frayeur rationnellement.

Avant même que je ne puisse formuler une pensée, elle répondit à sa question. Elle déclara que ce qui l'effrayait était de se rendre compte, au niveau de son corps, que percevoir est un acte global quand le point d'assemblage a été immobilisé sur une position. Elle me remit en mémoire le fait que don Juan nous avait dit que le pouvoir de notre monde quotidien résulte du fait que notre point d'assemblage est figé sur son habituelle position. C'est cette immobilité qui rend inclusive et prédominante notre perception du monde, au point qu'il nous est impossible d'y échapper. Carol poursuivit en spécifiant que le nagual avait dit autre chose : si nous voulions briser cette force si totalement inclusive, tout ce que nous avions à faire était de dissiper le brouillard, c'est-à-dire de déplacer le point d'assemblage en ayant l'intention de le déplacer.

Jamais je n'avais réellement compris ce que don

Juan voulait dire, jusqu'au moment où il me fallut déplacer mon point d'assemblage sur une autre position de façon à dissiper le brouillard de ce monde qui avait commencé à me dissoudre.

Sans un mot de plus, Carol et moi allâmes vers la fenêtre pour jeter un regard à l'extérieur. Nous étions dans la campagne. Sous la clarté lunaire se dessinaient les formes sombres et basses de quelques maisons. Il semblait que nous étions dans l'atelier, ou le magasin, d'une ferme, ou d'une grande propriété.

« Te souviens-tu d'être venu te coucher ici ? demanda Carol.

— Presque, dis-je sincèrement. Je lui confiai que je devais me forcer pour conserver comme point de référence l'image de sa chambre d'hôtel.

— Je dois aussi faire le même effort, chuchota-t-elle avec une voix chargée de frayeur. Je sais que si nous laissons filer cette mémoire, nous sommes fichus. »

Puis elle me demanda si je désirais que nous sortions de cette baraque pour tenter une exploration des lieux. Il n'en était pas question, car mon appréhension avait atteint une telle acuité que je ne pouvais plus prononcer un seul mot. De la tête, je lui fis un signe négatif.

« Tu as tellement raison de ne pas vouloir sortir, commenta-t-elle. J'ai l'impression que si nous quittions cette baraque, nous ne ferions jamais le voyage de retour. »

J'étais sur le point d'entrouvrir la porte pour jeter un coup d'œil alentour, lorsqu'elle me stoppa net :

« Ne fais pas ça. Tu pourrais laisser le dehors entrer ici. »

La pensée que nous étions dans une cage très vulnérable me traversa à l'instant. La moindre chose, par exemple ouvrir la porte, pourrait troubler l'équilibre précaire de cette cage. Au même moment, tous deux nous fûmes pris de frénésie.

Nous arrachâmes nos habits, comme si notre survie en dépendait, puis, sans faire usage des deux sacs placés en guise d'escabeau, nous sautâmes dans le lit, pour, sur-le-champ, sauter de nouveau par terre.

Sans aucun doute, nous avions fait simultanément la même constatation. Elle confirma cela en disant :

« Tout ce dont nous faisons usage appartient à ce monde, donc ne peut que nous affaiblir. Si je reste là, nue, loin du lit et de la fenêtre, je n'ai plus le moindre problème pour me souvenir d'où je suis venue. Mais lorsque je suis allongée dans ce lit, ou bien porte ces habits, ou regarde par la fenêtre, je suis fichue. »

Pendant longtemps, blottis l'un contre l'autre, nous restâmes au centre de la pièce. Un singulier soupçon perça dans mes pensées :

« Comment allons-nous rentrer dans notre monde ? lui demandai-je, en espérant qu'elle le saurait.

— Si nous ne laissons pas le brouillard s'installer, le retour dans notre monde se fait automatiquement », répondit-elle avec cet air de suprême autorité qui était en quelque sorte sa marque de fabrique.

Et elle avait raison. Nous nous réveillâmes en même temps, dans le lit de sa chambre à l'hôtel Regis. Le fait que nous étions revenus dans le monde de tous les jours s'imposait, et nous ne fîmes pas le moindre commentaire à ce propos. La lumière du soleil était aveuglante.

« Comment sommes-nous revenus ? dit Carol. Ou plutôt, quand sommes-nous revenus ? »

Je n'en avais pas la moindre idée, ni ne savais que dire. J'étais trop engourdi pour réfléchir, la seule chose que j'aurais, éventuellement, pu faire.

« Penses-tu que nous venons d'arriver ? insista Carol. Ou sommes-nous restés ici endormis toute la nuit. Regarde ! Nous sommes nus. Quand nous sommes-nous déshabillés ?

– Nous l'avons fait dans l'autre monde », dis-je surpris par le son de ma voix. Ma réponse sembla sidérer Carol. D'un air de complète stupéfaction, elle me dévisagea, puis elle observa son corps nu.

Nous restâmes assis, immobiles, pendant une éternité. Tous deux nous étions comme privés de toute volonté. Mais soudain, d'un même élan, nous fûmes traversés de la même pensée. Nous nous habillâmes en un rien de temps, nous sortîmes de la chambre, descendîmes en courant les escaliers des deux étages, traversâmes la rue et nous précipitâmes dans l'hôtel de don Juan.

Le souffle anormalement et inexplicablement coupé, car nous n'avions pas couru bien longtemps, nous lui racontâmes, l'un prenant le relais de l'autre, ce qui nous était arrivé.

Il confirma nos suppositions.

« Ce que vous avez accompli est la chose la plus dangereuse que je puisse imaginer », commenta-t-il.

Il s'adressa à Carol pour lui dire que notre tentative avait été à la fois un complet succès et un fiasco total. Nous avions réussi à transférer notre conscience de tous les jours dans nos corps d'énergie, accomplissant ainsi le voyage avec notre réalité physique, mais nous n'étions pas parvenus à éviter l'influence des êtres inorganiques. Il précisa qu'habituellement les rêveurs ressentent cette manœuvre comme une série de lentes transitions, et qu'il leur faut exprimer, à haute voix, leur intention de se servir de la conscience comme d'une caractéristique. Dans notre cas, ces étapes furent brûlées. Et suite à l'intervention des êtres inorganiques, nous avions tous deux été précipités, à une terrifiante vitesse, dans un monde meurtrier.

« Ce n'est pas vos énergies cumulées qui rendirent possible ce voyage, poursuivit-il. Quelque chose d'autre le fit. Elle choisit même des habits à votre taille.

– Voulez-vous dire, nagual, que les habits, et le

lit, et la pièce n'existèrent uniquement que parce que nous étions manipulés par les êtres inorganiques ? demanda Carol.

– Tu peux en mettre ta main au feu, répliqua don Juan. D'ordinaire, les rêveurs sont de simples voyeurs. À la manière dont se transforma votre voyage, vous avez tous les deux eu droit à un fauteuil au premier rang, et vous avez vécu la damnation des sorciers d'antan. Ce qui leur arriva est ce qui vous arriva. Les êtres inorganiques les transportèrent dans des mondes d'où ils ne purent revenir. J'aurais dû savoir que les êtres inorganiques allaient prendre tout en main et tenter de vous piéger tous deux, dans le même sac, mais cela ne me traversa même pas l'esprit.

– Voulez-vous dire qu'ils désiraient nous garder là-bas ? questionna Carol.

– Si vous étiez sortis de cette baraque, vous seriez maintenant en train de déambuler désespérément dans leur monde. »

Don Juan expliqua que, vu le fait que nous étions entrés dans ce monde avec nos réalités physiques, la fixation de nos points d'assemblage sur la position présélectionnée par les êtres inorganiques fut si dominante qu'elle créa un genre de brouillard qui effaça tout souvenir du monde d'où nous venions. Il précisa que, comme ce fut le cas pour les sorciers de l'antiquité, la conséquence naturelle d'une telle immobilité est que le point d'assemblage du rêveur ne peut plus revenir à sa position habituelle.

« Réfléchissez à ça, nous pressa-t-il. Peut-être est-ce exactement ce qui arrive à nous tous, dans ce monde de la vie de tous les jours. Nous sommes là, et la fixation de notre point d'assemblage est tellement dominante qu'elle nous fait oublier d'où nous sommes venus, et quel était notre but en venant ici. »

Don Juan ne voulut rien dire de plus sur notre voyage. J'eus l'impression qu'il désirait nous épargner d'autres déconvenues, ou éviter d'accroître notre peur. Il nous invita pour un déjeuner, assez tardif, précisa-t-il. En effet, lorsque nous arrivâmes au restaurant, quelques pâtés d'immeubles plus bas dans l'avenue Francisco Madero, six heures de l'après-midi sonnaient. En l'occurrence, il était donc possible de croire que Carol et moi avions dormi pendant près de dix-huit heures, si tant est que ce fût le cas.

Seul don Juan avait faim. D'un ton excédé, Carol fit remarquer qu'il s'empiffrait comme un cochon. À l'explosion de rire de don Juan, bien des têtes se tournèrent dans notre direction.

La nuit était chaude, le ciel limpide lorsque nous prîmes place sur un banc du Paseo Alameda, rafraîchis par une douce et caressante brise.

« Il y a une question qui me brûle les lèvres, dit Carol à don Juan. Nous n'avons pas fait usage de la conscience comme véhicule pour voyager, n'est-ce pas ?

– C'est exact, dit don Juan et il eut un profond soupir. La tâche consistait à esquiver les êtres inorganiques, et non à ce qu'ils vous manipulent.

– Que va-t-il se passer, maintenant ? poursuivit-elle.

– Tous les deux, vous allez suspendre traquer les traqueurs jusqu'au moment où vous serez plus forts. Ou vous n'y arriverez peut-être jamais. Ce qui n'a pas d'importance. Si une chose ne marche pas, une autre ira. La sorcellerie est un défi permanent. »

Une fois de plus, il nous expliqua, comme s'il tentait de fixer ses explications en nous, que pour utiliser la conscience comme une caractéristique de l'environnement, les rêveurs doivent en premier lieu accomplir un voyage dans le monde des êtres inorganiques. Ensuite, il leur faut se servir de ce voyage comme d'un tremplin et, tant qu'ils détiennent l'indispensable énergie obscure, ils doivent avoir l'intention d'être propulsés, grâce au véhicule de la conscience, dans un autre monde.

« L'échec de votre voyage vint du fait que vous n'avez pas disposé d'assez de temps pour mettre en œuvre la conscience comme une caractéristique permettant de voyager, poursuivit-il. Avant même d'atteindre le monde des êtres inorganiques, vous fûtes déjà tous deux dans un autre monde.

– Que nous recommandez-vous ? demanda Carol.

– Je vous recommande de vous voir le moins possible. Je suis certain que les êtres inorganiques ne laisseront pas passer la moindre chance de vous attraper tous les deux, particulièrement si vous cumulez vos forces. »

À partir de ce jour-là, Carol Tiggs et moi restâmes délibérément chacun dans notre coin. L'idée que nous pourrions, par inadvertance, déclencher un voyage semblable constituait pour nous un risque trop grand. Don Juan nous encouragea à nous en tenir à cette décision en répétant, à maintes reprises, que nos énergies cumulées suffiraient à tenter les êtres inorganiques à nous piéger une fois de plus.

Don Juan réduisit ma pratique de rêver à *voir* l'énergie dans des états générateurs d'énergie semblables-au-rêve. Le temps aidant, je *vis* tout ce qui se présentait devant moi. Mais alors je dus faire face à une situation des plus bizarres : j'étais incapable de rendre intelligiblement ce que je *voyais*. J'avais toujours l'impression que j'atteignais des états de perception pour lesquels je n'avais pas de lexique.

Don Juan expliqua mes incompréhensibles et indescriptibles visions par le fait que mon corps d'énergie utilisait la conscience telle une caractéristique, non pour voyager, car je ne disposais pas de suffisamment d'énergie, mais pour entrer dans les champs énergétiques de la matière inanimée et des êtres vivants.

11

LE LOCATAIRE

Tout changea, je ne pratiquai plus rêver. Lors de ma rencontre suivante avec don Juan, il me plaça sous la tutelle de deux femmes de son groupe, Florinda et Zuleica, ses plus proches compagnons. Leur enseignement ne concernait pas les portes de rêver mais différentes façons de se servir du corps d'énergie, et il ne dura pas assez longtemps pour avoir vraiment de l'influence sur moi. Elles me donnèrent l'impression d'être plus intéressées à me tester qu'à m'apprendre quelque chose.

« Il n'y a plus rien que je puisse t'enseigner concernant rêver, me dit don Juan, alors que je venais de le questionner à ce propos-là.

— Mon séjour sur cette terre approche de sa fin. Mais Florinda restera. Elle te dirigera, pas uniquement toi, mais aussi tous mes autres apprentis.

— Poursuivra-t-elle ma pratique de rêver ?

— Je l'ignore, et elle tout autant. Tout est entre les mains de l'esprit, le vrai joueur. Nous ne sommes pas des joueurs. Nous sommes de simples pions dans ses mains. Donc, bien que je ne puisse plus te guider, je dois, pour suivre les ordres de l'esprit, te dire en quoi consiste la quatrième porte de rêver.

— Alors pourquoi me mettre l'eau à la bouche ? Je préférerais ne rien savoir.

— L'esprit ne laisse ce choix ni à toi ni à moi. Je

246

dois te décrire la quatrième porte de rêve, que cela me plaise ou non. »

À la quatrième porte de rêve, expliqua don Juan, le corps d'énergie voyage jusqu'en des endroits concrets particuliers, et il existe trois façons d'utiliser la quatrième porte : la première, pour aller dans des lieux concrets de ce monde ; la seconde, pour aller dans des lieux concrets au-dehors de ce monde ; la troisième, pour aller dans des lieux qui n'existent que dans l'intention des autres. Il précisa que la dernière, la plus difficile et la plus dangereuse des trois, était, de loin, la préférence marquée des sorciers d'antan.

« Que voulez-vous que je fasse d'une telle connaissance ?

– Pour le moment, rien. Classe-la jusqu'au moment opportun.

– Voulez-vous dire que je peux traverser la quatrième porte de rêve par moi-même, sans aide aucune ?

– Que tu puisses ou non le faire repose dans les mains de l'esprit. »

Soudainement, il abandonna le sujet, sans toutefois me laisser l'impression que j'aie à tenter d'atteindre et de traverser la quatrième porte de rêve par moi-même.

Don Juan me fixa son dernier rendez-vous pour m'inviter, dit-il, à un adieu de sorcier : la touche finale à ma pratique de rêve. Il me précisa de les retrouver, lui et ses compagnons sorciers, dans la petite ville du sud du Mexique où ils vivaient.

J'y arrivai tard dans l'après-midi. En compagnie de don Juan, je m'assis dans le patio de sa maison sur d'inconfortables fauteuils d'osier rembourrés de coussins immenses et épais. Don Juan éclata de rire et me fit un clin d'œil. Ces fauteuils lui avaient été offerts par une des femmes de son groupe, et nous devions nous y asseoir, surtout lui, comme si rien ne nous gênait. Ils avaient été achetés à Phoenix, aux États-Unis et, avec bien des problèmes, importés au Mexique.

Don Juan me demanda de lire à haute voix un poème de Dylan Thomas qui, selon lui, avait pour moi à ce moment précis une signification des plus pertinentes.

J'ai langui de m'en aller
Loin du sifflement du mensonge consommé
Et du cri continu des vieilles terreurs
Devenues plus terribles encore alors que le jour
Verse de la colline dans la mer profonde...

J'ai langui de m'en aller mais suis effrayé;
Un peu de vie, toujours inconsommée, pourrait
                                        exploser
Du vieux mensonge brûlant au sol,
Et, crépitant dans les airs, m'ôter la vue à moitié.

Don Juan se leva en disant qu'il allait se promener jusqu'à la place centrale de la ville. Il m'invita à l'accompagner. Immédiatement, j'en conclus que le poème avait provoqué en lui une évocation désagréable, et qu'il éprouvait le besoin de la dissiper.

Nous arrivâmes à la place carrée sans avoir échangé un seul mot. Nous en fîmes plusieurs fois le tour, toujours en silence. Il y avait pas mal de gens, grouillant autour des magasins longeant les côtés est et nord du parc. Toutes les rues autour du square étaient irrégulièrement pavées. Les maisons, des bâtiments massifs d'adobes à un seul étage avec des murs blanchis et des portes peintes en bleu ou brun, étaient couvertes de tuiles. Dans une rue voisine, un pâté de maisons plus loin, les hauts murs de l'énorme église coloniale qui ressemblait à une mosquée mauresque dominaient sinistrement le toit du seul hôtel de la ville. Côté sud, il y avait deux restaurants qui, bien que mitoyens, faisaient curieusement de bonnes affaires et servaient tous deux pratiquement le même menu, au même prix.

Je brisai le silence en demandant à don Juan si

lui aussi ne trouvait pas bizarre que ces deux restaurants soient quasiment identiques.

« Tout est possible dans cette ville », répliqua-t-il.

La façon dont il parla me rendit mal à l'aise.

« Pourquoi es-tu aussi nerveux ? me demanda-t-il d'un air vraiment sérieux. Y a-t-il quelque chose que tu sais et me caches ?

– Pourquoi suis-je nerveux ? C'est à mourir de rire. En votre compagnie je suis toujours nerveux. Parfois plus, parfois moins. »

Il semblait faire de sérieux efforts pour ne pas éclater de rire.

« Les naguals ne sont pas les êtres les plus agréables de la terre, dit-il, comme pour s'excuser. J'ai appris ça de dure manière, en ayant à me mesurer avec mon maître, le terrible nagual Julian. Sa simple présence me foutait la trouille. Et quand il me prenait pour cible, je pensais chaque fois que ma vie ne valait pas cinq sous.

– Sans aucun doute, don Juan, vous m'affectez de la même façon. »

Il éclata de rire.

« Non, non. Tu exagères énormément. En comparaison, je suis un ange.

– Comparé à lui, vous pourriez être un ange, excepté que je ne connais pas le nagual Julian pour comparer. »

Il rit un moment, puis reprit son air sérieux.

« J'ignore pourquoi, mais je me sens vraiment effrayé, expliquai-je.

– Penses-tu que tu as raison d'avoir peur ? » me demanda-t-il en s'arrêtant pour me dévisager.

Le ton de sa voix et le haussement de ses sourcils me donnèrent l'impression qu'il soupçonnait que je savais quelque chose et le lui cachais. Nettement, il attendait mon aveu.

« Votre insistance m'intrigue, dis-je. Êtes-vous certain que ce n'est pas vous qui cachez quelque chose dans votre manche ?

– J'ai bien quelque chose dans ma manche, admit-il en grimaçant. Mais là n'est pas l'important. L'important est que, dans cette ville, il y a quelque chose qui t'attend. Et tu ne sais pas ce que c'est, ou bien tu sais de quoi il s'agit mais tu n'oses pas me le dire, ou alors tu ignores tout.

– Qu'est-ce qui m'attend ici ? »

Au lieu de me répondre, don Juan reprit vivement sa promenade, et nous continuâmes à marcher silencieusement autour de la place. Nous fîmes plusieurs tours en quête d'un banc où nous asseoir. Un groupe de jeunes femmes se leva et nous prîmes leur place.

« Depuis des années, je te décris les pratiques aberrantes des sorciers de l'ancien Mexique », dit don Juan alors qu'il prenait place sur le banc et me faisait signe de l'imiter.

Avec l'ardeur de celui qui n'en a jamais parlé auparavant, il se mit à me raconter ce qu'il m'avait déjà conté bien des fois : que ces sorciers, poussés par des questions d'intérêt extrêmement personnel, placèrent tous leurs efforts dans le perfectionnement de pratiques qui les écartèrent de plus en plus de la sobriété et de l'équilibre mental, et que finalement ils furent exterminés quand leurs complexes structures de croyances et de pratiques devinrent si encombrantes qu'ils ne purent plus les soutenir.

« Bien entendu, les sorciers de l'antiquité vécurent et proliférèrent dans cette région, continua-t-il tout en observant ma réaction. Ici même, dans cette ville. En fait, elle fut édifiée sur les fondations d'une de leurs villes. Ici, dans cette région, les sorciers de l'antiquité menèrent toutes leurs entreprises.

– Êtes-vous certain de cela, don Juan ?

– Je le suis, et tu le seras, très bientôt. »

Le bouillonnement de mon anxiété m'obligea à faire une chose que je détestais : me concentrer sur moi-même. Don Juan, conscient de ma frustration, me mit sur des charbons ardents.

« Très bientôt, tu sauras si oui ou non tu es vraiment semblable aux sorciers d'antan ou aux nouveaux sorciers.

— Vous me faites tourner en bourrique avec ces étranges et sinistres paroles », protestai-je.

Avoir passé treize années avec don Juan m'avait conditionné, plus que tout autre chose, à concevoir la panique comme étant toujours au coin de la rue, prête à me sauter dessus.

Don Juan sembla sur le point d'hésiter. Je remarquai ses furtifs coups d'œil en direction de l'église. Il était même distrait. Lorsque je lui parlais, il ne m'écoutait pas. Je dus lui répéter ma question :

« Attendez-vous quelqu'un ?

— Oui, j'attends quelqu'un. Sans aucun doute. Je ressentais les environs. Tu m'as surpris dans l'acte de balayer la zone avec mon corps d'énergie.

— Qu'avez-vous senti, don Juan ?

— Mon corps d'énergie sent que tout est en place. Ce soir, c'est la générale. Tu es l'acteur principal. Je ne suis qu'un simple acteur, avec un rôle secondaire mais significatif. Je sors au cours du premier acte.

— Enfin, de quoi parlez-vous ? »

Il ne me répondit pas. Il eut un sourire de connivence.

« Je prépare le terrain. Je te chauffe, pour ainsi dire, en te rabâchant l'idée que les sorciers de notre époque ont appris une bien dure leçon. Ils se sont rendu compte que seulement s'ils maintiennent un détachement absolu, ils peuvent disposer de l'énergie qui permet la liberté. Leur détachement est d'un genre particulier, né non pas de la peur ou de l'indolence, mais de la conviction. »

Don Juan se tut, se leva, étira ses bras en avant, sur les côtés, puis en arrière.

« Fais comme moi, me conseilla-t-il. Ça détend le corps, et il faut que tu sois très détendu pour faire face à ce qui vient pour toi, cette nuit. »

Il eut un large sourire.

« Cette nuit, ce qui vient pour toi est, soit un détachement complet, soit une totale complaisance. C'est un choix que chaque nagual de ma lignée dut faire. »

Il se rassit et respira profondément. Ce qu'il venait de dire semblait avoir épuisé toute son énergie.

« Je pense pouvoir comprendre le détachement et la complaisance, poursuivit-il, car j'ai eu le privilège de connaître deux naguals : mon benefactor, le nagual Julian, et son benefactor, le nagual Elias. J'ai été témoin de leurs différences. Le nagual Elias avait atteint un tel détachement qu'il pouvait négliger un don de pouvoir. Le nagual Julian, lui aussi, mais pas au point de refuser l'usage d'un tel don.

– Si j'en juge par votre manière de parler, je dirais que vous allez soudain cette nuit faire surgir de votre sac une sorte de test, n'est-ce pas ?

– Je n'ai pas le pouvoir de faire surgir des tests, quels qu'ils soient, mais l'esprit l'a. »

Il accompagna cette déclaration d'une grimace, puis ajouta :

« Je suis simplement son commissionnaire.

– Et que va donc me faire l'esprit, don Juan ?

– Tout ce que je peux dire est que, cette nuit, tu vas avoir une leçon de rêver, à la façon dont les leçons de rêver étaient autrefois données, mais ce n'est pas moi qui t'enseignerai cette leçon. Cette nuit, quelqu'un d'autre sera ton maître et ton guide.

– Qui sera mon maître et mon guide ?

– Un visiteur, qui sera pour toi soit une surprise terrifiante soit zéro surprise.

– Et quelle leçon de rêver vais-je recevoir ?

– C'est une leçon concernant la quatrième porte de rêver. Elle comporte deux parties. La première, je vais te l'expliquer maintenant. La seconde, personne ne peut te l'expliquer, car c'est quelque chose qui n'appartient qu'à toi. Tous les naguals de ma lignée ont reçu les deux parties de cette leçon, mais aucune d'entre elles n'a été identique ; chacune fut ajustée pour s'accorder aux penchants personnels du caractère des naguals.

– Votre explication ne m'aide absolument pas, don Juan. Elle ne fait que me placer sur des charbons de plus en plus ardents. »

Pendant un long moment, pas un mot ne fut échangé. J'étais troublé et agité et je ne savais quoi demander d'autre sans râler.

« Comme tu le sais déjà, percevoir l'énergie est pour les sorciers modernes une question d'accomplissement personnel, reprit don Juan. Grâce à notre autodiscipline, nous manœuvrons le point d'assemblage. Pour les sorciers d'antan, les déplacements du point d'assemblage dépendaient de leur sujétion à d'autres, leurs maîtres, qui par de sombres opérations réalisaient ces déplacements et les passaient à leurs disciples, tels des dons de pouvoir.

« Celui qui possède plus d'énergie que nous peut faire n'importe quoi de nous. Par exemple, le nagual Julian aurait pu me transformer en ce qu'il voulait, un démon ou un saint. Mais, nagual impeccable, il me laissa être moi-même. Les sorciers d'antan étaient très loin d'agir aussi impeccablement et, avec leur acharnement constant pour dominer les autres, ils créèrent une situation d'obscurantisme et de terreur qui se transmit de maître à disciple. »

Il se leva et balaya du regard les alentours.

« Comme tu peux t'en rendre compte, cette ville n'est pas grand-chose, reprit-il, mais elle exerce une exceptionnelle et unique fascination sur les guerriers de ma lignée. Ici repose la source de ce que nous sommes, source aussi de ce que nous ne voulons pas être.

« Puisque j'arrive au terme de mon temps, je dois te transmettre certaines idées, te raconter certaines histoires, te mettre en relation avec certains êtres, ici même, dans cette ville, exactement comme le fit pour moi mon benefactor. »

Don Juan précisa qu'il ne faisait que reprendre ce que je savais déjà, que tout ce qu'il était et tout ce qu'il savait constituaient l'héritage de son maître, le nagual Julian. Lui, à son époque, avait tout hérité de son maître, le nagual Elias. Lequel, du nagual Rosendo ; le nagual Rosendo, du nagual Lujan ; le nagual Lujan, du nagual Santisteban ; et le nagual Santisteban, du nagual Sebastian.

D'un ton très solennel, il me dit une fois de plus ce qu'il m'avait maintes et maintes fois expliqué, qu'avant le nagual Sebastian il y eut huit naguals, mais qu'ils furent assez différents. Bien qu'ils aient appartenu directement à sa lignée de sorcellerie, ils avaient vis-à-vis de la sorcellerie une attitude différente, un concept autre.

« Maintenant, tu dois te souvenir et me répéter tout ce que je t'ai dit concernant le nagual Sebastian », me demanda-t-il.

Sa requête me parut singulière, mais je repris tout ce qui m'avait été confié par lui, ou un de ses compagnons, concernant le nagual Sebastian, et le vieux sorcier mythique, le « défieur de la mort », qu'ils désignaient aussi comme « le locataire ».

« Tu sais bien que le défieur de la mort nous fait, à chaque génération, des dons de pouvoir, dit alors don Juan. Et la nature spéciale de ces dons est ce qui modifia le cours de notre lignée. »

Il expliqua que le locataire, sorcier de la vieille école, avait appris de ses maîtres toutes les complexités du changement de son point d'assemblage. Puisqu'il avait vécu peut-être des milliers d'années d'une vie et d'une conscience inhabituelles – largement le temps de parfaire n'importe quoi – il savait maintenant comment atteindre et maintenir des centaines, sinon des milliers de positions du point d'assemblage. Ses dons étaient en quelque sorte, à la fois des cartes pour changer le point d'assemblage en des endroits spécifiques, et des manuels pour savoir l'immobiliser sur n'importe laquelle de ces positions, et ainsi acquérir la cohésion.

Don Juan était au meilleur de sa forme de conteur. Jamais je ne l'avais vu dans une prestation aussi dramatique. Si je ne l'avais pas si bien connu, j'aurais juré que sa voix trahissait les inflexions anxieuses et profondes de quelqu'un torturé par la peur et les soucis. Ses gestes me faisaient penser à un excellent acteur jouant à la perfection la nervosité et l'inquiétude.

Don Juan me regarda attentivement et, avec le ton et la manière de celui qui consent à faire une révélation pénible, il me dit que, par exemple, le nagual Lujan reçut du locataire un don de cinquante positions. Il secoua sa tête en cadence, comme s'il me demandait silencieusement de bien peser ce qu'il venait de me révéler. Je gardais le silence.

« Cinquante positions ! clama-t-il d'une voix émerveillée. Le don d'une, ou au plus de deux positions du point d'assemblage serait plus que convenable. »

Il haussa les épaules en gesticulant avec perplexité.

« On m'a confié que le locataire adorait le nagual Lujan, continua-t-il. Ils se lièrent d'une telle amitié qu'ils ne se quittaient pratiquement plus. Il paraît que le nagual Lujan et le locataire avaient l'habitude de venir faire un petit tour dans cette église, chaque matin pour la première messe.

– Ici même, dans cette ville ? lâchai-je, exprimant ainsi ma surprise totale.

– Ici même, répliqua-t-il. Peut-être, il y a plus d'un siècle, se sont-ils assis exactement où nous sommes, certes sur un autre banc.

– Vraiment, le nagual Lujan et le locataire se promenèrent sur cette place ? demandai-je à nouveau, incapable de contenir ma surprise.

– Tu parles ! s'exclama-t-il. Ce soir, je t'ai amené ici à cause du poème que tu m'as lu, car il m'annonça que le temps de ta rencontre avec le locataire est arrivé. »

La panique me gagna à la vitesse d'un feu de brousse. Pour reprendre mon souffle, je dus respirer la bouche grande ouverte.

« Nous avons parlé des bizarres accomplissements des sorciers des temps anciens, continua don Juan. Mais parler exclusivement d'idéalisations, sans en avoir une connaissance de première main, est toujours délicat. Je pourrais te répéter jusqu'au jour du jugement dernier quelque chose qui a pour moi la clarté du cristal, et pour toi, elle demeurera impossible à comprendre ou à croire, car tu n'en as pas la moindre connaissance pratique. »

Il se leva et me fixa du regard de la tête aux pieds.

« Allons à l'église, le locataire aime cette église et ses abords. Je suis certain que c'est le moment d'y aller. »

Très rarement au cours de mon association avec don Juan, avais-je ressenti une telle appréhension. J'étais figé. Lorsque je me levai, mon corps tout entier tremblait. Mon estomac semblait être un sac de nœuds. Néanmoins, je le suivis vers l'église sans le moindre mot, mes genoux vacillant et fléchissant chaque fois que je faisais un pas. Le temps de parcourir le court pâté de maisons qui séparait la place des marches de calcaire du porche de l'église, j'étais à deux doigts de l'évanouissement. En plaçant son bras autour de mes épaules, don Juan me redressa.

« Voilà le locataire », dit-il, aussi banalement que s'il venait d'apercevoir un vieil ami.

Je regardai dans la direction qu'il pointa et je vis tout au fond du portique un groupe de cinq femmes et de trois hommes. Mon coup d'œil rapide et chargé de panique n'enregistra rien de particulier sur ce groupe de gens. Je n'aurais même pas pu dire s'ils entraient ou sortaient de l'église. Malgré tout, je remarquai qu'ils semblaient s'être réunis là par hasard. Ils n'étaient pas ensemble.

Le temps qu'il nous fallut pour atteindre la petite porte découpée dans le massif portail de bois, trois femmes étaient entrées dans l'église. Les trois hommes et les deux autres femmes s'en allaient. J'éprouvai un moment de confusion et questionnai du regard don Juan pour savoir que faire. De son menton, il désigna le bénitier.

« Nous devons observer les règles et faire le signe de croix, chuchota-t-il.

– Où est le locataire ? » demandai-je à voix basse.

Don Juan trempa ses doigts dans le bénitier et fit le signe de croix. D'un geste impératif du menton, il m'intima l'ordre de faire de même.

« Le locataire était-il un des trois hommes qui viennent de sortir, lui murmurai-je presque contre son oreille.

– Non, chuchota-t-il. Le locataire est une des trois femmes qui sont entrées. Celle au dernier rang. »

Au moment même, une des femmes du dernier rang tourna la tête vers moi, me sourit, et fit un signe affirmatif.

D'un bond, je me précipitai vers la porte et m'enfuis.

Don Juan se lança à mes trousses et, avec une incroyable agilité, me rattrapa et m'agrippa par le bras.

« Où vas-tu donc ? » demanda-t-il le visage et le corps tordus de rire.

Pendant que je reprenais à grandes goulées mon souffle, il me tenait solidement le bras. J'étouffais. Telles des vagues d'un océan, des éclats de rire jaillissaient de son être. Je m'arrachai à son étreinte et partis vers la place. Il me suivit.

« Jamais je n'aurais pensé que tu allais piquer une telle colère, dit-il pendant que de nouvelles ondes de rire secouaient son corps.

– Pourquoi ne m'aviez-vous pas dit que le locataire était une femme ?

– Ce sorcier là-bas est le défieur de la mort, dit-il solennellement. Pour un sorcier de cette stature, artiste dans le changement du point d'assemblage, être un homme ou une femme n'est qu'une question de choix ou de commodité. Là réside la première partie de la leçon de rêver que je t'avais annoncée. Et le défieur de la mort est le mystérieux visiteur qui va te guider dans cette leçon. »

Il se tenait les flancs, tant il s'étranglait de rire. J'étais incapable de parler. Puis, tout à coup, la fureur me gagna. Je n'étais pas furieux contre don Juan, ou moi-même, ou quelqu'un en particulier. C'était une fureur froide qui me donnait l'impression que ma poitrine, et tous les muscles de mon cou, allaient exploser.

« Revenons à l'église, hurlai-je sans reconnaître ma voix.

– Allons, allons, dit-il gentiment. Tu n'as pas besoin de sauter ainsi dans le feu. Réfléchis. Prends le temps de délibérer. Pèse le pour et le contre. Calme donc tes esprits. Jamais de ta vie tu n'as été soumis à une telle épreuve. Tu as besoin de calme, maintenant plus que jamais.

« Je ne peux pas te dire ce que tu dois faire, je peux seulement, comme n'importe quel nagual, te placer devant ce défi, le tien, après t'avoir dit, d'une façon assez indirecte, tout ce qui est pertinent. C'est aussi une autre des manœuvres d'un nagual : tout dire sans le dire, ou demander sans demander. »

Je désirais en finir au plus vite. Mais don Juan précisa qu'une pause restaurerait le peu de confiance en moi qu'il me restait. Mes genoux ne me supportaient presque plus. Plein de sollicitude, don Juan me fit asseoir sur le bord du trottoir, puis il prit place à côté de moi.

« La première partie de la leçon de rêver dont nous parlons est que la féminité et la masculinité ne sont pas des états définitifs, mais qu'ils résultent d'un acte spécifique de positionnement du point d'assemblage, dit-il. Et cet acte est, naturellement, une affaire de volonté et d'entraînement. Puisque c'était un sujet cher au cœur des sorciers d'antan, ils sont les seuls à pouvoir l'éclaircir. »

Peut-être parce que c'était la seule attitude rationnelle à avoir, je commençai à argumenter :

« Je ne puis ni accepter ni croire ce que vous avancez, dis-je en sentant mon visage s'échauffer.

– Mais tu as vu la femme, rétorqua don Juan. Penses-tu que tout cela n'est qu'une ruse ?

– Je ne sais que penser.

– Cette femme dans l'église est une vraie femme, insista-t-il. Pourquoi cela devrait-il te troubler tant ? Le fait qu'elle soit née homme révèle bien le pouvoir des machinations des sorciers d'antan. Il n'y a là rien pour te surprendre. Tu as déjà donné substance à tous les principes de la sorcellerie. »

Soumises à une trop vive tension, mes entrailles semblaient prêtes à exploser. D'un ton accusateur, don Juan déclara que je ne faisais qu'argumenter. À grands renforts de patience contenue, mais avec une réelle grandiloquence, je lui expliquai les fondements biologiques de la féminité et de la masculinité.

« Je comprends tout ça, dit-il. Et tu as raison quant à ce que tu dis. Ton point faible est de tenter de donner à tes certitudes une validité universelle.

– Nous parlons ici de principes fondamentaux, hurlai-je. Ils demeurent pertinents pour l'humanité ici et n'importe où dans l'univers.

– Exact. Exact, commenta-t-il d'une voix paisible. Tout ce que tu as dit est exact, pour aussi longtemps que notre point d'assemblage demeure sur sa position habituelle. Dès l'instant où il est déplacé au-delà de certaines limites, notre monde de tous les jours n'est plus fonctionnel, et pas un seul des principes qui te sont chers n'a la validité globale que tu prétends.

« Ton erreur est d'oublier que le défieur de la mort a transcendé ces limites des milliers et des milliers de fois. Il ne faut pas être une lumière pour se rendre compte que le locataire n'est plus soumis aux mêmes forces que celles qui te lient maintenant. »

Je lui signalai que ma querelle, si l'on pouvait qualifier cela de querelle, n'était pas avec lui mais avec le fait d'accepter le côté pratique de la sorcellerie qui, au moins jusqu'à ce jour, avait été tellement excessif qu'il ne m'avait jamais posé de véritable problème. Je répétai qu'en tant que rêveur, je pouvais certifier, dans les limites de mon expérience, que dans rêver tout est possible. Je lui rappelai que lui-même avait soutenu et entretenu cette conviction, associée avec l'absolue nécessité d'une parfaite santé mentale. Dans le cas du locataire, ce qu'il me proposait n'était pas sensé. Ce ne pouvait être qu'un sujet pour rêver, et en aucun cas pour le monde de tous les jours. Je lui fis savoir que pour moi cette proposition était exécrable et insoutenable.

« Pourquoi cette violente réaction ? » demanda-t-il en souriant.

Sa question me prit en défaut. Je me sentis embarrassé, et je dus admettre :

« Je pense qu'elle me menace jusqu'à la moelle de mes os. »

Et c'était bien ce que je pensais. Admettre que cette femme dans l'église était un homme me provoquait en quelque sorte un haut-le-cœur.

Une pensée traversa ma tête : le locataire est-il un travesti ?

Je questionnai sincèrement don Juan quant à cette possibilité. Il éclata d'un tel rire qu'il sembla en être malade.

« C'est une possibilité trop banale, dit-il. Peut être que tes anciens amis feraient une chose pareille. Tes amis actuels ont plus de ressources et sont moins obsédés par la sexualité. Je reprends.

Cet être dans l'église est une femme. Il est elle. Et elle possède tous les organes et les attributs d'une femelle. »

Puis il sourit malicieusement.

« À propos, tu as toujours été attiré par les femmes, n'est-ce pas ? Cette situation semble avoir été taillée à ta mesure. »

Son hilarité était telle, semblable à celle d'un enfant, qu'elle ne pouvait être que contagieuse. Nous rîmes à l'unisson, lui sans la moindre retenue, moi, submergé d'appréhension.

C'est alors que je pris une décision. Je me levai et dis, à très haute voix, que je n'avais pas la moindre envie de faire quoi que ce soit avec le locataire. Mon choix était de court-circuiter toute cette affaire, de revenir chez don Juan, puis chez moi.

Don Juan déclara que ma décision lui convenait parfaitement, et nous nous dirigeâmes vers sa maison. Mes pensées allaient dans tous les sens. Suis-je en train de faire le bon choix ? Ne suis-je pas en train d'abandonner à cause de ma peur ? Bien sûr, je rationalisais ma décision : elle était la meilleure, et de plus inévitable. Après tout, me disais-je pour me rassurer, je ne suis pas intéressé par une acquisition, et les dons du locataire n'étaient-ils pas la même chose qu'une propriété personnelle ? Puis le doute et la curiosité m'assaillirent. Il y avait tant de brûlantes questions que j'aurais pu enfin poser au locataire.

Mon cœur se mit à battre la chamade avec une telle force que je sentais ses battements contre mon estomac. Soudain ce battement se transforma en la voix de l'émissaire. Il avait brisé sa promesse de ne pas interférer et me dit qu'une force incroyable provoquait ma tachycardie pour m'obliger à revenir à l'église ; marcher vers la maison de don Juan signifiait marcher vers ma fin.

Je stoppai net et je confrontai don Juan aux paroles de l'émissaire :

« Est-ce vrai ? lui demandai-je.

— Je crains bien que ce le soit, admit-il d'un air penaud.

— Mais pourquoi ne pas me l'avoir dit vous-même, don Juan ? Vous alliez me laisser crever parce que vous pensez que je suis un lâche ? lançai-je furieusement.

— Tu n'allais pas mourir juste comme ça. Ton corps d'énergie a des ressources infinies. Et jamais ne m'est venue en tête l'idée que tu sois un lâche. Je respecte tes décisions, et je me fous de ce qui les motive.

« Tout comme moi, tu es au bout de la route. Alors, sois un vrai nagual. Ne sois pas honteux de ce que tu es. Si tu étais un lâche, je pense que tu serais mort de peur, il y a des années déjà. Mais, si tu as trop peur de rencontrer le défieur de la mort, alors meurs plutôt que de lui faire face. Il n'y a pas de honte à ça.

— Revenons à l'église, dis-je, aussi calmement que possible.

— Maintenant nous entrons dans le vif du sujet ! s'exclama don Juan. Mais auparavant, revenons dans le parc pour nous asseoir sur un banc et soigneusement considérer toutes tes options. Nous pouvons prendre le temps ; d'ailleurs, il est bien trop tôt pour l'affaire en question. »

Nous marchâmes jusqu'au parc et trouvâmes immédiatement un banc sur lequel nous prîmes place.

« Il te faut bien saisir que toi, uniquement toi-même, dois prendre la décision de rencontrer ou de ne pas rencontrer le locataire, et d'accepter ou de refuser ses dons de pouvoir, dit don Juan. Mais ta décision doit être exprimée à haute et intelligible voix à la femme dans l'église, face à face, et seul ; sinon, elle n'aura aucune validité. »

Don Juan précisa que les dons de pouvoir du locataire étaient, certes, extraordinaires, mais que leur prix était stupéfiant. Et que lui-même n'approuvait ni l'un ni l'autre, les dons ou le prix.

« Avant de prendre ta décision finale, tu dois connaître tous les détails de nos transactions avec ce sorcier.

— Je préférerais n'entendre plus parler de ça, don Juan, plaidai-je.

— C'est ton devoir de savoir, répondit-il. Autrement, comment pourrais-tu prendre ta décision ?

— Ne pensez-vous pas que moins j'en saurais sur le locataire, mieux je me porterais ?

— Non. Il ne s'agit pas ici de se cacher jusqu'à ce que le danger disparaisse. C'est le moment de vérité. Tout ce que tu as fait et vécu dans le monde des sorciers t'a dirigé vers là où tu es maintenant. Je ne voulais pas le dire parce que je savais que ton corps d'énergie allait t'en parler, mais il n'existe pas la moindre façon d'échapper à ce rendez-vous. Même pas en mourant. Comprends-tu bien ? »

Il me secoua par les épaules.

« Comprends-tu bien ? »

Je comprenais si bien que je lui demandai s'il serait possible de me faire changer de niveau de conscience, pour me soulager de ma peur et de mon malaise. La soudaine explosion de son « non » me fit presque sauter en l'air.

« Tu dois faire face au défieur de la mort en toute froideur, et avec une totale préméditation et, ça, tu ne peux pas le faire par procuration. »

Calmement, don Juan commença à répéter tout ce qu'il m'avait déjà dit sur le défieur de la mort. Pendant qu'il parlait, je me rendis compte qu'une partie de ma confusion venait des mots qu'il utilisait. Il exprimait « défieur de la mort » en espagnol par *el desafiante de la muerte,* et « locataire » par *el inquilino,* tous deux impliquant sans ambages un mâle. Mais, tout en décrivant la relation entre le locataire et les naguals de sa lignée, don Juan mélangeait sans cesse la dénotation des genres mâle et femelle de la langue espagnole, ce qui engendrait en moi une grande confusion.

Il disait que le locataire devait payer pour l'énergie qu'*il* prenait aux naguals de notre lignée, mais que ce quoi que ce soit qu'*il* payait avait lié ces sorciers pendant des générations. En paiement pour l'énergie prise à tous ces naguals, la femme dans l'église leur enseignait comment faire pour déplacer leurs points d'assemblage sur quelques positions particulières qu'*elle* avait elle-même choisies. En d'autres termes, *elle* liait chacun de ces hommes avec un don de pouvoir consistant en une position spécifique présélectionnée du point d'assemblage, avec toutes ses implications.

« Que voulez-vous dire par " toutes ses implications ", don Juan ?

– Je veux dire les effets négatifs de ces dons. La femme dans l'église ne connaît que la complaisance. Chez elle n'existent ni frugalité ni tempérance. Par exemple, elle enseigna au nagual Julian comment arranger son point d'assemblage pour être, comme elle, une femme. Enseigner ça à mon benefactor, un incurable sensuel, était comme donner de l'alcool à un ivrogne.

– Mais n'est-ce pas à chacun de nous d'être responsable de ce que nous faisons ?

– Oui, assurément. Toutefois, certains d'entre nous ont plus de difficultés que d'autres à être responsables. Accroître délibérément cette difficulté, comme le fait cette femme, est nous placer sous trop de pression.

– Comment savez-vous que la femme dans l'église le fait délibérément ?

– Elle l'a fait à chacun des naguals de ma lignée. Si nous nous considérons honnêtement et carrément, il faut admettre qu'avec ses dons, le défieur de la mort nous a fait devenir une lignée de sorciers très dépendants et imbus de leur suffisance. »

Je ne pouvais plus supporter ses incohérences de langage, et je m'en plaignis. Je lui dis sèchement :

« Il vous faut parler de ce sorcier soit comme mâle, soit comme femelle, mais pas les deux. Je suis trop guindé, et votre usage arbitraire du genre me rend encore plus mal à l'aise.

– Moi aussi, je me sens très mal à l'aise, confessa-t-il. Mais la vérité est que le défieur de la mort est tous les deux : mâle et femelle. Je n'ai jamais accepté cette transformation de sorcier avec beaucoup de grâce. Je savais qu'il en serait de même pour toi, puisque la première fois tu le vis tel un homme. »

Don Juan me rappela que, des années auparavant, il me poussa à rencontrer le défieur de la mort, et que je fis connaissance d'un homme, un étrange Indien, ni très vieux ni très jeune non plus, d'allure plutôt frêle. Je me souvins de son curieux accent et de son usage d'une singulière métaphore lorsqu'il décrivait ce qu'il était supposé avoir vu. Il disait : *mis ojos se pasearon,* mes yeux se promenèrent. Par exemple, il racontait :

« Mes yeux se promenèrent sur les casques des conquérants espagnols. »

Dans ma tête, l'événement avait été si éphémère que je pensais que la rencontre n'avait duré que quelques minutes. Plus tard, don Juan me confirma que j'avais passé une journée entière avec le défieur de la mort.

« La raison pour laquelle je tentais de te faire dire si tu savais ce qui se passait, continua don Juan, était que je pensais que, des années auparavant, tu avais toi-même pris rendez-vous avec le défieur de la mort.

– Don Juan, vous m'accordez trop de savoir. Dans ce cas particulier, je ne sais ni d'où je viens ni où je vais. Qu'est-ce qui a bien pu vous donner l'idée que je savais ?

– Le défieur de la mort sembla t'avoir beaucoup apprécié. Et cela signifia pour moi qu'il aurait déjà pu t'avoir fait un don de pouvoir, même si tu ne t'en souviens pas. Ou bien, il aurait pu fixer ton rendez-vous avec lui, telle une femme. Je soupçonnai même qu'elle t'avait alors fourni des indications précises pour la rencontrer. »

Don Juan fit remarquer que le défieur de la

mort, créature aux habitudes rituelles, rencontrait toujours les naguals de sa lignée la première fois tel un homme, comme cela se produisait avec le nagual Sebastian, et ensuite telle une femme.

« Pourquoi nommez-vous dons de pouvoir les dons du défieur de la mort ? Et pourquoi tout ce mystère ? demandai-je. Vous-même, vous pouvez déplacer votre point d'assemblage sur n'importe quel endroit de votre choix, n'est-ce pas ?

– On les nomme dons de pouvoir car ils résultent de la connaissance spécialisée des sorciers de l'antiquité, dit-il. Le mystère concernant ces dons est que personne sur cette terre, excepté le défieur de la mort, ne peut nous donner un échantillon de cette connaissance. Bien entendu, je puis déplacer mon point d'assemblage sur n'importe quel endroit de mon choix, à l'intérieur ou à l'extérieur de la forme d'énergie de l'homme. Mais ce que je ne peux pas faire, et que seul le défieur de la mort est capable d'accomplir, est de savoir que faire de mon corps d'énergie sur chacun de ces endroits pour atteindre une perception globale, une cohésion totale. »

Alors, il expliqua que les sorciers modernes ignorent les détails des milliers et des milliers de positions possibles du point d'assemblage.

« Que voulez-vous dire par détails ?

– Les manières particulières de traiter le corps d'énergie de façon à maintenir le point d'assemblage immobile sur ces positions spécifiques », répliqua-t-il.

Il prit son exemple personnel. Le don du défieur de la mort fut la position du point d'assemblage d'un corbeau, ainsi que les procédures pour manipuler le corps d'énergie de manière à obtenir la perception globale d'un corbeau. Don Juan précisa que la perception globale, ainsi que la cohésion totale, sont ce que les sorciers d'antan recherchaient à n'importe quel prix, et que, dans le cas de son don de pouvoir, la perception globale ne lui vint que suite à un processus délibéré qu'il dut apprendre, étape par étape, comme quelqu'un apprend à travailler avec une machine très compliquée.

Il poursuivit en indiquant que la plupart des changements dont les sorciers modernes font l'expérience, sont des changements minimes dans un mince faisceau de filaments lumineux d'énergie à l'intérieur de l'œuf lumineux, un faisceau nommé le spectre de l'homme, c'est-à-dire la caractéristique purement humaine de l'univers d'énergie. Au-delà de ce spectre, mais toujours à l'intérieur de l'œuf lumineux, il y a le royaume des grands changements. Lorsque le point d'assemblage se place sur n'importe quel endroit de cette zone, la perception nous est toujours compréhensible, mais, pour atteindre une perception globale, il faut suivre des procédures extrêmement détaillées.

« Les êtres inorganiques te piégèrent, toi et Carol Tiggs, lors de votre dernier voyage, en vous aidant, tous les deux, à réaliser un grand changement, dit don Juan. Ils déplacèrent vos points d'assemblage sur l'endroit le plus éloigné possible, puis ils vous aidèrent à percevoir là-bas comme si vous étiez dans le monde de tous les jours. Un acte quasiment impossible. Pour réussir ce genre de perception, un sorcier a besoin d'une connaissance pragmatique, ou d'amis influents.

« En fin de compte, vos amis vous auraient trahis et vous auraient laissés, toi et Carol, vous débrouiller par vous-mêmes et apprendre des moyens pratiques pour survivre dans ce monde. Au bout du compte, vous auriez tous deux fini par être débordés par ces procédures pragmatiques, à l'instar des plus grands des sorciers d'antan.

« Chaque grand changement a sa propre mécanique intérieure, poursuivit-il, que les sorciers modernes pourraient apprendre s'ils savaient fixer pendant assez longtemps leurs points d'assemblage sur n'importe quel grand changement. Seuls les sorciers des temps anciens possédaient la connaissance spécifique indispensable pour le faire. »

Don Juan précisa que la connaissance des procédures spécifiques concernant les changements ne fut pas disponible pour les huit naguals qui précédèrent le nagual Sebastian. Le locataire montra au nagual Sebastian comment obtenir une perception globale sur dix nouvelles positions du point d'assemblage. Le nagual Santisteban en reçut sept, le nagual Lujan cinquante, le nagual Rosendo six, le nagual Elias quatre, le nagual Julian seize, et lui-même deux. Soit un total de quatre-vingt-quinze positions spécifiques du point d'assemblage connu par sa lignée. Il précisa que, si je lui demandais s'il considérait ça comme un avantage de sa lignée, il répondrait par la négative, car la charge de ces dons obligeaient les naguals à un comportement proche de celui des sorciers d'antan.

« Maintenant est venu ton tour de rencontrer le locataire. Peut-être que les dons qu'il t'offrira feront pencher l'équilibre actuel, et notre lignée plongera dans l'obscurité qui a eu raison des sorciers d'antan.

— Est-ce aussi horriblement sérieux ? C'est écœurant, dis-je.

— Je t'exprime sincèrement toute ma sympathie, rétorqua-t-il le visage vraiment sérieux. Je sais bien que dire que c'est la plus dure épreuve d'un nagual moderne ne mettra pas le moindre baume sur ton cœur. Faire face à quelque chose de si ancien et de si mystérieux que le locataire n'inspire pas seulement de la terreur, mais suscite la révolte. Enfin, ce fut le cas pour moi, et ce l'est encore.

— Don Juan, alors pourquoi dois-je y donner une continuité ?

— Parce que, sans le savoir, tu as accepté le défi du défieur de la mort. Au cours de ton apprentissage, je t'ai extorqué cet accord, tout comme mon maître me l'extorqua, subrepticement.

« J'eus à subir la même horreur, seulement avec un peu plus de brutalité que toi. »

Il se mit à glousser de rire.

« Le nagual Julian adorait les plaisanteries atroces. Il me confia qu'une belle et ardente veuve était follement amoureuse de moi. Souvent, le nagual m'avait amené à l'église, et j'avais aperçu les regards de cette femme. À mon avis, elle était belle. Et j'étais un jeune homme facilement émoustillé. Quand le nagual me dit qu'elle m'aimait, je tombai dans le panneau. Mon retour à la réalité fut plutôt très dur. »

Il me fallut faire un effort pour ne pas rire du geste d'innocence perdue que fit don Juan. Puis la pensée de la situation fâcheuse dans laquelle il avait été poussé me frappa comme n'étant pas risible, mais abominable.

« Don Juan, êtes-vous certain que cette femme est le locataire ? dis-je, en espérant qu'il aurait pu s'agir d'une erreur ou d'une plaisanterie de mauvais goût.

— J'en suis certain, absolument certain. De plus, si j'étais idiot au point d'oublier quelqu'un comme le locataire, mon *voir* ne peut pas me faire défaut.

— Cela signifie-t-il, don Juan, que le locataire possède une énergie d'un genre différent ?

— Non, non pas un genre différent d'énergie, mais sans aucun doute des caractéristiques d'énergie différentes d'une personne ordinaire.

— Don Juan, êtes-vous cent pour cent certain que cette femme soit le locataire ? insistai-je, saisi par une singulière répulsion mêlée de peur.

— Cette femme est le locataire ! » s'exclama don Juan d'un ton qui n'autorisait pas le moindre doute.

Il s'ensuivit un silence. J'attendais la suite, en prise à une panique indescriptible.

« Je t'ai déjà dit que le fait d'être un homme naturel ou une femme naturelle dépendait de la position du point d'assemblage, reprit don Juan. Par naturel, j'entends celui qui est né soit mâle soit femelle. Pour un voyant, la partie la plus brillante du point d'assemblage fait face à l'extérieur pour ce qui est des femelles et, à l'intérieur, en ce qui concerne les mâles. À l'origine, le point d'assemblage du locataire était tourné vers l'intérieur, mais il le changea en le retournant et en transformant son énergie en forme d'œuf en une forme semblable à un coquillage enroulé sur lui-même. »

12

LA FEMME DANS L'ÉGLISE

Sans rompre le silence, don Juan restait assis à côté de moi. J'avais vidé mon sac de questions, et il semblait qu'il m'avait dit tout ce qui était pertinent pour faire face à la situation. Bien qu'il fût au plus tard sept heures du soir, la place était anormalement déserte. Pourtant la nuit était chaude et, en général, les habitants de cette ville se promenaient autour de cette place jusqu'à dix ou onze heures du soir.

Il me fallut un bon moment pour résumer ce qui m'arrivait. Mon association avec don Juan touchait à sa fin. Lui et son groupe de sorciers allaient accomplir le rêve des sorciers : quitter ce monde et accéder à d'inconcevables dimensions. En me basant sur ma réussite, même partielle, de rêver, je savais que leurs affirmations, bien qu'opposées à la raison, n'étaient pas illusoires mais au contraire d'une extrême sobriété. Ils avaient cherché à percevoir l'inconnu, et ils y étaient parvenus.

Don Juan avait parfaitement raison en disant que rêver, en induisant un déplacement systématique du point d'assemblage, libère la perception et élargit la portée de ce qui peut être perçu. Pour les sorciers de son groupe, rêver avait non seulement ouvert les portes de la perception d'autres mondes, mais les avait préparés à entrer, entièrement conscients, dans ces royaumes. Pour eux, rêver était devenu ineffable, sans précédent, quelque chose d'une nature et d'une portée auxquelles on ne pouvait que faire allusion, tout comme don Juan, lorsqu'il disait que rêver était la voie de la lumière et de l'obscurité de l'univers.

Pour eux, il n'y avait plus qu'une seule chose en instance : ma rencontre avec le défieur de la mort. Je regrettais que don Juan ne m'eût pas prévenu plus avant de façon à ce que je me fusse mieux préparé. Mais il était un nagual ; il faisait les choses sur un coup de tête, sans jamais prévenir.

Pendant un moment, assis dans ce parc à côté de don Juan, en laissant passer le temps pour que les choses mûrissent, je me sentais beaucoup mieux. Puis ma stabilité émotionnelle eut un retour d'ascenceur et, en un clin d'œil, je sombrai dans les profondes noirceurs du désespoir. De minables considérations concernant ma sécurité, mes objectifs, mes espoirs dans ce monde, mes soucis, m'assaillirent. Cependant, une fois tout bien pesé, je dus admettre que la seule inquiétude sérieuse que j'éprouvais concernait mes trois compagnons dans le monde de don Juan. Et, à tout prendre, même cela ne me préoccupait vraiment pas. Don Juan leur avait appris à être le genre de sorcières qui savaient toujours ce qu'il fallait faire et, beaucoup plus important, il les avait préparées à toujours savoir quoi faire avec ce qu'elles savaient.

Puisque j'avais depuis longtemps éliminé toutes les raisons terre à terre d'éprouver de l'angoisse, tout ce qui demeurait ne pouvait être que le souci de moi-même. Et, sans honte, je m'y complaisais. Ma dernière complaisance en cours de route : la peur de périr dans les mains du défieur de la mort. Ma frayeur s'amplifia à un point tel que je faillis vomir. Je voulus m'excuser, mais don Juan éclata de rire.

« Tu n'es vraiment pas le seul à dégobiller de trouille, dit-il. Quand je rencontrai le défieur de la mort, je pissai dans mes pantalons. Je ne te mens pas. »

Je laissai passer un long et insupportable moment.

« Es-tu prêt ? » demanda-t-il.

Je répondis par l'affirmative. En se levant, il ajouta :

« Alors, allons-y, et voyons comment tu te comporteras sur la ligne d'arrivée. »

Il me guida vers l'église. Pour autant que je me souvienne de ce parcours, même aujourd'hui, il dut me tirer corps et âme tout au long du trajet. Je n'ai aucun souvenir, ni d'arriver ni d'entrer dans l'église. Tout ce que je sais est qu'à un moment donné j'étais agenouillé sur un prie-Dieu de bois, juste à côté de la femme. Elle me souriait. Pris de désespoir, je tâchais de repérer don Juan alentour, sans succès. Si la femme ne m'avait pas retenu en saisissant mon bras, je me serais envolé, comme une chauve-souris quittant l'enfer.

« Pourquoi aurais-tu peur d'une faible femme comme moi ? » me demanda-t-elle, en anglais.

Je restais cloué à l'endroit où j'étais agenouillé. Ce qui m'avait le plus instantanément et entièrement capturé était sa voix. Je ne parviens pas à définir ce quelque chose dans ce son rauque qui me plongea dans la nuit de mes souvenirs les plus enfouis. C'était comme si j'avais toujours connu cette voix.

Je demeurais immobile, hypnotisé par ce son. Elle me questionna en anglais, mais je ne compris rien de ce qu'elle me disait. Elle eut un sourire de connivence.

« Tout va bien », me chuchota-t-elle en espagnol.

Elle était agenouillée à ma droite.

« Je comprends parfaitement la vraie peur. Elle accompagne ma vie. »

J'allais lui parler, lorsque la voix de l'émissaire se fit entendre :

« C'est la voix d'Hermelinda, votre nourrice. »

La seule chose que je savais d'Hermelinda était

qu'elle avait été accidentellement tuée par un camion fou, m'avait-on raconté. Que le son de la voix de cette femme puisse remuer des souvenirs aussi anciens et profonds me choqua. J'éprouvai une vague passagère de mortelle anxiété.

« Je suis ta nourrice ! s'exclama doucement la femme. C'est formidable ! Veux-tu mon sein ? » Le rire tordait son corps.

Je fis un suprême effort pour garder mon calme, mais j'étais parfaitement conscient de perdre du terrain et, en moins de rien, j'allais aussi perdre la tête.

« Ne t'offusque pas de ma plaisanterie, dit-elle à voix basse. En vérité, je t'aime énormément. Tu es bouillant d'énergie. Et nous allons vraiment nous entendre. »

Deux hommes âgés s'agenouillèrent juste devant nous. L'un d'eux tourna la tête et nous dévisagea avec une évidente curiosité. Elle n'en fit aucun cas et poursuivit son chuchotement à mon oreille.

« Laisse-moi prendre ta main », plaida-t-elle d'un ton qui était plutôt celui d'un ordre.

Incapable de dire non, je lui abandonnai ma main.

« Merci. Merci de ton assurance, et de ta confiance. »

Le murmure de sa voix me rendait fou. Son ton rauque était si exotique, absolument féminin. Jamais je ne l'aurais prise pour une voix d'homme s'efforçant d'imiter celle d'une femme. C'était une voix râpeuse, mais non une voix de gorge ou une voix rêche. Elle ressemblait bien plus au son de pieds nus se déplaçant en effleurant légèrement le gravier.

Pour tenter de déchirer cette invisible enveloppe d'énergie qui semblait m'avoir englobé, je fis un effort considérable. Je crus y être parvenu. Je me levai, prêt à partir, et je l'aurais fait si la femme ne s'était pas elle aussi dressée pour me chuchoter à l'oreille :

« Ne t'enfuis pas. J'ai tant de choses à te dire. »

Stoppé net par la curiosité, je me rassis mécaniquement. Singulièrement, mon anxiété s'était évanouie sur-le-champ, ainsi que ma peur. J'eus même assez d'audace pour lui demander :

« Êtes-vous vraiment une femme ? »

Elle gloussa d'un rire discret, comme une jeune fille. Puis elle s'exprima de façon tarabiscotée :

« Si tu oses penser que je puisse, pour te faire du mal, me transformer en un homme effrayant, tu te trompes gravement, dit-elle, en accentuant encore plus son étrange et fascinante voix. Tu es mon benefactor. Je suis ta servante. Tout comme j'ai été la servante de tous les naguals qui t'ont précédé. »

Une fois rassemblée toute l'énergie que je pus, je mis cartes sur table :

« Pour ce qui est de mon énergie, vous êtes la bienvenue. C'est un don que je vous fais, mais je ne veux aucun de vos dons de pouvoir. Et c'est ainsi.

– Je ne peux pas prendre ton énergie gratis, chuchota-t-elle. Je paie pour ce que je reçois, c'est le contrat. Il est stupide de donner ton énergie pour rien.

– Toute ma vie, j'ai été stupide, croyez-moi. Je puis, assurément, vous faire un cadeau. Ça ne me pose pas le moindre problème. Vous avez besoin d'énergie, prenez-la. Mais je n'ai pas besoin d'être encombré de superflu. Je n'ai rien et je m'en réjouis.

– Peut-être », dit-elle pensivement.

Avec agressivité, je lui demandai si ce « peut-être » signifiait qu'elle allait prendre mon énergie, ou bien qu'elle ne croyait pas que je sois démuni, et que j'en sois satisfait.

Elle gloussa de plaisir, et dit qu'elle pourrait prendre mon énergie, puisque je l'offrais aussi gracieusement, mais qu'il lui fallait effectuer un paiement. Elle devait me donner une chose d'égale valeur.

Tout en l'écoutant, je me rendis compte qu'elle

parlait espagnol avec un accent étranger des plus extravagants. À la syllabe du milieu de chaque mot, elle ajoutait un phonème. Jamais de ma vie je n'avais entendu quelqu'un parler de cette façon.

« Votre accent est vraiment extraordinaire, lui dis-je. D'où vient-il ?

– De tout proche de l'éternité », dit-elle en soupirant.

La glace commençait à se briser. Je comprenais pourquoi elle soupirait. Elle était la chose la plus proche de la permanence, alors que je n'étais que temporaire. Là résidait mon avantage. Le défieur de la mort s'était acculé dans une impasse, et j'étais libre.

Je l'observais attentivement. Elle paraissait avoir entre trente-cinq et quarante ans. Elle était, sans aucun doute, indienne, le teint foncé, assez trapue, mais non grosse ni même costaud. Je pouvais me rendre compte que la peau de ses avant-bras était douce et ses muscles fermes et jeunes. J'estimai sa taille de un mètre soixante-cinq à soixante-huit. Elle portait une robe longue, un châle noir, et des *guaraches*. Vu sa position agenouillée, je pouvais aussi apercevoir ses chevilles lisses et une partie de ses puissants mollets. Sa taille était fine. Elle avait une poitrine opulente qu'elle ne pouvait pas, ou ne voulait pas, cacher sous son châle. Ses cheveux étaient noir de jais et rassemblés en une longue tresse. Elle n'était ni belle ni commune. Ses traits n'avaient rien d'exceptionnel. Je pensais qu'elle ne devait attirer l'attention de personne, si ce n'étaient ses yeux, qu'elle maintenait baissés, cachés par ses paupières entrouvertes. Ses yeux étaient magnifiques, clairs, paisibles. Hormis ceux de don Juan, jamais je n'avais vu des yeux si brillants, si rayonnants de vie.

Ses yeux me rassurèrent complètement. Des yeux comme ceux-là ne pouvaient pas être malveillants. Je ressentis une poussée de confiance et d'optimisme alliée au sentiment de l'avoir connue toute ma vie. Mais je demeurais clairement conscient d'autre chose : mon instabilité émotionnelle. Dans le monde de don Juan, elle m'avait toujours handicapé, m'obligeant à virevolter comme une girouette. J'avais des moments de confiance et de perspicacité totales suivies de doutes et de méfiance misérables. Cette rencontre n'avait aucune raison d'être différente. Mon esprit suspicieux me lança soudain la pensée que je sombrais sous le charme de cette femme.

« Vous avez appris l'espagnol tard dans votre vie, n'est-ce pas ? dis-je pour faire surface et éviter qu'elle ne lise mes pensées.

– Hier seulement », rétorqua-t-elle avant d'éclater d'un rire cristallin qui révéla ses petites dents, étrangement blanches, scintillantes comme une rangée de perles.

Des gens se retournèrent pour nous regarder. Je baissai la tête comme plongé dans une profonde prière. La femme se pressa contre moi.

« Y a-t-il un endroit où nous pourrions parler ? demandai-je.

– Nous parlons ici, dit-elle. J'ai toujours parlé ici avec tous les naguals de ta lignée. Si tu chuchotes, personne ne s'en apercevra. »

Je mourais d'envie de lui demander son âge. Mais un souvenir se porta à mon secours, et il me dégrisa. Je me souvins de cet ami qui, des années durant, m'avait tendu des pièges pour me faire avouer mon âge. Je détestais cet objectif mesquin, et maintenant j'allais faire de même. J'oubliai ma curiosité.

Je voulais lui faire part de ma décision, simplement pour que se poursuive la conversation. Mais elle semblait savoir ce qui se passait dans ma tête. Elle serra mon bras d'un geste amical, comme pour dire que nous avions partagé une pensée.

« Au lieu de me faire un cadeau, pourriez-vous me confier quelque chose qui m'aiderait sur mon chemin ? lui demandai-je.

« – Non, murmura-t-elle, après avoir, de la tête, fait la même réponse. Nous sommes extrêmement différents. Bien plus différents que je ne l'aurais cru possible. »

Elle se leva et se glissa de côté pour quitter le banc. Elle esquissa une adroite génuflexion devant l'autel principal, fit le signe de croix, et me fit signe de la suivre vers un autel important de la contre-allée à notre gauche.

Nous nous agenouillâmes devant un crucifix de taille humaine et, avant que je n'ouvre la bouche, elle parla :

« Je suis en vie depuis très, très longtemps. La raison pour laquelle j'ai eu cette longue vie est que je contrôle les changements et les mouvements de mon point d'assemblage. En outre, je ne fais dans ton monde que de courtes incursions. Il me faut économiser l'énergie que j'obtiens des naguals de ta lignée.

– Comment existe-t-on dans d'autres mondes ?

– C'est comme pour toi dans rêver, excepté que j'ai plus de mobilité. Et aussi que je puis demeurer plus longtemps où que ce soit, si je le désire. Exactement comme tu resterais aussi longtemps que tu le voudrais dans n'importe lequel de tes rêves.

– Lorsque vous venez dans ce monde, êtes-vous tenue à rester uniquement dans cette région ?

– Non, je vais où je veux.

– Toujours en tant que femme ?

– J'ai été femme bien plus longtemps que je n'ai été homme. En définitive, je préfère être femme, et de loin. Je crois que j'ai presque oublié comment être un homme. Je suis cent pour cent femelle ! »

Elle prit ma main et la posa sur son pubis. Mon cœur battait à tout rompre. Sans le moindre doute, elle était une femelle.

« Je ne peux pas simplement prendre ton énergie, dit-elle en changeant de sujet. Il faut que nous passions un autre genre d'accord. »

Une nouvelle vague de raisonnement banal me submergea. Je voulais lui demander où elle vivait lors de ses séjours dans ce monde. Je n'eus même pas besoin d'exprimer verbalement ma question pour avoir une réponse.

« Tu es bien, bien plus jeune que moi, et tu as déjà quelques difficultés à dire aux gens où tu vis. Et même si tu les amènes à la maison que tu possèdes, ou loues, ce n'est pas là que tu vis.

– Il existe tant de choses que je désire vous demander, mais je n'ai que des pensées idiotes.

– Tu n'as rien à me demander. Tu connais déjà tout ce que je connais. Tout ce dont tu as besoin pour revendiquer tout ce que tu connais déjà, c'est d'une bonne bousculade. Cette bousculade, je te la donne. »

Non seulement j'étais parcouru de pensées très terre à terre, mais je me trouvais aussi dans un état tellement influençable, qu'à peine eut-elle fini de dire que je connaissais ce qu'elle connaissait, que j'eus la sensation de tout connaître ; donc je n'avais plus besoin de poser une seule autre question. Tout en riant, je lui confiai ma crédulité.

« Tu n'es pas crédule, m'assura-t-elle avec autorité. Tu connais tout, parce que, maintenant, tu es totalement dans la seconde attention. Regarde autour de toi ! »

Pendant un moment, je n'arrivai pas à focaliser ma vue, comme si j'avais de l'eau dans mes yeux. Une fois le contrôle de ma vue recouvré, je sus que quelque chose de prodigieux venait de se produire. L'église était différente, plus sombre, plus sinistre, et d'une certaine manière plus dure. Je me levai et fis quelques pas vers la nef. Mon regard fut attiré par les bancs ; ils n'étaient plus faits de planches mais de minces tiges de bois torsadées. C'étaient des bancs faits à la main, placés dans un magnifique édifice de pierre. La luminosité dans l'église différait aussi. Elle était jaunâtre, et son rayonnement faiblard projetait les ombres les plus sombres que j'aie jamais vues. Elle provenait des bougies des nombreux autels. L'harmonie parfaite de la lumière des bougies avec les murs massifs de pierre et l'ornementation de cette église de l'époque coloniale me frappa.

La femme me dévisageait ; la brillance de ses yeux était remarquable. Je sus alors que je rêvais, et qu'elle dirigeait mon rêve. Mais je n'avais peur ni d'elle ni du rêve.

Je m'éloignai de l'autel pour observer à nouveau la nef de l'église. Là, des gens agenouillés priaient. Des quantités de personnes, singulièrement petites, foncées, dures. Je pouvais partout voir, jusqu'au pied de l'autel, leurs têtes inclinées. Les plus proches me jetèrent un regard visiblement désapprobateur. Devant elles et tout le reste, je restais bouche bée. Cependant, je n'enregistrai pas le moindre bruit. Ces gens se déplaçaient dans le silence le plus complet.

« Je n'entends rien », dis-je à la femme. Ma voix retentit et alla d'écho en écho, comme si l'église était une conque vide.

Pratiquement toutes les têtes se tournèrent vers moi. La femme me tira dans la pénombre du côté de l'autel de la contre-allée.

« Si tu cesses d'écouter avec tes oreilles, tu entendras, dit-elle. Écoute avec ton attention de rêver. »

Tout ce dont j'eus besoin fut de son insinuation. Tout à coup, je fus submergé par le bourdonnement d'une multitude en prière. Immédiatement, cette rumeur m'emporta. Je découvrais le son le plus exquis qu'il m'ait été donné de percevoir. Je voulus faire partager mon extase à la femme, mais elle n'était plus à côté de moi. Je la cherchai du regard. Elle avait presque atteint la porte. Elle se retourna pour me faire signe de la suivre. Je la rattrapai sous le porche. Les lumières de la rue étaient éteintes. La seule luminosité nocturne provenait de la lune. La façade de l'église paraissait différente : elle était inachevée. Au sol, partout gisaient des blocs de calcaire taillés. Aux abords de l'église, on ne voyait pas une seule maison, pas un seul bâtiment. Sous la lumière lunaire, la scène était sinistre.

« Où allons-nous ? lui demandai-je.

– Nulle part, répondit-elle, nous sommes sortis ici pour avoir plus d'espace, plus d'intimité. Ici nous pouvons parler jusqu'à plus soif. »

Elle insista pour que je prenne place sur un bloc de calcaire équarri à moitié sculpté, et elle commença à parler :

« La seconde attention recèle une infinité de trésors à découvrir. La position initiale dans laquelle le rêveur place son corps est primordiale. Et là réside le secret des anciens sorciers qui, à mon époque, étaient déjà anciens. N'oublie pas ça. »

Elle prit place si proche de moi que je pouvais ressentir la chaleur de son corps. Elle posa un de ses bras autour de mon épaule et me pressa contre sa poitrine. Son corps avait un parfum particulier. Il me rappelait celui d'arbres ou de sauge. Ce n'était pas qu'elle se fût parfumée ; de tout son corps semblait émaner cette fragrance spéciale des forêts de pins. La chaleur de son corps n'avait rien de commun avec la mienne, ou celle de tous ceux que j'avais connus. La sienne était fraîche, une chaleur mentholée, stable, équilibrée. Il me vint en tête la pensée que sa chaleur s'imposait sans relâche, mais sans connaître de précipitation.

Elle se mit alors à chuchoter dans mon oreille gauche. Elle me dit que les dons qu'elle avait offerts aux naguals de ma lignée concernaient ce que les sorciers d'antan nommaient les positions jumelles. C'est-à-dire que la position initiale où le rêveur place son corps physique pour débuter sa pratique de rêver est reflétée par la position dans laquelle il maintient son corps d'énergie dans les rêves, afin de fixer son point d'assemblage sur tout endroit de son choix. Les deux positions constituent une unité, précisa-t-elle, et il fallut des milliers d'années pour que les sorciers d'antan découvrent la relation parfaite concernant chacune de ces unités. Dans un gloussement de rire, elle commenta le fait que les sorciers d'aujourd'hui n'auraient jamais le temps, ni l'inclination, pour mener à bien cet œuvre, et que les hommes et les femmes de ma lignée avaient vraiment de la chance de l'avoir, elle qui leur accordait de tels dons. Son rire éclatait avec une sonorité remarquable, celle du cristal.

Je n'avais pas entièrement compris son explication des positions jumelles. Hardiment, je lui annonçai que je ne désirais pas les pratiquer, mais seulement les connaître, intellectuellement savoir qu'elles sont possibles.

« Que veux-tu donc exactement connaître ? me demanda-t-elle calmement.

— Expliquez-moi ce que vous voulez dire par positions jumelles, ou bien la position initiale dans laquelle le rêveur place son corps pour commencer à rêver.

— Comment t'allonges-tu pour commencer à rêver ?

— De n'importe quelle façon. Je ne planifie pas cela. Don Juan n'a jamais insisté là-dessus.

— Eh bien, moi, j'insiste », dit-elle, et elle se leva.

Elle changea de place. Elle s'assit à ma droite et me murmura à l'oreille que, selon ce qu'elle savait, la position dans laquelle l'on place son corps est de la plus grande importance. Elle me proposa une sorte de test, la pratique d'un exercice simple, mais extrêmement délicat.

« Commence ton rêve allongé sur ton côté droit, tes genoux légèrement fléchis. La règle consiste à maintenir cette position jusqu'à s'endormir. En rêvant, l'exercice est de te rêver allongé dans la même position exactement et alors, de t'endormir à nouveau.

« – Et que se produit-il alors ?

– Le point d'assemblage reste fixe, et je dis bien, parfaitement fixe, quelle que soit la position où il se trouve à l'instant de ce second retour au sommeil.

– Et quels sont les résultats de cet exercice ?

– La perception globale. Je suis certain que tes maîtres t'ont déjà prévenu que mes dons sont des dons de perception globale.

– Oui. Mais je crois n'être pas vraiment clair sur ce que signifie perception globale. »

Je mentais.

Elle m'ignora et poursuivit en m'indiquant que les quatre variantes de cet exercice étaient : s'endormir sur le côté droit, sur le gauche, sur le dos, sur le ventre. Alors, une fois en train de rêver, l'exercice consistait à rêver de s'endormir une seconde fois dans la position même où l'on avait débuté rêver. Elle me garantit d'extraordinaires résultats qui néanmoins, précisa-t-elle, n'étaient pas prévisibles.

Elle changea brusquement de sujet, et me demanda :

« Quel don veux-tu pour toi-même ?

– Pas de don pour moi. Je vous l'ai déjà dit.

– J'insiste. Je dois t'offrir un don, et tu dois l'accepter. C'est notre contrat.

– Notre contrat est que nous devons vous donner notre énergie. Alors prenez-la. Cette fois-ci, ce sera sur mon compte. Mon cadeau, pour vous. »

La femme semblait sidérée. Et je persistai à lui dire que le fait qu'elle prenne mon énergie ne me posait pas de problème. Je lui avouai même que je l'aimais vraiment. Naturellement, je ne mentais pas. D'elle émanait quelque chose de suprêmement triste et, tout à la fois, de suprêmement attrayant.

« Rentrons dans l'église, marmonna-t-elle.

– Si vraiment vous désirez me faire un don, dis-je, offrez-moi une promenade au clair de lune dans cette ville. »

Elle eut un signe de tête affirmatif et ajouta :
« Pour autant que tu ne prononces pas un seul mot.

— Et pourquoi pas ? demandai-je tout en sachant la réponse.

— Parce que nous rêvons, et je vais te conduire plus profondément dans mon rêve. »

Elle m'expliqua que tant que nous restions dans l'église, je possédais assez d'énergie pour parler et tenir une conversation, mais qu'au-delà des murs de cette église, il n'en était pas de même.

« Pourquoi donc ? » demandai-je audacieusement.

D'un ton très sérieux, qui non seulement amplifiait son étrangeté mais me terrifiait, la femme déclara :

« Parce qu'il n'existe pas de là-bas. Ceci est un rêve. Tu es à la quatrième porte de rêver, en train de rêver mon rêve. »

Elle me dit que son art consistait à être capable de projeter son intention, et que tout ce que je voyais tout autour de nous était son intention. Dans un chuchotement, elle me glissa que l'église, la ville, résultaient de son intention ; elles n'existaient pas, et néanmoins elles existaient. En me regardant droit dans les yeux, elle ajouta que ce n'est là qu'un des nombreux mystères d'avoir l'intention dans la seconde attention des positions jumelles de rêver. C'est possible à faire, mais ça ne peut être ni expliqué ni compris.

Elle me dit alors qu'elle appartenait à une lignée de sorciers qui savaient, en projetant leur intention, se déplacer dans la seconde attention. Les sorciers de sa lignée pratiquaient l'art de projeter leurs pensées dans rêver de façon à obtenir la fidèle reproduction de n'importe quel objet, ou bâtiment, ou caractéristique naturelle du paysage, ou paysage entier de leur choix.

Elle précisa que les sorciers de sa lignée commençaient par fixer du regard un objet simple, de façon à en mémoriser tous les détails. Puis, ils fermaient les yeux pour visualiser l'objet et corriger leur visualisation par comparaison avec l'objet lui-même, jusqu'à ce qu'ils puissent le voir, dans sa globalité, les yeux clos.

L'étape suivante du développement de leur projet consistait à rêver avec l'objet, et de créer, dans le rêve, du point de vue de leur propre perception, une matérialisation globale de l'objet. Un tel acte, dit la femme, se nommait la première étape de la perception globale.

À partir d'un simple objet, ces sorciers passaient à des éléments de plus en plus complexes. Le but final était de visualiser tous ensemble un monde complet, puis de le rêver, et alors de recréer un véritable royaume complet où ils pourraient exister.

« Quand chacun des sorciers de ma lignée fut capable de faire ça, poursuivit la femme, ils purent facilement tirer n'importe qui dans leur intention, dans leur rêve. C'est exactement ce que je fais avec toi, et ce que je fis avec tous les naguals de ta lignée. »

La femme fut prise d'un fou rire.

« Il vaut mieux que tu me croies, dit-elle, comme si ce n'était pas le cas. En rêvant ainsi, des populations entières disparurent. C'est la raison pour laquelle je te dis que cette église, et cette ville, sont un des mystères d'avoir l'intention dans la seconde attention.

– Vous prétendez que des populations entières disparurent de cette façon. Comment cela fut-il possible ?

– Ils visualisèrent et puis recréèrent en rêvant le même environnement. Tu n'as jamais visualisé quelque chose, c'est pourquoi il est très dangereux pour toi de venir dans mon rêve. »

Alors elle me mit en garde sur les dangers de traverser la quatrième porte de rêver et de voyager en des lieux qui n'existent que dans l'intention de quelqu'un d'autre, puisque chaque élément dans un tel rêve ne peut être qu'un élément intrinsèquement personnel.

« Veux-tu toujours venir avec moi ? »

Je lui dis : oui. Puis elle me parla encore des positions jumelles. L'essentiel de son explication était que dans le cas où, par exemple, je rêvais de la ville où je suis né, et que mon rêve ait débuté alors que j'étais sur mon flanc droit, je pourrais facilement rester dans cette ville de mon rêve si, dans le rêve, je reposais sur mon côté droit puis rêvais que je m'endormais. Le second rêve serait, non seulement nécessairement un rêve de la ville de mon enfance, mais le rêve le plus concret que je puisse imaginer.

Elle était certaine qu'au cours de mon enseignement de rêver, j'avais eu une infinité de rêves extrêmement concrets, mais elle me certifia que chacun d'entre eux l'avait été par un coup de chance, car la seule façon d'avoir un contrôle absolu des rêves résidait dans l'utilisation de la technique des positions jumelles.

« Et ne me demande pas pourquoi, ajouta-t-elle. C'est ainsi. Comme tout le reste. »

Elle me fit lever et m'avertit, une fois de plus, de rester bouche cousue et de ne pas m'écarter d'elle. Gentiment, elle prit ma main, tout comme si j'étais un enfant, et elle se dirigea vers un groupe de silhouettes sombres de maisons. Nous avancions dans une rue pavée. De durs galets de rivière avaient été enfoncés sur la tranche dans le sol. Des pressions inégales avaient provoqué des surfaces inégales. Il semblait que les paveurs aient suivi les contours du sol, sans se soucier de le niveler.

Les grandes maisons, façades passées au blanc, à un seul étage et toit de tuiles, étaient recouvertes de poussière. Quelques personnes se promenaient tranquillement. Des ombres sombres et fugitives dans les ouvertures des maisons me donnèrent l'impression d'habitants curieux, mais peureux, qui cancanaient derrière les portes. Aux environs de la ville, je pouvais voir des montagnes aux sommets plats.

À l'inverse de ce qui m'était arrivé tout au long de ma pratique de rêver, mes processus mentaux restaient inchangés. Mes pensées n'étaient pas refoulées par la force des événements de mes rêves. Et, par une rapide opération de calcul mental, je sus que nous étions dans une version de rêve de la ville où vivait don Juan, mais à une époque différente. Ma curiosité monta à son comble. J'étais avec le défieur de la mort, dans son rêve. Mais s'agissait-il d'un rêve ? Elle m'avait dit que c'était un rêve. Je voulais tout voir, être dans un état de survigilance. Je désirais tout tester en *voyant* l'énergie. J'étais gêné, mais la femme resserra sa pression sur ma main, comme pour me signaler qu'elle était d'accord.

Pour une raison absurde, je me sentais encore timide et, automatiquement, j'exprimai à haute voix mon intention de *voir*. Au cours de ma pratique de rêver, j'avais toujours fait usage de la phrase : « Je veux *voir* l'énergie. » Parfois, il m'avait fallu la répéter, maintes et maintes fois, avant le moindre résultat. Cette fois, dans la ville de rêve de la femme, alors que je me lançai de la même façon dans la répétition de cette phrase, la femme éclata de rire. Son rire était comme celui de don Juan : un rire viscéral, profond, sans contrôle.

« Qu'est-ce qui est si drôle, demandai-je, malgré tout gagné par son hilarité.

— Juan Matus n'aime pas les sorciers d'antan en général, et moi en particulier, dit la femme entre ses crises de rire. Pour *voir* dans nos rêves, tout ce que nous devons faire est de pointer de notre petit doigt l'élément que nous désirons *voir*. Te faire hurler dans mon rêve est sa façon de me transmettre son message. Tu dois reconnaître qu'il est vraiment intelligent. »

Elle fit une pause, puis, avec le ton qui annonce une grande révélation, dit :

« Bien sûr, hurler comme un imbécile fonctionne aussi ! »

Le sens de cet humour de sorciers me désorienta au-delà de toute mesure. Elle riait si fort qu'elle ne semblait plus capable de reprendre notre visite. Je me sentais parfaitement idiot. Lorsqu'elle cessa de rire et fut de nouveau parfaitement calme, elle me dit que je pouvais pointer du doigt tout ce que je voulais dans son rêve, elle y compris.

Je pointai du petit doigt de ma main gauche vers une maison. Elle n'émettait pas d'énergie. Cette maison était comme tous les éléments d'un rêve ordinaire. Tout ce sur quoi je pointai du doigt donna le même résultat.

« Pointe sur moi, me pressa-t-elle. Tu dois corroborer que c'est la méthode que mettent en œuvre les rêveurs pour *voir*. »

Elle avait parfaitement raison. C'était une bonne méthode. À l'instant où je pointai mon petit doigt vers elle, elle fut un amas d'énergie. Un amas d'énergie particulier, devrais-je ajouter. Sa forme d'énergie était exactement comme don Juan me l'avait décrite : elle ressemblait à un énorme coquillage, courbé vers l'intérieur le long d'un clivage qui le traversait tout entier.

« Je suis le seul être générateur d'énergie dans ce rêve, dit-elle. Donc pour toi, la seule chose à faire est de tout observer. »

À ce moment-là seulement, je fus pour la première fois frappé par l'ampleur de la plaisanterie de don Juan. En fait, il m'avait contraint à apprendre à hurler dans mes rêves simplement pour que je hurle dans l'intimité du rêve du défieur de la mort. Cette touche était tellement drôle qu'en vagues suffocantes, le rire jaillit de moi.

« Reprenons notre promenade », dit gentiment la femme une fois mon rire apaisé.

L'agglomération n'avait que deux rues qui se

croisaient, chacune comportant trois pâtés de maisons. Nous parcourûmes les deux rues dans toute leur longueur, non pas une fois mais quatre fois. J'observais tout et écoutais avec mon attention de rêver le moindre bruit. Il y en avait bien peu, si ce n'étaient des chiens aboyant à distance ou des gens chuchotant à notre passage.

L'aboiement des chiens provoqua en moi un désir profond mais inconnu. Je dus m'arrêter de marcher. Je cherchais à me calmer en m'appuyant de l'épaule contre un mur. Le contact avec ce mur me surprit anormalement, non pas que le mur fût inhabituel, mais parce que ce sur quoi je m'appuyais était un mur solide, aussi solide que n'importe quel mur que j'eusse touché dans mon monde ordinaire. De ma main libre, je l'inspectais. Je promenai mes doigts à sa surface. Indiscutablement, c'était un mur !

Sa stupéfiante réalité mit un terme à mon désir et revivifia mon intérêt à tout observer. Je cherchais surtout des aspects que je pourrais corroborer avec la ville telle qu'elle se présente dans ma vie de tous les jours. Néanmoins, peu importe l'intention associée à cette observation, ce fut sans le moindre succès. Dans cette ville il y avait une place, mais devant l'église, face à son porche.

Sous la lumière lunaire, les montagnes environnantes étaient clairement visibles et presque familières. Je tentai de m'orienter en me situant par rapport à la lune et aux étoiles, comme si j'étais dans la réalité consensuelle de ma vie de tous les jours. La lune était descendante, peut-être un jour après la pleine lune. Elle était haute sur l'horizon, il devait être entre huit et neuf heures du soir. J'aperçus Orion à droite de la lune ; ses deux étoiles principales, Bételgeuse et Rigel, faisaient avec la lune une ligne droite horizontale. J'estimai que nous devions être au début du mois de décembre, alors que mon temps ordinaire était le mois de mai. Et en mai, Orion n'est jamais visible.

Je fixai du regard la lune aussi longtemps que je le pus. Rien ne se produisit. C'était bien, sans le moindre doute à mon avis, la lune. Cette disparité du temps m'excita énormément.

En observant de nouveau l'horizon méridional, je crus pouvoir identifier le sommet en forme de cloche, visible du patio de chez don Juan. Je m'efforçai de situer l'emplacement de sa maison. À un moment donné, je crus avoir trouvé. Cela me captiva tant que je retirai ma main de celle de la femme. Instantanément, une terrifiante anxiété m'envahit. Je savais qu'il me fallait revenir à l'église, car sinon j'allais sûrement mourir sur place. Je fis demi-tour et sans attendre filai vers l'église. La femme attrapa rapidement ma main et me suivit.

Pendant que nous approchions à grandes enjambées de l'église, je me rendis compte que dans ce rêve la ville s'étalait derrière l'église. Cela pris en considération, il aurait dû être possible de m'orienter. Cependant, je n'avais plus d'attention de rêver. Tout ce qu'il en restait, je la concentrais sur l'architecture et les ornements de l'arrière de l'église. Dans le monde de ma vie de tous les jours, je n'avais jamais vu cette partie de l'édifice et je pensais être capable d'enregistrer son apparence pour la comparer plus tard avec la véritable église.

Voilà le plan que j'échafaudai sur un coup de tête. Toutefois, quelque chose en moi méprisait mes efforts de validation. Tout au long de mon apprentissage, j'avais été obsédé par mon besoin d'objectivité, ce qui m'avait poussé à vérifier et re-vérifier dans le moindre détail tout ce qui provenait du monde de don Juan. Toutefois, ce n'était pas une validation en soi que je recherchais, mais un besoin de faire usage de cette motivation d'objectivité telle une béquille, afin de me protéger dans les moments d'intense perturbation de mes facultés de connaître. Lorsque se présentait l'opportunité de vérifier, je ne le faisais jamais.

Une fois dans l'église, nous nous agenouillâmes face au petit autel de la contre-allée de gauche, où nous avions déjà été et, l'instant suivant, je me réveillai dans l'église bien éclairée de ma vie normale.

La femme se signa, puis se leva. Je l'imitai automatiquement. Elle me prit par le bras et se dirigea vers la porte.

« Attendez, attendez », dis-je, surpris de m'apercevoir que je pouvais parler.

Mes idées n'étaient pas claires, mais je voulais lui poser une question alambiquée. Ce que je désirais savoir était comment quelqu'un pourrait avoir l'énergie de visualiser dans les moindres détails une ville entière.

Tout en souriant, la femme répondit à ma question, avant même que je ne la formule. Elle me confia qu'elle excellait à visualiser, car elle y avait consacré une vie tout entière, et elle avait bénéficié de plusieurs autres vies pour parfaire cet acte. Elle précisa que la ville que je venais de visiter, et l'église où nous avions parlé, étaient des exemples de ses récentes visualisations. Dans cette église même, Sebastian avait été sacristain. En fait, c'est par besoin de survivre qu'elle s'était imposé la tâche de mémoriser chaque détail de chaque coin de cette église et de cette ville.

Elle termina son exposé par une réflexion qui, après coup, me troubla :

« Puisque tu connais assez bien cette ville, bien que tu n'aies jamais tenté de la visualiser, maintenant tu m'aides à en avoir l'intention. Je te parie que tu ne vas pas me croire si je te dis que cette ville que tu aperçois n'existe pas, au-dehors de ton intention et de la mienne. »

Elle me dévisagea et, devant mon expression d'horreur, éclata de rire. Je venais à peine de comprendre ce qu'elle venait de dire.

« Sommes-nous encore en train de rêver ? lui demandai-je, tout étonné.

– Nous sommes en train de rêver. Mais rêver maintenant est plus réel que tout à l'heure, parce que tu m'aides. Il est impossible de l'expliquer au-delà de dire que ça arrive. Comme tout le reste. »

Elle pointa du doigt tout autour d'elle.

« Il n'existe pas une seule façon de dire comment ça arrive, mais ça arrive. Souviens-toi pour toujours de ce que je t'ai dit : c'est le mystère d'avoir l'intention dans la seconde attention. »

Elle me tira gentiment vers elle.

« Allons nous balader sur la place de ce rêve. Mais peut-être devrais-je m'arranger un petit peu de manière à ce que tu sois plus à ton aise. »

Je l'observais, sans rien comprendre, pendant qu'elle transformait son apparence, très simplement, très banalement. Elle ôta sa longue robe en révélant ainsi une jupe à mi-mollets qu'elle portait en dessous. Puis elle noua sa longue tresse pour en faire un chignon, et enfin changea ses guaraches pour des chaussures demi-talons aiguilles qu'elle sortit de son petit sac de toile. Elle retourna son châle noir réversible révélant une étole beige. Elle ressemblait maintenant à une typique petite-bourgeoise mexicaine de la ville, sans aucun doute en visite dans cette bourgade.

Avec un aplomb bien féminin, elle s'empara de mon bras et me conduisit jusqu'à la place.

« Où est passée ta langue, dit-elle en anglais. Le chat l'a-t-il mangée ? »

J'étais entièrement captivé par l'impensable possibilité que je fusse toujours dans un rêve ; et plus encore, je commençais à croire que si c'était vrai, je risquais de ne jamais me réveiller.

D'un ton nonchalant, que je ne reconnus pas être le mien, je dis :

« Jusqu'à présent, je ne m'étais pas rendu compte que vous parliez anglais. Où l'avez-vous appris ?

– Dans le monde d'au-delà. Je parle de nombreuses langues. »

Elle s'arrêta, et me dévisagea.

« J'ai eu tout le temps qu'il faut pour les apprendre. Puisque nous allons passer pas mal de temps ensemble, un jour, je t'enseignerai ma propre langue. »

Sans aucun doute au vu de mon air désespéré, elle fut prise de fou rire. Je m'immobilisai et, trahissant mes sentiments, je lui demandai :

« Allons-nous rester longtemps ensemble ?

– Bien entendu, répondit-elle d'un ton joyeux. Tu vas, et je dois ajouter, très généreusement, me donner ton énergie gratuitement. C'est bien ce que tu as dit, n'est-ce pas ? »

J'étais consterné.

« Quel est donc le problème, poursuivit-elle en passant à l'espagnol. Ne me dis pas que tu regrettes ta décision. Nous sommes des sorciers. Il est trop tard pour changer d'idée. Tu n'as pas peur. N'est-ce pas ? »

À nouveau, j'étais bien plus que terrifié, mais s'il m'avait fallu spécifier ce qui me terrifiait, je n'aurais pas su. Sans le moindre doute, je n'étais pas terrifié par le fait d'être dans un autre rêve en compagnie du défieur de la mort, ou même par la peur de perdre ma raison, ou ma vie. Avais-je peur du diable ? Je me posai la question. Mais, une fois bien considérée, la pensée du diable ne pesait pas lourd. Après toutes ces années sur la voie du sorcier, je savais, sans l'ombre d'un doute, que dans l'univers seule l'énergie existe. Le diable n'est qu'une vulgaire concaténation de la pensée humaine, subjuguée par la fixation de son point d'assemblage sur son habituelle position. Logiquement, rien ne pouvait m'effrayer. Je savais cela, mais je savais aussi que ma réelle faiblesse était mon manque de fluidité pour fixer instantanément mon point d'assemblage sur n'importe laquelle des positions où il avait été déplacé. La présence du défieur de la mort déplaçait mon point d'assemblage à une terrifiante vitesse, et je ne maîtrisais pas le tour de force indispensable pour tenir le coup. Il en résultait cette vague sensation de peur de ne pas être capable de me réveiller.

« Tout va bien. Reprenons notre promenade de rêve », dis-je.

Elle passa son bras sous le mien et, sans un mot, nous arrivâmes au parc. Il ne s'agissait pas d'un silence forcé, mais mes pensées tournaient en rond.

Comme c'est étrange, pensai-je, il y a à peine quelques heures je marchais ici en compagnie de don Juan, du parc à l'église, pris par une des plus terrifiantes de mes peurs ordinaires. Maintenant, je revenais en marchant de l'église au parc, en compagnie de l'objet de ma peur, et j'étais encore plus terrifié que jamais, mais d'une façon autre, plus mûre, d'une manière plus fatale.

Afin d'écarter mes soucis, je me plongeai dans l'observation des alentours. S'il s'agissait d'un rêve, comme je le pensais, il devait exister une manière de le prouver ou de l'infirmer. Je pointai mon petit doigt vers les maisons, l'église, les pavés de la rue, les gens, tout ce qui m'entourait. Audacieusement, je soulevai une ou deux personnes, qui marquèrent leur surprise, pour ressentir leur masse. Elles étaient tout aussi réelles que tout ce que je considère réel, mais elles ne produisaient pas d'énergie. Rien dans cette ville ne produisait d'énergie. Tout semblait réel et normal et, cependant, c'était un rêve.

Je me tournai vers la femme qui tenait mon bras, et je lui demandai ce qu'il en était.

« Nous rêvons, dit-elle de sa voix râpeuse, et elle fut prise d'un fou rire.

— Mais comment les gens et les choses peuvent-ils être aussi réels, aussi tridimensionnels ?

— C'est le mystère d'avoir l'intention dans la seconde attention ! s'exclama-t-elle en marquant une profonde déférence. Ces gens-là sont si réels qu'ils ont même des pensées. »

Cette révélation me porta le coup de grâce. Je ne désirais plus poser une seule question. Je voulais seulement m'abandonner à ce rêve. Une formidable secousse à mon bras me fit refaire surface. Nous arrivions à la place. La femme s'était arrêtée et me tirait pour que je m'assoie sur un banc. Lorsque je ne ressentis pas le banc sous mes fesses, je sus que j'allais vers des ennuis. Je commençai à tournoyer. J'avais l'impression de monter. J'aperçus en un éclair le parc, comme si je le survolais.

« C'est la fin ! » hurlai-je.

Je pensais que je mourais.

La montée en spirale s'inversa, et ce fut la chute tournoyante dans l'obscurité.

13

S'ENVOLER SUR LES AILES
DE L'INTENTION

« Fais un effort, nagual, insistait une voix de femme. Ne te laisse pas couler. Fais surface, fais surface. Sers-toi de tes techniques de rêver ! »

Je retrouvais mes esprits. Je pensais que c'était la voix d'une speakerine anglaise, et je pensais aussi que si je devais me servir de mes techniques de rêver, il me fallait trouver un point de départ pour me recharger énergétiquement.

« Ouvre tes yeux, ordonna la voix. Ouvre-les maintenant. Utilise comme point de départ la première chose que tu apercevras. »

Je dus m'obliger à un formidable effort, et j'ouvris mes yeux. Je vis des arbres et un ciel bleu. Il faisait jour ! Un visage flou me dévisageait. Mais je n'arrivais pas à mettre au point ma vision. Je pensais qu'il s'agissait de la femme dans l'église.

« Sers-toi de mon visage, dit la voix, une voix familière que je ne reconnaissais pas. Fais de mon visage ta base ; puis regarde tout le reste. »

Mon ouïe s'éclaircissait, et ma vue aussi. Je fixais le visage de la femme, puis les arbres du parc, puis le banc de fer forgé, puis les gens qui passaient, et à nouveau le visage.

En dépit du fait que son visage changeait chaque fois que je revenais dessus, je récupérais un minimum de contrôle. Une fois mes facultés recouvrées, je me rendis compte qu'une femme, assise

296

sur le banc, tenait ma tête sur ses genoux. Et elle n'était pas la femme dans l'église ; il s'agissait de Carol Tiggs.

« Que fais-tu ici ? » dis-je, le souffle coupé de surprise.

Ma frayeur et ma stupeur étaient tellement intenses que je voulus me lever et m'enfuir, mais ma conscience mentale ne contrôlait pas mon corps physique. Une période d'angoisse s'instaura ; je m'efforçais désespérément mais sans succès de me lever. Le monde autour de moi était à mon avis bien trop net pour que je sois tenté de croire qu'il s'agissait encore d'un rêve, et cependant mon contrôle moteur défectueux me faisait soupçonner que c'en était vraiment un. De plus, la présence de Carol s'avérait trop soudaine : il n'y avait rien dans ce qui venait de se passer qui la justifiait.

Prudemment, j'essayais d'exercer ma volonté de me lever, tout comme je l'avais fait des centaines de fois dans ma pratique de rêver ; mais rien ne se produisit. S'il existait un moment où je devais utiliser ma rationalité, il était venu. Aussi soigneusement que possible, j'entamai d'un seul œil une observation de tout ce qui était dans le champ de vision. Ensuite, je repris cet examen avec l'autre œil. Ayant ainsi constaté la consistance entre les images de mes deux yeux, j'eus la preuve que j'étais dans la réalité consensuelle de la vie de tous les jours.

Ensuite, j'examinai Carol. À ce moment-là, je me rendis compte que je pouvais bouger mes bras. Seule la partie inférieure de mon corps restait paralysée. Je touchai le visage et les mains de Carol ; je l'embrassai. Elle était consistante et, en toute certitude, la vraie Carol Tiggs. Ce qui me soulagea énormément, car pendant un moment j'avais eu la funeste suspicion qu'il s'agissait du défieur de la mort déguisé en Carol.

Avec la plus grande attention, Carol m'aida à m'asseoir sur le banc. Auparavant, j'avais été étalé sur le dos, à moitié sur le banc et à moitié par terre. Alors je remarquai quelque chose d'anormal. Je portais des jeans Levis délavés, des bottes de cuir brun, un blouson Levis et une chemise de coton denim.

« Un instant, dis-je à Carol. Regarde-moi bien ! Ces habits sont-ils les miens ? Est-ce bien moi ? »

Carol éclata de rire et me secoua par les épaules, avec cette façon si particulière qu'elle avait de montrer sa camaraderie, sa masculinité, d'exprimer son côté garçon manqué.

« Je regarde ton magnifique toi, dit-elle de sa voix de fausset forcée et très amusante.

« Ô messire, qui d'autre pourriez-vous bien être ?

— Comment diable puis-je porter des Levis et des bottes ? insistai-je, je n'en ai pas.

— Ce sont mes habits. Je t'ai trouvé en tenue d'Adam !

— Où ? Quand ?

— Non loin de l'église, il y a une heure à peine. Je suis venue sur la place, à ta recherche. Le nagual m'a envoyée voir si je pouvais te trouver. J'avais amené des habits, en cas de besoin. »

Je lui avouai me sentir terriblement vulnérable et très embarrassé à l'idée d'avoir déambulé nu dans cette ville.

« Curieusement, il n'y avait personne aux alentours », m'assura-t-elle, mais je sentis qu'elle disait cela juste pour me réconforter. C'est ce que trahissait son sourire enjoué.

« J'ai dû rester en compagnie du défieur de la mort toute la nuit dernière, et peut-être même plus longtemps, dis-je. Quel jour sommes-nous ?

— Ne te soucie pas des dates, dit-elle en riant. Lorsque tu seras remis sur pied, tu compteras les jours toi-même.

— Ne te fous pas de moi, Carol Tiggs. Quel jour sommes-nous ? »

Ma voix était une voix bourrue, une voix qui

n'allait pas par quatre chemins, une voix qui n'était pas la mienne.

« Le lendemain de la grande fête, dit-elle, et elle tapota gentiment mon épaule. Depuis la nuit dernière nous t'avons tous cherché.

— Mais que fais-je ici ?

— Je t'avais conduit à l'hôtel de l'autre côté de la place. J'étais incapable de te porter jusqu'à la maison du nagual. Il y a quelques minutes, tu t'es enfui en courant de la chambre, et cette course a pris fin ici.

— Pourquoi n'es-tu pas allée demander de l'aide au nagual ?

— Parce que cette affaire ne concerne que toi et moi. Nous devons la résoudre seuls. »

Sa remarque me cloua le bec. Elle avait parfaitement raison. Je lui posai une dernière question qui me tracassait :

« Qu'ai-je dit lorsque tu m'as trouvé ?

— Tu m'as dit que tu avais été si profondément et si longuement dans la seconde attention que tu n'étais pas encore tout à fait rationnel. Tout ce que tu désirais, c'était dormir.

— Quand ai-je perdu mon contrôle moteur ?

— Il y a un moment à peine. Mais il va reprendre. Tu sais bien qu'après être entré dans la seconde attention, et avoir reçu une formidable secousse énergétique, il est courant de perdre le contrôle de la parole ou des membres.

— Et depuis quand as-tu perdu ton zézaiement, Carol ? »

Sa surprise fut totale. Elle me dévisagea et éclata d'un rire franc.

« J'ai travaillé assez longtemps avant d'y arriver, confessa-t-elle. Je pense que c'est terriblement agaçant d'entendre une femme adulte zézayer. D'autant plus que tu détestes ça. »

J'admis sans difficulté que je détestais son zézaiement. Avec don Juan, j'avais tenté de le corriger, mais nous avions conclu qu'elle n'en avait pas la moindre envie. Tout le monde trouvait que ce zézaiement la rendait mignonne, et don Juan pensait qu'elle adorait cette situation, donc qu'elle n'y changerait rien. L'entendre parler sans son zézaiement en valait la peine et était formidablement excitant. Cela prouvait qu'elle était capable d'effectuer seule des changements radicaux, une chose que ni don Juan ni moi-même n'aurions jamais pu garantir.

« Et le nagual, qu'a-t-il dit d'autre lorsqu'il t'envoya me chercher ? demandai-je.

— Il m'a dit que tu te confrontais au défieur de la mort. »

D'un ton confidentiel, je révélai à Carol que le défieur de la mort était une femme. D'un ton nonchalant, elle me déclara qu'elle le savait.

« Comment peux-tu le savoir, hurlai-je. À part don Juan, personne ne l'a jamais su. Te l'a-t-il dit lui-même ?

— Évidemment, répondit-elle, imperturbable malgré mon éclat. Ce qui t'a échappé est que j'ai, moi aussi, rencontré la femme dans l'église. Je l'ai rencontrée avant toi. Nous avons amicalement bavardé dans l'église pendant assez longtemps. »

Je savais que Carol ne mentait pas. Ce qu'elle me révélait coïncidait bien avec la manière d'agir de don Juan. Il y avait de fortes chances qu'il ait envoyé Carol en éclaireur, pour qu'elle tâte le terrain.

« Quand as-tu rencontré le défieur de la mort ?

— Il y a environ deux semaines, répliqua-t-elle d'un ton très prosaïque. Pour moi, ce ne fut pas un grand événement. Je n'ai pas d'énergie à lui donner, ou tout au moins pas le genre d'énergie que désire une femme.

— Alors pourquoi l'as-tu rencontrée ? Est-ce que traiter avec le nagual femme fait partie de l'accord entre les sorciers et le défieur de la mort ?

— Je l'ai rencontrée parce que le nagual dit que nous sommes, toi et moi, interchangeables, et pour aucune autre raison. Nos corps d'énergie ont fusionné bien des fois. Ne t'en souviens-tu pas ? Avec cette femme, j'ai parlé de la facilité avec laquelle nous fusionnons. Je suis restée en sa compagnie trois ou quatre heures, jusqu'à ce que le nagual vienne et m'emmène.

– Êtes-vous restées dans l'église tout ce temps-là ? » demandai-je.

Il m'était difficile de croire qu'elles étaient demeurées agenouillées pendant trois ou quatre heures, à deviser seulement de la fusion de nos corps d'énergie.

« Elle m'amena dans une autre facette de son intention, concéda Carol après un moment de réflexion. Elle me fit voir comment elle avait échappé à ses ravisseurs. »

Carol me raconta alors une histoire des plus curieuses. Elle dit que, selon ce que la femme dans l'église lui avait fait voir, chaque sorcier de l'antiquité devenait inévitablement la proie des êtres inorganiques. Après les avoir capturés, les êtres inorganiques leur accordaient le pouvoir de devenir des intermédiaires entre notre monde et leur royaume, celui que les gens nommaient « le monde-d'en-bas ».

Inéluctablement, le défieur de la mort se trouva donc pris dans les filets des êtres inorganiques. Carol estimait qu'il était resté captif pendant peut-être des milliers d'années, jusqu'au moment où il fut capable de se transformer en femme. Le jour où il découvrit que les êtres inorganiques considèrent le principe féminin comme impérissable, il perçut très clairement sa seule voie de sortie de ce monde. En effet, ils croient que le principe féminin possède une telle flexibilité et que sa portée est si vaste, que ses membres sont ainsi insensibles aux pièges et aux machinations et, de plus, que l'on ne peut guère les garder en captivité. La transformation du défieur de la mort était si complète et si détaillée, qu'elle fut instantanément éjectée du royaume des êtres inorganiques.

« T'a-t-elle dit si les êtres inorganiques la pourchassent encore ?

– Naturellement, ils la pourchassent, m'assura Carol. La femme me déclara qu'à chaque moment de sa vie, elle doit se confronter à ses poursuivants.

– Que peuvent-ils lui faire ?

– À mon avis, se rendre compte qu'elle était un homme et la ramener en captivité. Je pense qu'elle en a peur, plus que tu crois qu'il soit possible d'avoir peur de quelque chose. »

Nonchalamment, Carol me confia que la femme dans l'église était parfaitement au courant de mes démêlés avec les êtres inorganiques, et qu'elle connaissait aussi l'éclaireur bleu.

« Sur toi et moi, elle sait tout, poursuivit Carol. Et non pas parce que je lui en aurais parlé, mais parce qu'elle fait partie de nos vies et de notre lignée. Elle mentionna qu'elle nous avait tous toujours suivis, toi et moi spécialement. »

Carol me fit part des circonstances où nous avions agi de concert et que cette femme connaissait. Pendant qu'elle parlait, je me sentis pris par une nostalgie exceptionnelle pour la personne qui me faisait face : Carol Tiggs. Je fus saisi d'une envie désespérée de l'embrasser. Pour passer à l'acte, je m'avançai. Mais je perdis l'équilibre et chutai du banc par terre.

Carol m'aida à me relever et, tout anxieuse, examina mes jambes et les pupilles de mes yeux, mon cou et le bas de mon dos. Elle en conclut que je souffrais encore d'une secousse énergétique. Elle plaça ma tête sur sa poitrine et me caressa, comme si j'étais un enfant qui fait semblant d'être malade et qu'il faut se prêter à son caprice.

Après un certain temps, je me sentis bien mieux ; je repris même mon contrôle moteur. Tout à coup, Carol me demanda :

« Comment trouves-tu la façon dont je suis habillée ? Le suis-je trop pour l'occasion ? Est-ce que, à ton avis, je suis bien comme ça ? »

Carol s'habillait toujours d'une façon exquise. S'il y avait quelque chose de certain chez elle, c'était son goût impeccable. En fait, pour aussi longtemps que je l'eusse connue, une plaisanterie coutumière de don Juan et de nous tous prétendait que sa seule vertu était sa compétence pour acquérir des vêtements splendides, puis à les porter avec grâce et chic.

Je trouvai sa question incongrue, et je ne pus m'empêcher de faire un commentaire :

« Pourquoi serais-tu si soucieuse de ton apparence ? Elle ne t'a jamais posé de problème jusqu'à maintenant. Cherches-tu à impressionner quelqu'un ?

— C'est toi que je cherche à impressionner, bien entendu.

— Mais ce n'est pas le moment, protestai-je. L'important est ce qui se passe avec le défieur de la mort, et non ton apparence.

— Tu serais bien surpris de l'importance de mon apparence, dit-elle en riant. Pour nous deux, mon apparence est une question de vie ou de mort.

— Que racontes-tu ? Tu me rappelles le nagual machinant ma rencontre avec le défieur de la mort. Il m'a presque rendu fou avec son discours mystérieux.

— Son mystérieux discours se justifiait-il ? demanda Carol avec une expression des plus sérieuses.

— Certainement, dus-je admettre.

— Alors, il en va de même avec mon apparence. Fais-moi plaisir. Comment me trouves-tu ? Séduisante, repoussante, attrayante, ordinaire, dégoûtante, dominatrice, autoritaire ? »

Je réfléchis pendant un instant et je fis mon choix. Je trouvais Carol séduisante. Cela me parut assez curieux. Jamais je n'avais consciemment pensé à sa séduction. Et j'avouai :

« Je te trouve divinement belle. En fait, tu es carrément sensationnelle.

– Alors, ça doit être la bonne apparence », soupira-t-elle.

Je m'efforçai de comprendre ce qu'elle avait voulu dire, mais elle reprit la parole.

« Comment s'est passée ta rencontre avec le défieur de la mort ? »

Je lui fis succinctement part de mon expérience, surtout du premier rêve. Je déclarai que le défieur de la mort m'avait fait voir cette ville, mais à une autre époque de son passé.

« Mais ce n'est pas possible, laissa-t-elle échapper. Dans l'univers, il n'y a ni passé ni futur. Il n'existe que le moment.

– Je sais qu'il s'agissait du passé, dis-je. C'était la même église, mais une ville différente.

– Réfléchis un peu, insista-t-elle. Dans l'univers, il n'existe que de l'énergie, et l'énergie n'a que le ici-et-maintenant, un éternel et toujours présent ici-et-maintenant.

– Alors, Carol, que m'arriva-t-il, à ton avis ?

– Avec l'aide du défieur de la mort, tu traversas la quatrième porte de rêver. La femme dans l'église te transporta dans son rêve, dans son intention. Elle te conduisit dans sa visualisation de cette ville. Manifestement, elle la visualisa dans le passé, et cette visualisation est en elle, toujours intacte. Tout comme doit l'être sa visualisation actuelle de cette ville. »

À la suite d'un long silence, elle me posa une autre question :

« Cette femme, que fit-elle encore avec toi ? »

Je lui racontai le second rêve. Le rêve de la ville telle qu'elle est aujourd'hui.

« Tu vois bien, dit-elle. Non seulement la femme te prit dans son intention du passé, mais elle t'aida aussi à traverser la quatrième porte en faisant voyager ton corps d'énergie jusqu'à un autre endroit qui existe aujourd'hui, mais seulement dans son intention. »

Carol fit une pause, et me demanda si la femme

dans l'église m'avait expliqué ce que signifiait : avoir l'intention dans la seconde attention.

Je me souvenais qu'elle l'avait mentionné, sans toutefois expliquer ce que signifiait avoir l'intention dans la seconde attention. Carol maniait des concepts dont don Juan n'avait jamais parlé.

« D'où te viennent toutes ces nouvelles idées ? » lui demandai-je, vraiment émerveillé par sa lucidité.

D'un ton évasif, Carol m'assura que la femme dans l'église lui avait expliqué bien des choses à propos de ces complexités.

« Maintenant, nous sommes en train d'avoir l'intention dans la seconde attention, continua-t-elle. La femme dans l'église nous a endormis ; toi ici, et moi à Tucson. Puis, dans notre rêve, nous nous sommes de nouveau endormis. Mais tu ne t'en souviens pas, alors que moi, si. Le secret des positions jumelles. Souviens-toi de ce que la femme t'a dit : le second rêve est avoir l'intention dans la seconde attention, la seule façon de traverser la quatrième porte de rêver. »

Suite à une longue pause, pendant laquelle je demeurais incapable d'articuler un seul mot, elle dit :

« Je pense que la femme dans l'église t'a fait un don, bien que tu n'en aies désiré aucun. Son don consista à additionner son énergie à la nôtre, de façon à aller en arrière et en avant, dans l'énergie ici-et-maintenant de l'univers. »

Je fus piqué de curiosité. Les mots de Carol étaient précis, appropriés. Elle venait de définir pour moi quelque chose que je considérais comme indéfinissable, bien qu'au fond je ne sache pas ce qu'elle venait de définir. Si j'avais pu bouger, j'aurais sauté pour la serrer dans mes bras. Pendant que je continuais à déclamer nerveusement sur le sens qu'avaient eu pour moi ses paroles, elle affichait un sourire béat. Avec emphase, je commentai le fait que don Juan ne m'avait jamais rien dit de tel.

« Peut-être ne le sait-il pas », dit Carol, d'un ton qui se voulait libre d'offense et plutôt conciliateur.

Je ne discutai pas son point de vue. Pendant un temps, je demeurais silencieux, singulièrement vide de pensées. Soudain, mes pensées et mes mots firent éruption, tel un volcan. Les gens qui se promenaient autour de la place se retournaient vers nous et, parfois même, s'arrêtaient afin de mieux nous observer. Nous offrions un curieux spectacle : Carol Tiggs embrassant et caressant mon visage pendant que je ne cessais de discourir de façon extravagante sur sa lucidité et sur ma rencontre avec le défieur de la mort.

Une fois que je fus capable de marcher, elle me guida au travers de la place vers l'unique hôtel de la ville. Elle m'affirma que je n'avais pas encore retrouvé assez d'énergie pour marcher jusqu'à chez don Juan et que, par ailleurs, tous savaient où nous étions.

« Et comment peuvent-ils savoir où nous sommes ?

– Le nagual est un vieux sorcier plein de ressources, répondit-elle en riant. C'est lui qui m'a dit que si je te trouvais énergétiquement essoré, je devrais t'installer à l'hôtel, plutôt que de risquer de traverser toute la ville avec toi à ma traîne. »

Ses paroles et surtout son sourire me soulagèrent, et je continuais à avancer dans un état de totale félicité. Nous tournâmes dans la rue et, un demi-pâté de maisons plus loin, se trouvait l'entrée de l'hôtel, juste en face de la façade de l'église. Nous traversâmes le hall morne et gravîmes les deux étages de l'escalier de ciment, jusqu'à une chambre peu accueillante où je n'avais jamais mis les pieds auparavant. Carol affirma que j'y étais déjà venu, mais je n'avais pas le moindre souvenir de l'hôtel et de cette chambre. Cependant, vu ma fatigue, je n'y accordai aucune importance. Je me jetai sur le lit, à plat ventre. Je désirais dormir, un point c'est tout. Toutefois, j'étais trop énervé.

Même si tout semblait en ordre, il y avait trop de choses encore insaisissables. Une brutale crise d'agitation me gagna et je m'assis.

« Carol, je ne t'ai jamais dit que j'avais refusé le cadeau du défieur de la mort ? Comment le sais-tu ?

– Oh, mais tu me l'as dit toi-même, protesta-t-elle en prenant place à côté de moi. Tu en étais tellement fier. C'est même la première chose que tu as laissé échapper, dès l'instant où je t'ai retrouvé. »

Cette réponse était la seule qui, jusqu'à présent, ne me satisfaisait pas vraiment. Elle me paraissait peu conforme à ma façon de m'exprimer.

« Je pense que tu as mal compris, dis-je. Je ne désirais rien qui puisse me détourner de mon objectif.

– Veux-tu dire que tu ne ressentis aucune fierté à refuser ?

– Non. Je n'ai rien ressenti, rien. Je ne suis plus capable de ressentir quoi que ce soit, si ce n'est la peur. »

J'étirai mes jambes et mis ma tête sur l'oreiller. Je sentais que si je fermais les yeux et cessais de parler, je m'endormirais en moins d'une seconde. Je racontais à Carol qu'au tout début de mon association avec don Juan, j'avais contesté son motif avoué de rester sur la voie du guerrier. Il disait que la peur le tenait sur le droit chemin, et que ce qu'il craignait le plus était de perdre le nagual, l'abstrait, l'esprit.

« Comparée à perdre le nagual, la mort n'est que broutille, m'avait-il répondu avec une indiscutable touche de passion dans la voix. Ma peur de perdre le nagual est tout ce que j'ai, car sans lui je serais pire que mort. »

Je confiai à Carol que j'avais immédiatement contredit don Juan et je m'étais vanté que si je devais demeurer dans les limites d'un seul chemin, puisque la peur ne me touchait pas, ma force motrice devrait être l'amour.

Don Juan avait rétorqué que, lorsque le fond du fond s'impose, la peur est la seule condition valable pour un guerrier. Secrètement, je lui en avais voulu pour ce que je pensais être une étroitesse d'esprit inavouée.

« La roue a fait un tour complet, dis-je à Carol, et regarde où j'en suis. Je peux te jurer que ce qui me force à poursuivre est ma peur de perdre le nagual. »

Carol m'observait avec un curieux regard que je ne lui connaissais pas.

« J'ose ne pas être d'accord, dit-elle doucement. La peur n'est rien comparée à l'affection. La peur te fait courir comme un fou ; l'amour te fait agir avec intelligence.

— Que dis-tu Carol Tiggs ? Les sorciers sont-ils maintenant amoureux ? »

Elle ne me répondit pas. Elle s'allongea contre moi et plaça sa tête au creux de mon épaule. Pendant longtemps, dans cette chambre étrange et si peu accueillante, nous gardâmes le silence.

« Je ressens ce que tu ressens, dit soudainement Carol. À ton tour, essaie de ressentir ce que je ressens. Tu peux y parvenir. Mais faisons-le dans le noir. »

Carol étendit son bras et éteignit la lampe qui pendait au-dessus du lit. D'un seul mouvement, je m'assis. Telle de l'électricité, un accès de peur m'avait foudroyé. Dès l'instant où Carol avait éteint la lampe, la nuit régna dans cette chambre. Saisi d'une forte émotion, j'en parlai à Carol.

« Tu n'as pas encore repris le dessus, me dit-elle pour me rassurer. Tu viens de vivre un combat de proportions monumentales. Aller aussi loin dans la seconde attention t'a, pour ainsi dire, un tant soit peu amoché. Bien sûr, il fait jour, mais tes yeux ne parviennent pas à s'ajuster à la faible lumière de cette chambre. »

Plus ou moins convaincu, je me rallongeai. Carol continua de parler, mais je ne l'écoutais pas. Je touchais les draps. C'étaient de vrais draps. Je passais mes mains le long du lit. C'était un lit ! Je me penchais et de la paume des mains parcourais le sol de tomettes froides. Je sortis du lit et vérifiai tout ce qu'il y avait dans cette pièce et dans la salle de bains. Tout semblait normal, parfaitement réel. Je déclarai à Carol que lorsqu'elle avait éteint la lampe, j'avais eu la nette impression de rêver.

« Cesse de te tourmenter, dit-elle. Assez de cette absurde enquête, viens sur le lit, et repose-toi. »

J'ouvris les rideaux de la fenêtre donnant sur la rue. Dehors il faisait grand jour, mais au moment où je les refermai, dans la chambre la nuit s'imposa. Carol me suppliait de m'allonger. Elle avait peur que je ne m'enfuie dans la rue, comme cela s'était déjà produit. Elle avait raison. Je me rallongeai, sans même me rendre compte que pas une seule fois ne m'était venue la pensée de pointer du doigt sur les choses ; comme si cette connaissance avait été effacée de ma mémoire.

Dans cet hôtel, l'obscurité était extraordinaire. Elle me donnait une délicieuse sensation de paix et d'harmonie. Elle fit naître aussi une profonde tristesse, un désir de chaleur humaine, de camaraderie. Ce sentiment me désorienta grandement. Je ne l'avais jamais éprouvé. Je restais allongé, tentant de savoir si ce désir était quelque chose de connu. Il n'en était rien. Mes désirs familiers ne concernaient pas la compagnie humaine. Ils étaient abstraits ; ils composaient une sorte de tristesse, celle de ne pas parvenir à atteindre quelque chose d'indéfinissable.

« Je pars en mille morceaux, dis-je à Carol. Je sens que je vais me mettre à pleurnicher sur le sort des gens. »

Je pensais qu'elle allait saisir l'humour de ma déclaration, de ma plaisanterie. Mais elle ne réagit pas ; comme si elle était d'accord. Elle soupira. Étant donné ma situation d'instabilité mentale, je sombrai immédiatement dans l'émotion. En pleine obscurité, je lui fis face et marmonnai des mots qui, dans un moment plus lucide, m'auraient semblé assez irrationnels :

« Je t'adore, assurément. »

Parmi les sorciers de la lignée de don Juan, un échange de cette sorte était impensable. Carol Tiggs était la femme nagual. Entre nous, il n'y avait aucun besoin de marques d'affection. En fait, j'ignorais même ce que nous éprouvions l'un pour l'autre. Don Juan nous avait appris qu'entre sorciers il n'y avait ni temps ni besoin de tels sentiments.

Carol sourit et m'embrassa. Et, débordé par une affection tellement dévorante pour elle, des larmes incontrôlées jaillirent de mes yeux.

« Ton corps d'énergie s'avance sur les filaments lumineux de l'énergie de l'univers, me chuchotat-elle. Nous sommes portés par le don d'intention du défieur de la mort. »

Il me restait assez d'énergie pour comprendre ce qu'elle disait. Je lui demandai même si elle comprenait bien tout ce que cela signifiait. Elle me fit taire et murmura à mon oreille :

« Je comprends parfaitement ; le don que t'offrit le défieur de la mort, ce sont les ailes de l'intention. Et grâce à elles, toi et moi nous nous rêvons nous-mêmes dans un autre temps. Un temps encore à venir. »

Je la repoussai et m'assis. La façon dont Carol exprimait ces complexes pensées de sorciers m'agaçait. Elle n'avait pas tendance à considérer avec sérieux la réflexion conceptuelle. Entre nous, nous plaisantions souvent sur le fait qu'elle n'avait pas une tête à philosopher.

« Que se passe-t-il avec toi ? lui demandai-je. Tu es nouvelle pour moi : Carol, la sorcière-philosophe. Tu parles comme don Juan.

— Pas encore, dit-elle en riant. Mais ça vient. Ça roule, et quand finalement ça me rattrapera, être une sorcière-philosophe sera ce qu'il y a de plus facile pour moi. Tu verras. Et personne ne pourra l'expliquer, car ça arrivera, c'est tout. »

Un signal d'alarme déchira mes pensées.

« Tu n'es pas Carol ! hurlai-je. Tu es le défieur de la mort déguisé en Carol. Je m'en doutais. »

Pas le moins du monde touchée par mon accusation, Carol riait.

« Ne sois pas stupide, dit-elle. Tu vas louper la leçon. Je savais que tôt ou tard, tu allais t'adonner à tes lubies. Crois-moi, je suis Carol. Mais nous sommes en train de faire ce que jamais nous n'avons accompli : nous avons l'intention dans la seconde attention, tout comme le faisaient les sorciers de l'antiquité. »

Elle ne parvenait pas à me convaincre, mais je ne disposais plus d'assez d'énergie pour reprendre mon argument, car quelque chose comme un des grands tourbillons de ma pratique de rêver commença à m'aspirer. J'entendis très faiblement la voix de Carol qui me disait à l'oreille :

« Nous nous rêvons. Rêve ton intention de moi. Aie l'intention de moi en avant ! Aie l'intention de moi en avant ! »

Au prix d'un prodigieux effort, j'exprimai ma pensée la plus profonde :

« Reste ici, avec moi, pour toujours », dis-je avec la voix de plus en plus lente d'un magnétophone sur le point de cesser de tourner. Sa réponse me fut incompréhensible. Je voulus rire de ma voix, mais le tourbillon m'engloutit.

Lorsque je me réveillai, j'étais seul dans la chambre d'hôtel, sans la moindre notion de la durée de mon sommeil. Ne pas retrouver Carol à mes côtés me désappointa considérablement. Je m'habillai en hâte et descendis dans le hall pour la rejoindre. En outre, je voulais me débarrasser de cette étrange envie de dormir qui me collait à la peau.

À la réception, le directeur me dit que la jeune femme américaine qui avait loué la chambre venait de partir. Je me précipitai dans la rue, avec l'espoir de la rattraper, mais en vain. C'était midi ; le soleil resplendissait dans un ciel sans nuages. Il faisait assez chaud.

J'allai vers l'église. C'est avec une véritable mais négligeable surprise que je découvris que dans mon rêve j'avais vraiment vu ses détails architecturaux. Désabusé, je jouai l'avocat du diable et m'accordai le bénéfice du doute : peut-être bien que je ne me souvenais plus que don Juan m'avait fait remarquer l'arrière de l'église. Je fis un effort pour tâcher d'éclaircir ce point, mais il ne m'offrait plus le moindre intérêt. Mon projet de validation n'avait de toute façon plus de sens. J'avais bien trop sommeil pour m'en soucier. Toujours en quête de Carol, je me dirigeais lentement vers la maison de don Juan. J'étais certain de la retrouver chez lui, m'attendant. Don Juan me reçut comme si je revenais de chez les morts. Autant lui que ses compagnons étaient au summum de l'émotion, et ils m'examinaient sans cacher leur curiosité.

« Où étais-tu ? » me demanda don Juan.

Je ne saisissais pas la raison de tous ces chichis. Je lui dis que j'avais passé la nuit en compagnie de Carol à l'hôtel de la ville, car je n'avais pas eu la force de venir de l'église chez lui, et qu'en outre, ils le savaient pertinemment.

« Nous ne savions rien de la sorte, répliqua-t-il sèchement.

– Mais Carol ne vous a-t-elle pas dit qu'elle était avec moi ? » dis-je alerté par un mince soupçon qui, si je n'avais pas été totalement épuisé, m'aurait alarmé.

Personne ne me répondit. Ils se regardèrent l'un l'autre, dubitativement. Je me tournai vers don Juan et je lui dis que, si je ne me trompais pas, c'est bien lui qui avait envoyé Carol me rechercher. Don Juan fit les cent pas dans la pièce, en silence.

« Carol n'a jamais été avec nous, dit-il. Et il y a neuf jours que tu as disparu. »

Mon état de fatigue amortit l'impact de ses paroles. Pourtant, le ton de sa voix et l'inquiétude manifeste de ses compagnons confirmaient qu'ils ne plaisantaient pas. Mais j'étais tellement engourdi que je ne trouvais rien à répondre.

Don Juan me demanda de leur raconter, de mon mieux et dans les moindres détails, tout ce qui s'était passé entre moi et le défieur de la mort. Je fus le premier surpris d'arriver à pouvoir me souvenir de tant de choses, et d'être capable de le transmettre en dépit de ma fatigue. Il y eut même un moment de légèreté qui brisa la tension lorsque je rapportai combien la femme avait ri, après mon stupide hurlement dans son rêve pour exprimer mon intention de *voir*.

« Pointer le petit doigt fonctionne bien mieux », dis-je à don Juan sans le moindre reproche.

Don Juan me demanda si la réaction de la femme à mon hurlement avait été seulement son rire. Je ne me souvenais que de son hilarité, et aussi du fait qu'elle avait mentionné combien il la détestait.

« Je ne la déteste pas, protesta don Juan. Tout simplement je n'aime pas la contrainte qu'exercent sur nous les sorciers d'antan. »

En m'adressant à tous, je déclarai que j'avais immensément apprécié, et sans la moindre hésitation, cette femme. Et aussi que j'avais aimé Carol Tiggs comme jamais je n'aurais pensé pouvoir aimer quelqu'un. Ils ne parurent pas apprécier ce que je leur avouai. Ils se dévisageaient comme si soudainement j'étais devenu fou. Je voulus en dire plus, mieux m'expliquer. Mais don Juan, à mon avis simplement pour me faire cesser ces idioties, me traîna pratiquement hors de la maison jusqu'à l'hôtel.

Le directeur de la réception, celui à qui j'avais précédemment parlé, écouta notre description de Carol Tiggs mais affirma ne jamais l'avoir vue, ni moi non plus d'ailleurs, avant cet instant. Il convoqua les femmes de ménage qui toutes confirmèrent ses dires.

« Que signifie tout cela ? » s'exclama don Juan à haute voix.

Ce fut comme une question qu'il se posait à lui-même. Gentiment, il me poussa hors de l'hôtel. « Sortons de ce satané endroit ! » dit-il.

Dès que nous fûmes dehors, il m'ordonna de ne pas me retourner pour regarder l'hôtel ou bien l'église qui lui faisait face, mais de garder la tête basse. Je fixai mes chaussures et, immédiatement, je me rendis compte que je ne portais plus les habits de Carol mais les miens. Toutefois, je n'avais pas le souvenir, même en m'y efforçant, d'avoir changé de vêtements. Je me dis que j'avais dû le faire sans doute après m'être réveillé dans la chambre d'hôtel. Mais j'avais un trou de mémoire.

Nous arrivâmes à la place. Avant que nous ne traversions pour nous diriger vers la maison de don Juan, je lui fis part de cette histoire d'habits. Il m'écouta attentivement tout en hochant régulièrement la tête. Puis, il prit place sur un banc et, d'une voix qui trahissait sa sérieuse inquiétude, il me prévint que pour le moment, je n'avais aucun moyen de savoir ce qui s'était produit dans la seconde attention entre la femme dans l'église et mon corps d'énergie. Mon interaction avec Carol Tiggs dans l'hôtel ne constituait que la partie visible de l'iceberg.

« C'est horrifiant de penser que tu es resté dans la seconde attention pendant neuf jours, poursuivit don Juan. Neuf jours, ce n'est qu'une seconde pour le défieur de la mort mais pour nous, c'est une éternité. »

Avant que je puisse objecter, ou expliquer, ou dire quoi que ce soit, il me bloqua net d'un commentaire :

« Considère ceci. Si tu n'arrives pas encore à te souvenir de toutes les choses que je t'ai enseignées et que je fis avec toi dans la seconde attention,

314

imagine combien il sera plus difficile de te souvenir de ce que le défieur de la mort t'enseigna et de ce que tu fis en sa compagnie. Je ne faisais que te faire changer de niveau de conscience ; le défieur de la mort t'a fait changer d'univers. »

Je me sentais humble et vaincu. Don Juan et ses deux compagnons insistaient pour que je fasse un effort titanesque, et que je me rappelle quand j'avais changé de vêtements. Je n'y parvins pas. Dans ma tête, il n'y avait rien, ni sentiments ni souvenirs. D'une certaine manière, en ne les ayant pas à ma disposition, je n'étais pas entièrement là.

L'agitation nerveuse de don Juan et de ses deux compagnons s'accentua. Jamais je ne l'avais vu si déconfit. Il avait toujours eu une touche d'humour, un sens de ne jamais se prendre complètement au sérieux dans tout ce qu'il disait ou faisait. Cette fois, ce n'était pas le cas.

À nouveau, je tentai de réfléchir, de faire surgir des bribes de mémoire qui éclairciraient toute la situation. Et, une fois de plus, j'échouai, sans toutefois me sentir vaincu. Une vague d'optimisme inattendu s'empara de moi. Je sentais que tout se déroulait au mieux.

L'inquiétude expresse de don Juan concernait le fait qu'il ignorait tout de ma pratique de rêver avec la femme dans l'église. Créer un hôtel rêvé, une ville rêvée, une Carol Tiggs rêvée ne constituait qu'un échantillon de la prouesse de rêver des sorciers d'antan, un exploit dont l'envergure complète défiait l'imagination humaine.

Don Juan ouvrit grands ses bras et, enfin, exprima d'un sourire son habituelle joie.

« La seule chose que nous puissions en déduire est que la femme dans l'église te montra comment l'accomplir, dit-il d'un ton délibérément lent. Rendre compréhensible une incompréhensible manœuvre constituera pour toi une tâche phénoménale. Sur l'échiquier, c'est un mouvement de grand maître que fit le défieur de la mort en

315

femme dans l'église. Elle fit usage du corps d'énergie de Carol et du tien pour décoller, pour briser ses amarres. Elle t'a pris au mot quant à ton offre de disposer librement de ton énergie. »

Ce qu'il venait de dire n'avait pas de sens pour moi ; mais, selon toute évidence, cette déclaration revêtait une grande importance pour ses deux compagnons. Ils manifestèrent une extrême agitation. En s'adressant à eux, don Juan expliqua que le défieur de la mort et la femme dans l'église constituaient des expressions différentes de la même énergie ; la femme dans l'église était la plus puissante et la plus complexe des deux. Après avoir contrôlé le corps d'énergie de Carol Tiggs, elle en fit usage d'une manière obscure, sinistre, cohérente avec les machinations des sorciers d'antan, et elle créa la Carol Tiggs de l'hôtel, une Carol Tiggs faite de pure intention. Don Juan ajouta qu'au cours de leur rencontre, la femme dans l'église et Carol avaient peut-être conclu une sorte d'accord énergétique.

En cet instant, don Juan sembla illuminé par une pensée soudaine. Avec un air d'incrédulité, il dévisagea ses deux compagnons. Leurs yeux se lancèrent des regards. J'étais absolument certain qu'ils ne cherchaient pas simplement à vérifier s'ils étaient d'accord, car ils semblaient avoir, à l'unisson, pris conscience de quelque chose.

« Toutes nos conjectures sont inutiles, dit don Juan d'un ton égal et tranquille. Je crois qu'il n'y a plus de Carol Tiggs. Par ailleurs, il n'y a plus de femme dans l'église. Elles ont fusionné et se sont envolées sur les ailes de l'intention, en avant, je crois.

« La raison pour laquelle la Carol Tiggs de l'hôtel se souciait tant de son apparence est qu'elle était la femme dans l'église, te faisant rêver une Carol Tiggs d'un autre genre ; une Carol Tiggs infiniment plus puissante. Ne te souviens-tu pas de ce qu'elle te disait : " Rêve ton intention de moi. Aie l'intention de moi en avant " ?

– Que signifie cela, don Juan ? demandai-je totalement stupéfait.

– Cela signifie que le défieur de la mort a vu une manière définitive de s'en sortir. Elle a sauté dans le véhicule que tu lui offrais. Ton destin est son destin.

– Ce qui veut dire, don Juan ?

– Ça veut dire que si tu arrives à être libre, elle aussi.

– Et comment va-t-elle y arriver ?

– Par Carol Tiggs. Mais ne te fais pas le moindre souci pour Carol, dit-il avant que je n'exprime mon appréhension. Elle est capable d'une telle manœuvre, et de bien plus encore. »

Des immensités plombaient mes épaules. Je ressentais déjà leur poids écrasant. Je connus un instant de lucidité, et je demandai à don Juan :

« Quel va être le dénouement de tout cela ? »

Il ne répondit pas. Il me fixa du regard, me parcourant de la tête aux pieds. Puis d'une voix volontaire et lente, il dit :

« Le don du défieur de la mort consiste en d'infinies possibilités de rêver. L'une d'entre elles fut ton rêve de Carol Tiggs dans une autre époque, dans un autre monde ; un monde plus vaste, toujours ouvert ; un monde où l'impossible pourrait même être réalisable. L'implication de ce don n'est pas seulement que tu vivras toutes ces possibilités, mais qu'un jour elles te seront compréhensibles. »

Il se leva et, en silence, nous marchâmes vers sa maison. Mes pensées commencèrent à mener un train d'enfer. Il ne s'agissait plus de pensées mais, pour ainsi dire, d'images, un mélange de souvenirs de la femme dans l'église et de Carol Tiggs me parlant dans l'obscurité d'une chambre d'hôtel rêvée. À plusieurs reprises, je fus proche de condenser ces images dans un sentiment appartenant à mon moi habituel, mais il me fallut laisser aller le tout. Je ne disposais pas d'assez d'énergie pour une telle tâche.

Peu avant d'arriver à sa maison, don Juan stoppa et se retourna vers moi. Une fois de plus, il me scruta soigneusement, comme s'il cherchait dans mon corps quelques signes. Je me sentis alors obligé d'être clair avec lui sur un point sur lequel je savais qu'il s'était absolument trompé.

« Dans l'hôtel, j'étais avec la véritable Carol Tiggs, lui dis-je. Pendant un moment, j'ai bien cru qu'elle était le défieur de la mort, mais suite à une soigneuse évaluation j'ai dû reconnaître mon erreur. Elle était Carol. D'une façon obscure et effrayante, elle était dans cet hôtel et, moi aussi, j'y étais.

– Bien sûr que c'était Carol, concéda don Juan. Mais pas la Carol que toi et moi connaissons. Celle-ci était une Carol rêvée, je te l'ai dit, une Carol faite de pure intention. Tu aidas la femme dans l'église à tisser ce rêve. Son art fut de faire que ce rêve soit une réalité qui incluait tout : l'art des sorciers d'antan, la chose la plus effrayante qui existe. Je t'avais dit que tu allais avoir l'ultime leçon de rêver, n'est-ce pas ?

– Que pensez-vous qu'il arriva à Carol Tiggs ? demandai-je.

– Carol Tiggs est partie, répondit-il. Mais un jour donné, tu trouveras la nouvelle Carol Tiggs, celle de la chambre d'hôtel rêvée.

– Que voulez-vous dire par : elle est partie ?

– Elle est partie de ce monde », dit-il.

Un flux de nervosité traversa mon plexus solaire. Je reprenais conscience. Ma conscience de moi-même recommençait à m'être familière, mais je ne la contrôlais pas encore. Néanmoins, elle avait commencé à déchirer le brouillard de rêver. Ça avait débuté comme un mélange de ne pas savoir ce qui se passait et d'un pressentiment que l'incommensurable était juste à portée de main.

Je dus avoir une expression d'incrédulité, car don Juan ajouta d'un ton autoritaire :

« C'est rêver. Au point où tu en es, tu devrais

savoir que ses transactions sont sans appel. Carol Tiggs est partie.

— Mais où pensez-vous qu'elle soit partie, don Juan ?

— Là où allèrent les sorciers de l'antiquité, où que ce soit. Je t'ai dit que le don du défieur de la mort consistait en d'infinies possibilités de rêver.

« Tu ne voulais rien de concret, donc la femme dans l'église t'a offert un don abstrait :

« La possibilité de s'envoler sur les ailes de l'intention. »

TABLE

« SPIRITUALITÉ ET ÉSOTÉRISME »
Collection dirigée par Laurence E. Fritsch

Les titres suivis d'un astérisque * sont inédits.
Les titres suivis d'un § sont des traductions.

Le chamanisme

Castaneda Carlos
L'art de rêver – Les quatre portes de la perception de l'univers
Un voyage dans les méandres de l'inconscient où les rendent possible l'accès à d'autres espaces et le « passage à l'infinité ». Un best-seller.

Hardy Christine
La connaissance de l'invisible
Une approche ethnologique et psychologique de l'autre réalité.

Harner Michael
La voie spirituelle du chamane
Un grand classique, passionnant témoignage vécu, initiation au voyage chamanique par un anthropologue américain.

Grim John A.
Chamane, guérisseur de l'âme §*
Une étude fondamentale sur les phénomènes de transe, sur le dialogue avec le cosmos et sur les rites de guérison chamaniques sibériens et ojibwas.

Jaoul de Poncheville Marie
Molom – Le chamane et l'enfant
Un superbe conte initiatique dans la steppe mongole de la veine du « Petit Prince ».

Kharitidi Olga
La chamane blanche
Lorsqu'une psychiatre russe combattant la puissance du chamanisme découvre les pratiques de celui-ci au point d'intégrer cette magie à l'exercice quotidien de son métier.

Meadows Kenneth
L'envol de l'aigle
Réapprendre le rythme de la nature et communier avec elle grâce aux pratiques traditionnelles des chamanes du monde entier.

Mercier Mario
L'enseignement de l'arbre-maître
Une vision chamanique de l'univers qui nous invite à un retour en nous-mêmes car nous sommes le reflet du monde de la nature. L'homme est un arbre qui tend vers le ciel.

Wesselman Hank
Celui qui marchait avec les esprits
Le récit extraordinaire de l'histoire vécue par un professeur d'anthropologie au cours de voyages chamaniques et qui lui a permis de communiquer avec le futur. Le nouveau Castaneda. Un livre exceptionnel.

Imprimé en France sur Presse Offset par

BRODARD & TAUPIN

GROUPE CPI

11102 – La Flèche (Sarthe), le 18-03-2002
Dépôt légal : mars 2002

POCKET – 12, avenue d'Italie - 75627 Paris cedex 13
Tél. : 01.44.16.05.00